LE KIEF

MAX OLIVIER-LACAMP

LE KIEF

BERNARD GRASSET

PARIS

IL A ÉTÉ TIRÉ DE CET OUVRAGE
TRENTE-QUATRE EXEMPLAIRES SUR
ALFA, DONT VINGT EXEMPLAIRES
DE VENTE NUMÉROTÉS DE 1 à 20
ET QUATORZE HORS COMMERCE
NUMÉROTÉS H. C. I A H. C. XIV,
CONSTITUANT L'ÉDITION
ORIGINALE.

« Les aventures peuvent être folles,
mais l'aventurier doit être sain d'esprit... »

G.K. CHESTERTON
The Man who was thursday

Vie étrange que celle de mon esprit depuis dix ans que je survis... Moi qui étais si curieux de tout, je m'abrutis doucement, doucement, tous les jours davantage, avec des lueurs d'intense intelligence, de connaissance aiguë comme avant... Sans autre raison qu'une rencontre intellectuelle avec n'importe qui, au hasard d'un contact avec un être ou avec une idée... Comme si quelque étincelle venait ici ou là mettre le feu à l'une des brindilles du chaume sous lequel mon intelligence somnole... Somnole est le mot, car je dors beaucoup, moi l'éveillé, et je m'endors presque n'importe où, sans raison. Je dors et je ne rêve même pas... Je me réveille sous le coup d'angoisses que les tranquillisants aggravent plutôt... Et elles s'enchaînent, ces angoisses, qu'elles commencent par la locomotive ou par la balle de polo, c'est toujours au serpent qu'elles aboutissent. Aux trois bonds du serpent avec lequel j'ai tué Sushila. Ainsi je vis entre l'angoisse et le vide de l'esprit, car je ne puis plus penser et écrire m'aide seulement à remuer le désordre de mon esprit... Est-ce le châtiment pour tant d'orgueil et tant d'opium? Sans doute, parce qu'une seule chose reste vive en moi, c'est la lucidité, la cruelle lucidité apprise sur le bat-flanc par la magie brune... Je me vois, je vois mon état, même quand Vivian qui ne me quitte plus m'assure que je suis aussi beau aussi intelligent qu'avant... Tous les abrutis à l'alcool que je connais sont plongés dans l'inconscience de leur abrutissement. Où en suis-je? Plutôt où en étais-je de mon histoire... Pourrai-je jamais la terminer? Peut-être si je refumais, après dix ans d'abstention... Mais je ne peux pas... J'ai arrêté d'un coup après la mort de Sushila et je ne veux pas la retuer.

Alors je bois, comme une bête. Plutôt j'ai bu... Je ne peux même plus boire maintenant, pour faire plaisir à Vivian parce que les médecins disent que l'opium m'a rongé le foie et qu'au point où j'en suis, c'est une question de vie ou de mort... Comme je m'en moque, de la vie et de la mort...

Alors à quoi bon?

C'est étrange cette vie que je mène, que Vivian me fait mener. La tête vide, sans pouvoir penser ni organiser mon esprit, à chercher refuge dans des insignifiances...

Alors à quoi bon?

J'ai un pistolet de la guerre, ici, dans un tiroir. Un peu rouillé, mais qu'importe... Vivian ne connaît pas son existence, elle l'aurait fait disparaître. J'ai un chargeur plein, alors qu'une seule balle suffit. Le canon dans la bouche, pour briser le cervelet à la base et c'est fini. Même pas un mauvais moment à passer. Rien que de la peine — un peu plus — pour ceux qui m'aiment.

Pourquoi m'aiment-ils?

PREMIÈRE PARTIE

HISTOIRE D'ALBERT

J'étais à Delhi, dans la bonne vieille Inde des Anglais, et l'Empire craquait avant de devenir Inde et Pakistan... Comment étais-je là? Qu'importe. Après avoir vendu des armes et fait un peu d'argent, même pas mal, j'avais eu des ennuis au poker et je vivais d'expédients, comme disent avec supériorité ceux qui touchent une solde tous les mois. Quand j'ai de l'argent, cela en passant, personne n'a jamais qualifié d'expédients la source de mes revenus, encore moins celle de ma munificence...

Je me débrouillais au jour le jour, en attendant la bonne affaire, ou plutôt : le gros coup. Je n'ai jamais aimé le détail. Tout ou rien, une de mes devises, de mes nombreuses devises. J'en change avec le temps qu'il fait. Ma vraie devise : j'aime mon choix, avec celui du hasard.

Dans l'aventure on a de vrais amis et de vraies amies, d'autant plus que, sans payer mon loyer, je n'étais pas à la rue et je donnais volontiers à fumer. A fumer l'opium, bien sûr, qui paraissait un luxe rare, clandestin et exotique aux nouveaux venus d'Europe et d'Amérique, aux charognards de l'Indépendance comme les appelaient les dédaigneux sahibs à moustaches rouges et les memsahibs à postiches qui faisaient leurs valises. Tous les nouveaux messieurs et dames, diplomates sud-américains, agents commerciaux made in USA, espions de petite volée, qui s'installaient à Delhi, vieille et nouvelle, qui vivaient à l'hôtel en cherchant à trouver moins cher, chuchotaient d'oreille à oreille le tuyau, mon adresse. Je ne recevais pas n'importe qui, car je ne faisais pas commerce, seulement ceux qui me plaisaient, ceux à qui je daignais rendre service. J'habitais au bout de Prithviraj Road, à l'extrémité sud de la Nouvelle-Delhi, presque dans la jungle à l'époque, entre des espaces où, la nuit, régnaient les bêtes sauvages. A l'ouest, le champ de courses; au sud, l'aérodrome de Safdar Jang où plus rien ne volait après la chute du jour, avec la route du Qutb Minar ouverte droit sur la campagne. A l'est le cimetière, immense, plein des ruines romantiques de la dynastie Lodi, enfin le golf et au loin le tombeau d'Humayun. Le golf le mieux tenu d'Asie naguère, maintenant parc à hyènes et à chacals.

Autour de ma maison, peinte en clair, avec un fronteau à colonnes, un jardin vaste, plutôt des pelouses d'assez bon gazon à l'anglaise, avec des fleurs, une haie taillée pour faire limite et une barrière blanche, symbolique, cadenassée le soir pour transformer le vol, simple délit, en vol-crime avec effraction.

Je fumais le soir sur la véranda, avec les intimes et, dans la nuit qui s'installait, l'ouïe exaltée par l'opium, je prenais mon *Kief,* c'est-à-dire mon pied, bercé par le bruit des bêtes en quête avant la chasse. Rampements de serpents crissant dans l'herbe et dans le sable, querelles étouffées d'oiseaux qui s'endorment dans l'inquiétude (surtout avant les pluies de mousson quand l'air sec ne contient pas d'insectes), chant des chacals, leur rire musical, un peu angoissé, attaqué en solo et repris en chœur.

A l'époque, c'était moi le plus fauché des sahibs de Delhi et c'était chez moi que venaient, guidés par l'instinct ou par la renommée d'entre Suez et Shangai, tous ceux qui pour une raison ou une autre se trouvaient hors la *conformité*. Pas toujours des ruines, rarement des déchets, quelques clochards et clochardes de l'aventure, surtout des déçus de l'Inde et beaucoup de folles. Des folles à plein temps, à mi-temps et même à double temps. Les hommes sont moins fous que les femmes, surtout ceux qui ont échoué dans ces pays-là... Je ne sais pas pourquoi, la physiologie n'éclaire pas tout, même quand elle donne des explications, des justifications. Les hommes paumés, en plein dérapage, ont toujours au fond d'eux une sorte d'instinct de conservation que les femmes n'ont jamais, surtout celles que l'on croit viriles. Cela dit, j'avais de la place dans mon bungalow, avec toujours un lit, un bat-flanc ou une natte pour qui frappait à la porte. Qu'on ne croie pas à l'exercice d'un droit de cuissage sur les paumées femelles qui échouaient chez moi. La peau ne m'intéressait pas. Moi, c'était l'opium.

L'opium dont on a parlé, dont on parle, est une drogue très mal connue, autant dire pas connue du tout. Pour en dire quelque chose, il faut le connaître, et pour en écrire il faut un certain talent, tant il est nuancé, cet opium. Il faut avoir aussi le courage d'être honnête. Tous ceux qui parmi les écrivains (trois ou quatre exceptés) en ont parlé, ont truqué quand ils le connaissaient, pour ne pas être soupçonnés de le connaître. Les autres ont inventé. Peut-être aussi certains n'ont-ils pas voulu trahir le mystère de leur initiation. De toute manière, on n'explique jamais rien. L'opium, la drogue des drogues, c'est comme la foi, comme l'expérience spirituelle, c'est incommunicable. Ce qui est possible, c'est d'en être le prêtre, le missionnaire... Comme je l'ai été, comme je pourrais l'être toujours. En ai-je fait, des convertis... Mais sais-je au juste ce que mes disciples ont *vraiment* trouvé?

Dois-je procéder par ordre pour raconter mon histoire? Difficile. Trop d'opium depuis trop longtemps, trop d'années d'Iran, de Tonkin, d'Inde et de Birmanie, et auparavant de Chine, de la Chine d'avant, pour avoir l'esprit en ordre, pour écrire en ordre. Surtout sans opium. L'avantage de l'opium, son miracle plutôt, c'est qu'avec lui rien n'a d'importance. Tout se passe dans la tête, si beau, si bien, si merveilleux qu'on n'a pas besoin de l'écrire. C'est comme les rêves, sauf qu'on est bien présent, bien éveillé et que l'esprit reste logique pour diriger le rêve. Pourquoi écrire pour ceux qui ne comprendront jamais? Si j'écris, c'est que je n'ai rien à fumer, et si j'écris sur l'opium, c'est pour me faire plaisir. Rien que de taper ce que je tape sur ma machine, c'est presque comme si je fumais...

J'ai du mal à mettre mes idées en casiers quand je n'ai pas d'opium, comme maintenant, depuis dix ans, et plus. Pourtant c'est lui qui m'a appris à ne plus raisonner et à laisser s'enchaîner des images. L'étrange est que si je fumais quelques pipes, tout le fouillis onirique dans lequel je me perds s'ordonnerait dans mon esprit, sans fuite et sans détours. Ligne droite et géométrie. Pourquoi dis-je cela, dont je sais que c'est faux et archi-faux? Puisque si j'avais de l'opium je serais bien le roi, je verrais tout s'ordonner lumineusement, et s'expliquer clairement, mais je n'écrirais rien, donc n'expliquerais rien. J'écris donc par manque. J'écris parce que je suis *niène* comme une vache. Pourtant, je n'ai pas fumé depuis des années et je suis désintoxiqué. *Totalement*. Mon sang, mes viscères, mon cerveau sont vides d'opium, *mais pas du souvenir de l'opium...* Mon système nerveux en est plein, puisqu'il me suffit de penser aux glorieuses années pour en baver comme un intoxiqué majeur qui a laissé passer l'heure de sa dose...

J'ai mal partout ce soir, au dos, aux poignets, aux rotules, aux chevilles, et j'ai la tripe qui se tord, et l'estomac qui se broie, et la rate qui se dilate comme cet imbécile d'Ouvrard... Mes yeux pleurent et j'ai mal à la gorge.

Seule chose à faire, penser à autre chose, mais à quoi? Dès que je pense, ou que j'essaye, c'est l'opium qui revient, même sous l'alcool. Vulgarité, je me dégoûte mais il m'en faut. N'importe lequel, le plus fort, celui qui assomme. Vodka, rhum. Pas le whisky, il passe trop vite, pas le cognac, il me fait mal au cœur après une demi-bouteille. Lorsque je suis pris par une fringale d'opium il faut que je m'assomme à l'alcool, qui en est le contraire. Un temps, je me suis traité à l'aspirine, sur le conseil d'un copain. Vingt ou trente comprimés d'un coup qui m'ont fait vomir le sang au bout de trois mois, malgré le bicarbonate. Cela me détendait, mais il fallait un effort pour m'en persuader. Je suis trop lucide? L'aspirine substitut de l'opium, c'est comme de se branler passé trente ans d'âge. Ce n'est pas mal, mais ce n'est pas ça. Morphine, héroïne... J'ai horreur des piqûres, et la reniflette, c'est du gâchis. Non, ma drogue, c'est l'opium. Le chanvre, je n'aime pas, c'est mineur. Comme l'éther ou les amphétamines ou la coco. Pourquoi pas un coup de pied au cul ou un coup de rouge?

Je tenais donc pipe ouverte au 19, Prithviraj Road, à la Nouvelle-Delhi, en la bouleversante année 1947, et j'aimais entendre chanter les chacals à la nuit tombée, pendant qu'ils gambadaient autour de mon lit à quatre pieds, de mon *charpoy* (l'hindi, c'est presque du français : *char* = quatre, *poy* = pied),

tous ces yeux verts, jaunes, rouges, brillants comme
des émeraudes, des topazes, des rubis, tout scintillants
d'étoiles. Je n'avais plus d'argent. Plus du tout. Il me
restait des dettes et un demi-kilo d'opium brut que je
venais de transformer en *chandoo,* soit en opium fu-
mable. On broie dans l'eau tiède le pavé de boue,
terre et suc de pavot. On le filtre à trois ou quatre
étages de mèches de coton, par capillarité, puis,
comme une sauce, on fait réduire par ébullition, jusqu'au beau sirop brun, limpide, qui fera, une fois
grillé autour de l'aiguille, la boulette percée, couleur
tabac d'Espagne, porteuse de toute la connaissance
du monde. Du monde cosmique. Pas du seul monde
des pauvres hommes. Elle s'étale dans les poumons
qui la relayent, fumée, jusqu'aux plus infimes nervicules de notre corps et de notre cerveau qui s'illumine et comprend tout. Comme ils sont bêtes, comme
ils sont impuissants ceux qui accusent l'opium d'abru-
tir le monde, sous prétexte que le fumeur ne fait rien
d'autre que fumer. Fichez-lui donc la paix au fumeur.
Ce n'est pas un asocial ou un antisocial, c'est vous qui
l'êtes, en l'empêchant de fumer, comme moi, depuis
ces mois et ces années sans drogue qui me paraissent
horribles. Depuis que, pour parler d'une histoire qui
m'habite toujours, je remonte au temps où l'opium
c'était moi et moi j'étais l'opium.

Mon chien d'alors était un terrier irlandais, un cor-
niaud pour être honnête, mais les Indiens sont si
racistes, avec leur système des castes, que si j'avais
reconnu publiquement l'insuffisance pédigréenne de
mon chien, l'Intouchable qui lui faisait la soupe aurait
refusé de le nourrir. Mon chien donc avait disparu
derrière une dame chacal en chasse et j'avais envoyé
mon domestique à sa recherche (Rama, le seul fidèle,
le seul resté avec moi, parce que je lui devais, outre
des mois de gages, l'argent du ménage et surtout celui

de l'opium depuis plusieurs semaines). J'étais seul, ce soir-là, comme on doit l'être. Seul avec l'opium, face à face, et je bravais la drogue, Je la bravais en roulant des boulettes de plus en plus grosses et de plus en plus cuites. Autrement dit je dépassais et redépassais ma dose, sans rien sentir d'autre que le plaisir ordinaire et négatif de n'être pas niène, de n'être pas dans l'état de besoin. Salope, disais-je à chaque pipe (salope, comme on le dit amoureusement à une femme qu'on aime), salope, d'habitude c'est toi qui me baises, mais ce soir, c'est moi qui t'ai. Allons. Et je roulais des pipes, et je tirais sur mon bambou, et plus je fumais plus j'étais fort. Jamais je n'avais été aussi fort. Et j'ai méprisé la drogue, comme quelqu'un qu'on écrase.

J'étais seul sur la véranda, archi-seul. Mon chien courait, mon domestique courait derrière mon chien. Pourquoi mon chien courait-il avec les chacals ? C'était le temps de la mousson, le temps où l'on attend la mousson, à mi-juillet. Le temps était lourd et noir, les étoiles entraient et sortaient quand je regardais le ciel, et la lune à la fin du dernier quartier se levait à peine. J'étais plein d'opium et je rêvais. Plutôt je pensais à tout, à rien, à la beauté de la nuit, à ces lueurs folles des yeux sur la pelouse, les yeux des chacals qui brusquement disparurent quand, là-bas, dans les jardins de Lodi, une meute en chasse entonna le chant... C'est à Agadès, il y a déjà longtemps, que j'ai senti pour la première fois la beauté du chant des chacals, qui est un choral, un vrai choral à quatre voix harmonisées, que tant d'imbéciles prétendent lugubre, effrayant, sinistre... Les Anglais disent qu'il est *appalling,* c'est-à-dire « qui rend pâle », ce qui est pour moi la plus parfaite illustration de la bêtise humaine.

Le chacal, en vérité, est un chien doux et craintif

et son chant est aussi musical et aussi peu sinistre
que celui des oiseaux de nuit. Il faut vraiment être
esclave des clichés pour frissonner de frayeur au doux
hululement des chouettes et des hiboux, ducs petits,
moyens et grands, dans une nuit d'été pleine d'étoiles
au ciel et de grillons au sol... Le chacal est un animal social, qui chasse en meute et qui a compris
depuis des millénaires qu'il était plus intelligent de
suivre un lion, une panthère, un tigre ou un homme
afin de manger les restes des grosses bêtes qu'il ne
peut pas attraper tout seul...

Vous lui reprochez de manger des restes, au chacal?
Et vous, donc, quand vous achetez des morceaux de
bêtes mortes chez le boucher? Quand on a faim, on
est intelligent, on prend ce qu'on trouve, au meilleur
prix... Toutes les bêtes intelligentes sont omnivores,
mammifères, oiseaux, insectes... Bêtes intelligentes
qui vivent en société, loups, cochons, rats, corbeaux,
termites, jusqu'à l'homme... Et l'homme lui-même, le
plus avancé des animaux, l'homme, plus il est primi-
tif, plus il est regardant sur la nourriture... Le man-
geur de riz qui crève de faim, au Bengale, sur les sacs
de froment de la charité... Et qui n'a vu, au régiment,
les paysans analphabètes renâcler sur la bouffe dont
les fils de famille se contentaient! Les bourgeois et
les aristos ont toujours mangé n'importe quoi, en
pension chez les pasteurs ou chez les jézes, au mess,
à la cantine, chez Lasserre, en Inde ou chez les Grecs...
L'être fruste est le plus difficile, le moins omnivore.
Pareil aux veaux et aux vaches qui, forts de quatre
estomacs, s'en tiennent aux pâturages, tellement hébé-
tés par la digestion perpétuelle qu'ils n'ont même pas
la conscience de mouler leur déjection qui tombe, floc,
en bouse si peu fécale que les Indiens s'en servent
une fois sèche pour faire la cuisine et se chauffer
l'hiver...

Le téléphone sonnait. Un long coup de téléphone. Deux coups, trois coups, six coups... Et c'est l'insolite de cet appel vers une heure du matin qui me tira de ma pensée... Les salauds, les salopes... quels salauds ces Indiens, à faire de faux numéros pendant que les honnêtes gens refont le monde sur les ailes de l'opium... Les Indiens n'ont pas d'heure... Sept coups, huit coups, douze coups... Ils insistent longtemps au téléphone. Ils ne m'auront pas. J'étais si bien avec les chacals...

Au vingtième coup, pourtant, je me suis levé.

Ce que, marchant fermement vers le bureau où mon téléphone tressautait à chaque giclée d'appel, j'interprétais comme la preuve de ma victoire sur la drogue. Avec les soixante-seize pipes de la soirée, j'aurais dû être mort, moi qui normalement prenais mon kief après seize ou dix-huit pipes. Crachouillis au bout du fil, une voix pâteuse, presque inaudible, qui murmure un chiffre qui ne m'évoque rien. Je réponds « *Ghalat nummer* », soit « faux numéro », dans le mélange anglo-indien qui a cours pour tout ce qui touche, là-bas, au progrès. Et je profite de ce que je suis debout pour aller pisser, interminablement. Car l'opium, s'il constipe, dessèche, et quand on reste immobile, l'eau du corps, pour partir, passe par la vessie. Et je pisse, et je pisse, et c'est admirable, je n'existe plus, je suis liquide, je ne suis rien d'autre que ce jet qui sort de moi pour aller mousser comme de la bière sous pression dans le seau émaillé de la « commode ». Mais le téléphone réitère et dans la nuit parfaite la sonnerie est aussi incongrue qu'un petit verre de fine entre deux pipes de Bénarès... Je décroche et ma bouche, comme tout à l'heure, avant d'avoir entendu, dit « *Ghalat nummer* », « faux numéro ». Ma bouche est sèche, affreusement sèche, et j'ai soif, soudain. Pourtant depuis huit heures du

soir que je fume, j'ai bu dix pots de thé de Chine avec
un peu de jasmin qui exalte les génies et le démon
de l'opium. Je vais à la cuisine prendre à la louche
de l'eau bouillante dans la marmite posée sur les
braises pour la verser sur le reste de feuilles noires
dans la théière bleu et blanc à la poignée entourée
de rotin. Le téléphone resonne. Une fois, deux fois,
quatre fois. Cette fois, je décroche et j'écoute avant
de dire « *Ghalat nummer* ».

— Albert, Albert, dit une voix sans sexe, Puri
Nayer t'attend depuis dix heures pour le poker... La
partie est chaude, il sait pourquoi tu n'es pas venu,
mais il te prête mille roupies à rendre sur ton gain. Si
tu viens c'est la chance de ta vie, le pot à prendre
est énorme, dépêche-toi!

Tout est limpide et clair en moi, j'ai baisé la drogue donc je suis Dieu et je baiserai la chance et je
vais tout ramasser chez ce petit crétin de Puri Nayer,
riche comme un Indien riche, play boy de mes fesses
que j'ai lancé à Paris en le présentant partout, avant
guerre, comme le fils de maharajah qu'il m'avait fait
croire qu'il était, alors qu'il n'est qu'un bâtard de
marchand marwari par une putain italienne. Il n'est
pas plus Puri Nayer que moi. Puri Nayer, c'est un
nom noble, lui n'a pas de nom, pas de vrai nom, ou
un nom si ignoble qu'on ne le dirait ici que tout
bas. S'il n'était pas si riche, il viderait les poubelles et
s'il était pur indien il aurait conscience pleine et
entière de son ignominie de bâtard de marchand par
une putain. C'est son côté italien qui lui fait braver
tous les tabous de l'Inde, et là, j'admire... Il a tous les
culots et, il faut le dire, une touche de génie, car,
enquête faite, sa garce de mère — pour se faire trom-
bonner par un Marwari et le suivre comme quatrième
femme au pied du mont Mérou, il faut être plus que
pute, garce — sa garce de mère était vénitienne, du

bordel de Mme Poggi. Du sang vénitien chez un marwari, ça améliore beaucoup de choses, et cette salope de Puri Nayer comprend la peinture, même l'indienne, et connaît la musique, même l'indienne. Après tout, le Taj Mahal que tous les Américains et assimilés viennent photographier par clair de lune vingt-quatre heures sur vingt-quatre comme chef-d'œuvre de l'art de l'Inde du Nord — et c'est un vrai chef-d'œuvre, incroyable mais vrai, très au-dessus de sa réputation (en quoi il est supérieur à la Joconde) —, le Taj Mahal a eu pour architecte un Vénitien comme la moitié de cette petite frappe qui me veut pour orner son poker et qui m'emmerde au téléphone à l'heure où les honnêtes gens dorment. Oui, ma chère, un Vénitien, qui s'appelait Geronimo Veroneso, mort à Lahore, mais encore et pour toujours enterré à Agra, au vieux cimetière catholique. L'Italie sur l'Inde, cela a fait un chef-d'œuvre, le Taj Mahal... Pourquoi l'Inde sur l'Italie, Marwari sur Vénitienne, ne feraient-ils pas un être exceptionnel, quoiqu'une ordure, ce qui n'est pas incompatible?

Je me regarde dans la glace. Pour aller chez Puri Nayer, il faut mettre une chemise, et même un nœud noir. Avec un pantalon. Les Anglais les ont abrutis de formalisme... *Blacktie, evening dress,* smoking. Sans Rama, j'ai du mérite à trouver tout cela en quelques minutes, mais je l'ai dit, ce soir, avec soixante-seize pipes, je suis Dieu. Pantalon, chemise, chaussettes de soie, souliers vernis et nœud papillon... Voiture où par chance il reste un peu d'essence parce que je l'ai prêtée hier à Frédéric qui n'a pas tout usé du plein qu'il avait fait pour aller coucher avec une Anglaise femme du monde du côté de Meirut.

Prithviraj, York Road, le rond où les pneus de ma Buick noire bruissent et crissent, Queens Road pleine de chacals sur les trottoirs et d'Indiens endormis sur la chaussée, traversée du désert de Kingsway où un chameau perdu se dégingande dans mes phares et Ferozeshah, sur la droite, avant Curzon Road, où Puri Nayer dit qu'il m'attend. Il m'attend. Plutôt ils m'attendent, et j'entre, tout droit, comme toujours, beau, élancé, l'œil clair. Huit ou dix ils sont, avachis autour de la table, et moi, rien qu'à les voir, je sais que j'ai gagné, avant même d'avoir joué. Il y a deux des fils du maharajah de Merakhot, le rajkumar de Bikaner, le nabab de Kerauli et Janta Singh et son frère, qui prétendent tenir aux Baroda, sans même l'être de la main gauche. Plus deux gras huileux, des cousins de Puri Nayer, du côté de son père, des Marwaris qui regardent jouer pour s'instruire des faiblesses des autres. Eux prêtent aux perdants. C'est comme cela qu'on devient riche. Au fond du hall immense où tournent une demi-douzaine de ventilateurs, deux au plafond et quatre sur pied, quelques filles sont assoupies, écrasées de chaleur, de sommeil, d'alcool ou de drogue. Il y a Kamla, en sari rouge, dévoyée, crachée par son père et sa mère, il y a Sushila, en bleu et or, sèche, maigre et noire comme une fourmi, qui m'aime d'amour et que je me retiens d'aimer. Il y a une blondasse franco-belge, qu'on appelle Janine, jetée dehors par les Kathapura qui l'avaient ramassée l'année dernière aux Champs-Elysées. Une autre Européenne, assez fine, que je ne connais pas. C'est la dernière de Puri Nayer. D'où vient-elle? De Calcutta, me dira-t-elle. Peut-être. En tout cas c'est elle qui a téléphoné tout à l'heure, et c'est elle qui me refile, pas vu pas pris, dix billets de cent roupies, ce n'est rien. Juste de quoi entrer dans le jeu. J'entre et je sors avec une quinte floche que je montre, bien sûr. Paquet. Ils s'émerveillent, et fort de rien je les détrousse un peu. Pourvu que cela dure... J'ai sept ou huit mille roupies devant moi en un quart d'heure.

Pourtant, sauf pour cette quinte floche quand je me suis assis, je n'ai que des paires, de petites paires, pas de paires du tout... Mais je suis Dieu ce soir, glorieux de toute la drogue vaincue. Eux, je les vois somno- lents, lèvres pendantes, œil terne, abrutis par le gin et le whisky, alourdis par la bière. Ils sont matière, moi je suis esprit et je les domine. La preuve, je ne vois rien, vraiment, rien de rien. Pourtant ils montent comme des idiots, et je ramasse. Si fort, si bien que je pense, et j'ai tort, qu'à vaincre sans péril on triomphe sans gloire. J'ai tort, parce qu'on a sonné dehors et deux hommes sont entrés, qui ont toujours joué un grand rôle dans ma vie. L'un est Frédéric, mieux qu'un frère pour moi, l'autre c'est Jerry Basset, autre sorte de frère, un complice fraternel... Je les aime, mais je les déteste quand je joue...

Je gagnais. Il a suffi qu'ils se mettent tous deux derrière moi à me regarder gagner pour que les autres se réveillent, m'obligent à me montrer, et que je perde confiance. C'est Bikaner qui a commencé, le rajkumar. Rajkumar, c'est quelque chose comme prince héritier. Plusieurs tours, et mon tas de roupies s'envole.

Pourquoi n'ai-je pas fait Charlemagne quand j'avais le paquet? Je me serais fait insulter, mais j'avais le droit, car l'honneur du joueur fauché, devant des salauds bourrés de fric, c'est de leur en prendre le plus possible. Ces ignobles Marwaris, tremblotants dans leur graisse huileuse d'usuriers, l'auraient fait sans hésiter. Frédéric, c'est mon meil- leur ami. Mon seul ami. Il m'a toujours aidé sans contrepartie, pourtant au jeu il me porte la poisse. Peut-être parce que j'ai honte devant lui, comme j'ai honte devant Jerry qui m'a vu perdre ma chemise et la sienne, du temps où nous trafiquions au Niger, chez les Haoussas. Mais je m'obstine, et j'emprunte pour continuer. Frédéric hausse les épaules et s'éloigne pour aller parler avec Sushila. Alors je remarque une chose étrange : mes pertes et mes gains varient en fonction de la distance à laquelle ces deux personnages sont de la table de jeu. Quand ils sont au fond de la pièce, je cesse de perdre et je gagne un peu. Dès qu'ils approchent je laisse mon fric.

J'ai compris. Il faut qu'ils partent. Sous un prétexte comme d'aller respirer l'air. Le meilleur, croyez-moi, le meilleur, toujours. Je dis à Frédéric de foutre son camp avec Jerry, de prendre ma voiture (je lui donne la clef) et d'aller m'attendre chez moi où la lampe à huile n'est pas éteinte et le chandoo prêt à fumer, qui se fige dans le godet. Parce que je sais qu'eux partis, je gagnerai. Je le sais, donc ils doivent partir pour me laisser gagner !

Je ne me demande même pas pourquoi Jerry est à Delhi, ni même comment il connaît Frédéric. Plus tard, plus tard, quand j'aurai gagné, quand ils seront partis, quand je les aurai retrouvés, je saurai pourquoi Jerry est ici, Jerry que je n'ai pas vu depuis six mois, depuis la sale fin de l'affaire des Haoussas entre Zinder et Maradi, en Afrique. Ils sont partis, et avec eux Sushila en sari bleu et or, maigre, sèche et noire comme une fourmi.

Jamais je n'oublierai la tête de Frédéric quand il vint m'ouvrir au bungalow vers neuf ou dix heures le même matin. « Alors ? Alors ? C'est foutu, tu es lessivé, lessivé à mort ? »

J'ai eu la cruauté de ne pas lui répondre tout de suite. J'ai grogné que j'étais niène à crever, et que pour lui raconter la fin de la partie il me fallait quelques pipes. Dans ma chambre (la véranda, c'est pour la nuit), sur l'immense bat-flanc de trois mètres sur trois dont les imbéciles croient qu'il s'agit d'un baisodrome collectif, d'un champ de bataille à partouzes, brûle la petite lampe. Sushila et Jerry, de part et d'autre du plateau, presque nus, sans plus de pudeur qu'Adam et Eve, chastes comme la création, en pleine extase de fumée noire, sourire aux lèvres et les yeux clos. Frédéric avait mis un sarong pour m'ouvrir la porte et je vois bien que je l'ai tiré d'un kief profond, du même kief que les deux autres. Il n'y a, pour ainsi dire, pas de pupille dans ses yeux vert-gris-bleu, toujours clairs, mais aujourd'hui trop pâles dans son visage bronzé de chasseur à courre et de joueur de polo.

J'ai jeté mon nœud papillon, j'ai arraché mon pantalon noir à passepoil et j'ai roulé en bouchon ma chemise à plastron blanc, trempé de sueur, puant de tabac et d'alcool, et j'ai pris une douche avant de m'étendre, aux pieds des autres, sur le côté gauche. Frédéric s'est recouché, la tête sur les salières de Sushila, et quoique bourré d'opium il est si nerveux à cause de moi qu'il rate en les faisant brûler les boulettes qu'il pétrit de travers sur le fourneau de ma vieille pipe...

Je lui prends le bambou des mains, et l'aiguille de doigts fermes pour rouler une énorme boulette. Je n'ai rien fumé depuis trois heures du matin, et chez Puri Nayer je n'ai bu qu'un peu de whisky à goût de pisse, qui m'a fait mal à l'estomac. C'était couru, sur l'opium. Une, deux, trois boulettes de plus en plus grosses, et je commence à revivre. J'ai cru baiser la drogue cette nuit, mais c'est elle qui m'a, finalement, puisqu'il me faut y retourner pour recommencer à vivre. Cela dit, elle m'a sauvé et je m'explique... A la dérobée, je regarde Frédéric. Ses yeux mi-clos m'interrogent. Je le sens, sous la drogue, contracté, calculant, supputant. Combien de milliers, de dizaines de milliers de roupies ai-je perdu cette nuit à ces Merakhot, à ce Kerauli, ce Bikaner et ce Puri Nayer, tous si pourris de fric qu'ils ne font pas grâce d'un anna à leurs boys, le jour des comptes?

— Alors, Albert, combien? Allons, dis-le!

Il voit toujours le pire, Frédéric et, dans une certaine mesure, c'est lui qui est ma conscience, depuis que je le connais. Des années. J'aime le faire marcher, comme on aime à tromper sa conscience en sachant qu'elle existe. Pour lui, moi je suis le péché, mais le péché qu'il admire, le péché bien-aimé. Celui qu'on aime avoir près de soi pour se souvenir qu'on est conscience. Il serre les dents et je suis cruel... Deux pipes de plus. Il en fume une, lui qui a déjà plus que son compte, pour me persuader qu'il est de ceux qui croient aux catastrophes, pas moi. Pourtant, nous nous aimons, et c'est le seul en qui j'aie vraiment confiance.

— Albert, c'est gros?

— Oui, Frédéric : très gros. Oui...

— Combien, enfin, de quel ordre, quarante, cinquante, cent mille?

— Plus.

— Deux cent mille?

— Pas tout à fait. Dans les cent quatre-vingts, cent quatre-vingt-dix.

— Que puis-je faire?... Que pouvons-nous faire? Sushila trouverait un peu d'argent en couchant avec son oncle... Moi vingt ou trente mille en tapant dans la caisse noire du Service secret... L'ambassade autant, en mentant bien... Les banques? La Lloyd's t'a coupé les fonds et mon compte est au rouge à la Grindlay's.

— Reste Jerry, je dis... Qu'est-ce qu'il est venu foutre ici, à part s'envoyer en l'air sur mon bat-flanc?

— Il est venu te demander de l'argent, précisément,

pour une opération où tu aurais pu te refaire, si tu n'étais pas si fou et si stupide...

— Bon, Frédéric, combien veut-il, Jerry?

— A quoi bon! Puisque c'est foutu!

— Bon. A toi, Frédéric, combien ai-je emprunté?

— N'en parle pas, Albert, tu me fais mal.

— Pourtant c'est pour régler ma dette envers toi que je suis allé chez Puri Nayer.

— Tu aurais mieux fait de te casser une jambe...

Alors, la poitrine pleine de fumée noire, exalté par les cinq dernières pipes qui, greffées sur l'arbre des soixante-seize de la nuit, refaisaient de moi un dieu, j'ai ri comme Jupiter olympien chaque fois qu'il faisait un mortel cocu :

— Qui t'a dit, Frédéric, que j'avais perdu? J'ai gagné, j'ai gagné! Voilà les chèques...

Et je me suis jeté sur les poches de mon pantalon en tapon pour brandir les bouts de papier imprimés, chiffonnés, barrés, signés de noms irréfutables, comme Merakhot, Kerauli, Bikaner, Puri Nayer. Entre cent quatre-vingts et cent quatre-vingt-dix mille, je leur avais pris, à ces salauds. En fait j'en avais gagné plus du double, après avoir côtoyé le précipice sur la rive de deux cent mille perdus pendant une heure où les seuls à refuser d'aller se coucher, c'était moi, bien sûr, et je ne sais pas encore pourquoi, Puri Nayer, qui devait avoir une raison. Car j'étais mort, foutu. C'est lui qui m'a fait téléphoner. C'est lui qui m'a prêté mille roupies pour commencer. C'est lui qui m'a soutenu, sur les ailes de la drogue, jusqu'à ce que je remonte et finisse en beauté. Pourquoi? Ça lui coûte. Je lui coûte. Un Marwari ne commet jamais d'acte gratuit, ni une putain de Venise... Leur produit, c'est leur produit. Coefficient combien? Sushila et Jerry, aux soubresauts du bat-flanc sont réveillés. Du moins ont-ils entrouvert chacun un œil.

— Quoi, disent-ils, bouche sèche.

— Il a gagné, il a gagné, chante Frédéric... Il a eu l'Alsace et la Lorraine... Nous avons gagné. Nous sommes sauvés...

— Et puis après, dit Sushila en fermant les yeux parce que le jour qui passe autour des tapis de feutre à dessins d'animaux pendus en guise de rideaux est insoutenable.

Frédéric est un curieux homme. Un côté bourgeois (peur du manque, risque calculé, etc.), un côté boy-scout (bonne action, bonne conscience), un côté soudard (états de service, guerre sans question), un côté intellectuel (culture, et même érudition) et un côté toxicomane (sensibilité vraie). Quand il s'analyse sur le bat-flanc, il se prétend équilibré. Peut-être n'a-t-il pas tort : moi je n'ai jamais songé qu'on pouvait être équilibré.

— Tu permets? dit-il en s'habillant. Il y a deux jours que je n'ai pas travaillé Stella et nous allons chasser dimanche prochain. Viens, Sushila. Tu ramèneras la voiture, si Albert en a besoin.

Stella, c'est la jument préférée de Frédéric. Pas très jeune, mais du sang et de l'expérience. Baie de robe et sèche, pas très fournie de crinière ni de queue... Tête longue, naseaux ouverts, oreilles superbes, mais jambes trop longues et croupe à ne jamais prendre de poids. Frédéric l'a achetée sur un coup de foudre après l'avoir montée une fois (pas trop cher parce qu'elle avait alors une plaie au dos) à un colonel des *Ghurka Rifles*, lequel, plus tard, s'est tué d'une balle dans la bouche en débarquant à Newcastle-on-Tyne le jour où sa retraite d'office était annoncée dans la *Gazette*.

Stella sautait mal (manque de croupe, postérieurs trop grêles) mais elle possédait toutes les autres qualités... Belle, nerveuse, intelligente, intuitive, délicate, gracieuse et spirituelle. Les vraies qualités, celles qui font qu'on devient pédéraste quand on les trouve d'abord chez un homme.

Je montais Stella, quand Frédéric partait en voyage. Des voyages un peu mystérieux (moi je savais) qui l'entraînaient sur la côte est de l'Afrique, au Mozambique et au Tanganyika, quand ce n'était pas du côté de Rangoon, de Hongkong et de Shanghai. A chaque retour Frédéric était jaloux quand il reprenait Stella. Il ne disait rien, mais je le sentais. De la même jalousie que j'étouffais quand il emmenait Sushila pour le week-end à Bénarès ou à Agra. Pourtant Stella était aussi fidèle que Sushila. Elles avaient tant en commun! A se demander, dans ce pays de métempsychose, si elles n'étaient pas deux sœurs jumelles dont les *avatara* auraient fait, de l'une une femme, de l'autre une jument.

Sushila, Sushila était une Indienne pas comme les autres Indiennes. Une femme pas comme les autres femmes. Plutôt si, comme une autre, une femme idéale, Aurore Pamina, l'une des Pléiades du comte de Gobineau. Un soir, Frédéric sur le bat-flanc avait transposé en Sushila, du blond au noir et du bleu au brun, le portrait d'Aurore : « elle était grande, mince, svelte, délicate et souple, nous lut-il. Les plus beaux cheveux noirs du monde et des yeux bruns d'une douceur et d'une profondeur infinie, avec cela étonnés et charmants... Un air de prendre intérêt à tout, de la grâce dans tout ce qu'elle faisait, dans tout ce qu'elle disait, et un caractère, mélange d'esprit pétillant, de raison, de sensibilité, d'entraînement et de retenue... ».

Sushila était d'une haute caste guerrière avec laquelle elle avait rompu, parce qu'elle-même était de cette espèce humaine supérieure qu'on appelle en Orient les «Enfants de roi »... Elle avait désobéi à l'oncle chef de famille qui voulait l'épouser, qui avait

confisqué sa fortune, et elle était partie pour Londres
faire des études. A Londres, où je l'avais rencontrée,
et elle m'avait rejoint à Delhi après avoir appris où
j'avais échoué. Fière et belle, noble et sûre. Pourtant
je la fuyais de crainte de l'aimer, j'avais trop peur
de l'amour fou, fou que j'étais...

Quand Frédéric eut parlé, elle se leva, presque nue,
s'étira, grande chatte osseuse, et elle partit en sari
bleu et or au volant de ma grosse voiture noire admirer la virtuosité de Stella à changer de pied au
temps, au galop.

Frédéric, mon cher Frédéric! Je le connais depuis
les années de l'immédiate avant-guerre, quand les
gens de notre génération étaient mobilisés tous les
trois mois, et c'est à la fausse alerte, avant Munich
que nous nous sommes liés, tous deux maréchaux des
logis au même escadron à cheval du même groupe
de reconnaissance. Avant, nous nous étions vaguement connus dans le hall des Sciences Po, rue Saint-
Guillaume, présentés l'un à l'autre par un camarade
commun... (Tel était l'usage de cette noble école :
on ne se parlait entre étudiants qu'après avoir été
présentés, et on se disait vous, et cher ami et vous
en êtes un autre...) Puis le hasard nous avait fait, un
temps, fréquenter le même milieu, celui des Hispano-
Américains de Paris, milieu futile, riche, joueur, drogué, auquel je tenais par une grand-mère héritière
d'abattoirs en Argentine, épousée afin de redorer le
blason du baron, mon grand-père. Plutôt pour le do-
rer, ce blason, car les miens n'ont jamais été solide-
ment riches, ni d'ailleurs tout à fait barons. Frédéric,
lui, d'une famille de la meilleure bourgeoisie à trait
d'union, d'une branche sans grande fortune, avait
une amie péruvienne qui apprenait à chanter l'opéra
au Conservatoire. Comment l'avait-il connue? Peu
importe. Elle lui plaisait et elle était folle de lui.

Si bien qu'à quelques réceptions d'ambassades, à quelques dîners et même à une partouze assez innocente, du genre tableaux vivants professionnels comme on les faisait à l'époque au Sphinx ou au One Two Two, nous avions sympathisé, lui et moi. L'amitié, c'est souvent comme l'amour. Il faut une occasion pour la faire éclore. On aurait pu se rencontrer pendant dix ans, dix fois par an chez le ministre du Salvador, chez le chargé d'affaires d'Uruguay, au Monocle ou Chez Tonton, et on aurait pu sympathiser éternellement sans jamais devenir amis.

Quand au mois de septembre 1938 je me présentai en uniforme de sous-officier avec mon fascicule n° 3 à la grille du 30e régiment de dragons à Borny-les-Metz, je tombai à ma surprise sur Frédéric, fascicule n° 3 lui aussi, maréchal des logis lui aussi, affecté au même escadron et dans cet escadron, nous étions tous deux sous-officiers adjoints chefs de peloton, lui du deuxième, moi du troisième.

Ce n'est peut-être pas le moment de raconter le bordel de cette répétition générale de la mobilisation de 1939... Les chevaux de labour réquisitionnés comme montures, dont il fallait deux sangles bout à bout autour de leur gros ventre pour les seller, les uniformes panachés, culottes kaki, vareuses bleu horizon, les fusils-mitrailleurs d'exercice disjoints, jeu, feuillure et le reste, meurtriers au tireur... le canon de 25, juste distribué, dont la notice de fonctionnement n'était pas arrivée dans les unités, comme celle du mortier de 60, arme nouvelle à la disposition du capitaine qui n'en avait jamais entendu parler... Il y avait un escadron motocycliste au G.R., avec une pétrolette pour un homme sur trois et le reste était charrié en conduites intérieures disparates. Ce n'est pas le moment. Ce qui compte, c'est que, dans ce bordel, deux sympathies soient devenues deux ami-

tiés. Qu'avions-nous en commun, à part l'Amérique
du Sud (et si peu, par les femmes...) ? La cavalerie,
ce n'est qu'un mot. La guerre, le patriotisme... Peu
pour nous, dans les conditions d'avant Munich. Nous
étions pour la paix à tout prix, comme tous les mobilisés de septembre 38. Ceux qui ont vécu la pagaille
de la fausse mobilisation sont de fieffés menteurs
quand ils prétendent que Munich fut un crime. Surtout ceux des groupes de reconnaissance et des régi-
ments d'infanterie de l'Est... « Il fallait rentrer dans
le chou des boches... Ils se seraient dégonflés... » Tu
parles. On ne serait entré dans aucun chou. On se
serait fait massacrer, en admettant qu'on ait réussi
à passer la frontière, ce qui me paraît une hypothèse
d'une haute rigolade, sachant l'épopée grotesque que
fut le mouvement des troupes à cheval, à pied et à
moteur, l'automne 1938, pour atteindre par beau
temps les positions de départ de l'offensive regrettée
par les prophètes de l'après-coup. On se serait fait
démolir. L'affaire aurait été dix fois plus ridicule que
celle de mai 1940. Le moins croyable, c'est que la répétition a servi et que pour les unités de la couverture
frontalière, la mobilisation des fascicules 3, fin août
1939, n'a été ni un bordel ni un scandale, bien que tout
n'y fût pas parfait.

Qu'avions-nous donc en commun, Frédéric et moi ?
De nous connaître un peu, d'avoir quelque chose à
nous dire, d'entrée de jeu, autre chose que de râler,
de jurer, de sacrer sur la connerie militaire. Aussi
d'être du même milieu, comme on dit, dans cette
majorité de brutes qu'étaient nos camarades sous-offs,
presque tous de carrière, braves brutes, bonnes brutes,
brutes utiles, brutes efficaces, brutes ordonnées, brutes disciplinées, brutes amicales, brutes au grand
cœur, mais brutes. Oui, brutes. Brutes inassimilables,
qui cognaient sur les chevaux, se soûlaient à la bière

et bandaient comme des cerfs aux vieilles putains plâ-
trées puant le patchouli que la société d'alors réser-
vait aux militaires non officiers. Nous, nous avions
en commun d'aimer les chevaux et la peinture et certaines formes de musique. Nous avions en commun
d'apprécier un verre de bière pour étancher notre soif
mais de détester cette boisson comme moyen d'évasion ou d'excitation... Nous aimions Marcel Proust,
André Gide nous fascinait et Valéry nous intriguait...
Nous avions en commun de détester les femelles vulgaires, putains ou pas, vieilles ou jeunes. Si bien
qu'après les beuveries entre sous-offs de bière et de
mirabelle qui suivirent la victoire (?) de Daladier
et de Chamberlain à Munich, accompagnées de parties de trous du cul collectives nous fûmes catalogués
— et ce qui fut plus grave pour notre avenir militaire,
« notés », sur le rapport de l'adjudant d'escadron au
capitaine-commandant, comme bellicistes, nous qui
étions munichois, et comme pédérastes, nous qui n'aimions que les femmes raffinées.

Pourquoi ? Parce que pendant que les autres, soûls,
cuvaient ou dégueulaient leur bière à la mirabelle
dans les bidets du bordel, se débraguettaient pour
sauter la négresse, se faisaient pompiériser par une
bouche en cœur beurrée de rouge gras couleur chaus-
sette de cardinal, nous contemplions la débauche
ignoble sans y entrer, en nous tenant la main. Du
moment que nous ne participions pas à l'allégresse
générale, la démonstration était éclatante de notre
connivence avec les furieux qui, bien à l'abri à Londres et à Paris, auraient voulu faire la guerre à
Hitler malgré la sagesse de Chamberlain et de Daladier. Du moment que nous n'étions pas soûls, la
preuve était faite de notre nullité militaire. Du moment que nous regardions la main dans la main, sans
cacher notre écœurement, nos camarades se livrer à

la copulation la plus militairement orthodoxe, nous étions des homosexuels indignes du nom d'homme. De ceux qu'à l'époque, dans les quartiers de cavalerie et d'artillerie, dans les bataillons d'infanterie et du génie, les défenseurs de la morale pourchassaient, avec ou sans preuve, sur simple présomption, pour les déculotter et leur planter entre les fesses une bougie ou un manche de pelle-pioche, aux rires gras de l'assistance parmi laquelle plus d'un, dans les unités à cheval, ne se privait pas de monter sur le coffre à avoine ou sur un seau renversé, quand il était de garde d'écurie, afin d'être à la bonne hauteur pour enfiler les juments.

Nous sommes rentrés ensemble à Paris, ayant décidé de fréquenter avec assiduité les cours de perfectionnement des sous-officiers de réserve, à l'Ecole militaire, afin d'essayer de passer dans la caste plus noble des officiers.

En mai de l'année 1939, une période nous réunit à Epernay au 9° dragons, qui était le régiment de dépôt de notre groupe de reconnaissance. Une période volontaire réellement voulue par nous pour nous apprendre la guerre moderne, les auto-mitrailleuses, les motocyclettes, les canons antichars... A peine arrivés, nous présentant ensemble au capitaine commandant l'escadron instructeur, celui-ci nous dit, brutalement, avoir lu dans un rapport qui accompagnait nos fiches que nous étions un petit ménage (comme on disait alors). Et un petit ménage anti-munichois et belliciste, donc complice de la lie des juifs, des métèques, des francs-maçons, etc. qui voulaient entraîner la France dans une guerre où sombreraient les valeurs chrétiennes et gréco-latines. Se radoucissant, il souligna qu'il ne croyait rien de ce qu'il avait lu sur notre compte, parce qu'il était du même monde que nous (il avait cinq noms et trois particules, quelque

chose comme « Machin du Truc-Chose de la Rombière
de Moncul »). Il nous fit observer qu'il était dans ses
pouvoirs de faire disparaître les imputations (oh!
le beau mot militaire!) portées à notre endroit, tant
morales que politiques, à condition qu'il n'y eût pas
de scandale pendant les trois semaines où il allait
être responsable de nous. Et pour nous donner une
preuve de sa bonne volonté, à nous qui étions venus
pour une période d'instruction mécanisée, le régiment
étant mixte, il nous remonta, comme on disait dans
la cavalerie, en nous présentant au capitaine d'un
des escadrons à cheval, lequel, comme nous l'apprî-
mes (après nous en être toutefois aperçus) était, gros,
gras et viril à triple menton, un parent au moins
putatif du baron de Charlus. « Mes chevaux sont à
vous, nous dit ce Charlus. Enfin ceux de mon escadron, et les miens à moi. » (A l'époque encore, les
officiers de quelque fortune possédaient leurs chevaux personnels en pension au régiment.)

C'est ainsi que nous passâmes une très agréable
période, avec un peu de travail motorisé le matin et
les meilleurs chevaux du monde à monter l'après-
midi. Le drame pour la promotion que nous atten-
dions, Frédéric et moi, de cette période volontaire, fut
qu'on nous nota comme infiniment plus intéressés
par la tradition équestre rétrograde que par l'art militaire avancé, en même temps que l'amitié du baron
de Charlus entrait dans le dossier comme une confir-
mation d'homosexualité. Aux nominations du mois de
juillet 1939 nous nous retrouvâmes maréchaux des
logis comme devant, ayant appris de concert qu'un
certain manque de conformisme nuisait, même assorti
de bonne volonté, et qu'une réputation, même injus-
tifiée, vous collait longtemps et survivait à tout, aux
guerres et aux révolutions, comme nous le constatâ-
mes au cours de notre vie.

Nous n'avons jamais fait, ensemble, Frédéric et
moi, ce qu'il est convenu d'appeler l'amour, l'amour
entre hommes. Jamais. Rien qu'une amitié qui tran-
scende tout, qui ne s'est jamais démentie, toujours
au-delà des ruptures et des séparations, des désac-
cords temporaires, enfin de tout ce qui se ligue, de
tout ce qu'on ligue contre l'amitié. Pourtant, puisqu'en écrivant, en essayant d'écrire, je suis sincère
comme seul peut l'être un homme passé par l'opium,
Frédéric aimé de toutes les femmes, adoré de quel-
ques-unes, Frédéric a connu des aventures homo-
sexuelles, et même d'assez sérieuses, comme moi de
mon côté, mais jamais ensemble. Un jour, plutôt une
nuit d'opium, sur le bat-flanc, nous nous sommes
expliqués dans ce détachement incommunicable de
la fumée noire et nous sommes tombés d'accord sur le
miracle de notre amitié jamais polluée, toujours exaltée par ce qu'il y a de plus pur en nous. Pourtant, j'ai
fait souffrir Frédéric à cause du jeu. Lui, fils de
joueur, haïssait les cartes. Tout ce qui sent le casino,
les cercles et les tripots lui était en horreur. Une
vraie horreur, pas intellectuelle, une horreur physique, comme celle d'un hystérique pour la seule
forme de l'araignée... Et moi j'étais joueur, je suis
joueur, je serai joueur, toujours joueur, rien que
joueur.

Mon aventure, ma vraie aventure, c'est le jeu. Frédéric, prêt à risquer sa vie, à se détruire lui-même et
à prêter son argent, n'achèterait pas un billet de lote-
rie... Même un simple choix à pile ou face lui est dé-
plaisant. A la guerre, il se portait volontaire pour les
patrouilles, plutôt que de tirer au sort à qui irait ou
n'irait pas... Lui en ai-je fait passer des nuits blanches, toujours suivies de brouilles plus ou moins longues, en me ruinant ou en gagnant, au poker ou à
n'importe quoi. Il m'a dit détester le jeu depuis le

jour où son père avait refusé à sa mère l'argent du ménage — quelques centaines de francs de l'époque — parce qu'il avait perdu plus d'un million la nuit précédente au privé du casino de Deauville... Moi, je comprends le père de Frédéric, que je n'ai jamais connu, parce qu'il s'est fait, assez jeune, sauter la cervelle à la roulette russe, la plus belle fin pour un joueur, quoique la plus inattendue. Le père de Frédéric avait dû tricher cette fois-là, car le nombre de chances pour que le coup parte n'est pas de un sur six comme on pourrait le croire, en raison du poids de la balle unique, grâce auquel le chien du revolver ne rencontre que le vide, mille fois contre une, si l'arme est bien graissée. La roulette russe est un jeu sans danger, disait Frédéric, jusqu'au jour... Sa voix s'engouait alors, parce qu'il respectait le principe paternel, quoiqu'il eût détesté son père. Et c'était cette histoire, dramatique d'accord, mais originale à raconter, qui faisait que je l'horrifiais et qu'il m'admirait, qui faisait que je le torturais parce que je l'admirais.

En 1939, à la fin d'août, quand Staline et Hitler eurent signé je ne sais quoi qui devait foutre le monde en l'air en commençant par la Pologne (l'Autriche et la Tchécoslovaquie, c'était déjà fait), nous nous trouvâmes à la guerre, Frédéric et moi.

Cette fois, c'était du cuit. Nous eûmes de la chance tous les deux. Son lieutenant, qui n'était qu'adjudant-chef, a sauté sur une mine la nuit de l'entrée dans la forêt de la Warndt. Mine antichar, on imagine ce que cela peut faire d'un adjudant-chef à cheval. Des boyaux partout, du sang sur les hêtres à la hauteur des touffes de gui, et un bonhomme sans jambes et sans tête entre l'avant-main et l'arrière-main d'une même jument séparées par trente mètres de débris sanguinolents. Du coup Frédéric, sous-officier adjoint, reçut le commandement de son peloton, comme moi celui du mien huit jours plus tard quand mon lieutenant (qui en était un vrai, à deux ficelles) fut évacué après avoir reçu dans l'aine (comme on dit, en vérité dans les couilles) une balle tirée du haut d'un arbre par un des frontaliers allemands chargés de l'action de retardement.

Nous en avons bavé, pendant cette drôle de guerre, toujours en avant-postes, en patrouilles, voués par l'inorganisation militaire à nous trouver continuellement sur la brèche, mis à toutes les responsabilités. Mais nous, les pédérastes, les recalés, nous avions un commandement, un vrai, le plus pur et le meilleur, chefs chacun d'une trentaine d'hommes au combat (les chevaux à l'arrière après la première semaine). Scoutisme intégral, à balles réelles, avec les hommes qui meurent et qui ont peur, la bouffe à trouver, les prisonniers, le sang qui coule, le froid, la pluie, la faim. Des êtres à convaincre, à apprivoiser, à menacer, à cajoler, à frapper, à aimer et à apprécier. Nous fûmes blessés le même jour et côte à côte. Dans la même patrouille en territoire allemand, tombés dans une embuscade où nous perdîmes un tué et un prisonnier, Frédéric d'une balle au pied dont il boite encore quand le temps est à la pluie, moi d'une balle, de la même rafale, entrée devant et sortie derrière, en pleine poitrine, au ras du sternum, à gauche, entre deux côtes sans rien avoir touché d'important. Deux bonnes blessures, en somme, puisqu'en quittant presque en même temps les ambulances chirurgicales et autres hôpitaux militaires, nous eûmes droit à la croix de guerre et à la même permission passée ensemble dans le Paris de la drôle de guerre, si démoralisant que nous fûmes heureux de retrouver notre groupe de reconnaissance, au bord de la Lorraine, toujours en ligne, par moins 22 de froid. Le colonel nous ouvrit les bras pour nous annoncer qu'il avait pris sur lui de signer de nos noms, en notre absence quand la circulaire était passée, une demande de nomination sur titres à l'école d'élèves officiers de Saumur... « Ce sera trois mois pris sur votre guerre, perdus à ressasser les conneries théoriques que vous savez par cœur depuis le cours des élèves brigadiers... La réponse vient d'arriver, c'est *oui* : vous n'avez donc plus qu'à repartir... » Et comme pour s'excuser : « J'ai du mérite à vous lâcher. Tâchez de revenir. » Nous lui promîmes, mais nous n'en fîmes rien, à cause de l'offensive du 10 mai 1940 qui nous surprit en pleine permission de fin de cours, aspirants désormais, presque officiers, notre galon torsadé à la hongroise, blanc avec un fil rouge, soulignant la marque laissée sur la manche par le chevron décousu, reste du temps des maréchaux des logis. La tourmente nous sépara, puis le désastre. Frédéric fut affecté à une unité formée en panique avec des débris de l'armée Corap. Il se battit sur la Somme, sur la Seine, sur la Loire, pour se retrouver en zone sud avec la médaille militaire, sous-lieutenant à titre temporaire, démoralisé d'avoir obéi, de n'avoir pas osé déserter, d'avoir suivi Pétain conformément à son caractère.

Moi, j'ai eu la chance d'être encerclé par les Allemands, aux ordres d'un commandant assez intelligent pour proclamer le sauve-qui-peut individuel plutôt que la reddition collective... Avec un brigadier ancien soldat de la guerre d'Espagne, nous avons atteint Bordeaux pour nous y embarquer déguisés en Polonais.

En sorte que j'ai pris l'exil et lui, après quelques mois, la Résistance, derrière notre ancien colonel évadé.

Ç'aurait pu être le contraire, c'était le hasard, donc le jeu, et quatre années nous ont séparés, améliorés,

amoindris, fortifiés, modifiés, mais pas foncièrement
changés... Si bien que nous nous sommes retrouvés
intacts, quant à l'amitié, alors que le monde était
passé à travers nous.

Quand Frédéric m'eut quitté, avec Sushila, sous le prétexte (d'ailleurs véridique car il ne me mentait jamais) d'aller travailler sa jument, l'opium en moi fut brutalement vaincu par la fatigue. La chaleur abominable de la mi-juillet, et la tension nerveuse de la nuit de poker chez Puri Nayer se coalisèrent pour m'écraser dans une sorte de coma dont je sortis, douloureux, triste à mourir et désespéré, au choc de mon chien sautant des quatre pieds sur ma poitrine pour m'accabler de sa tendresse, et me raconter sa fugue afin que je la lui pardonne. Ces réveils du coma qui suit les excès d'opium sont atroces. On est vidé à fond, plus de sang dans le corps, plus de moelle dans les os, plus d'étincelle dans le système nerveux. Juste au niveau d'un animal élémentaire. C'est comme si on avait la conscience d'être un mort. Pas celle d'être un mort vraiment mort, un mort dans un trou, un mort que les bêtes ont commencé à ronger, mais d'être un mort comme Lazare, un mort voué à la résurrection. Rama était rentré avec le chien et ses yeux brillaient parce qu'il avait vu les billets de banque et les chèques éparpillés sur le bat-flanc et sur la fausse mosaïque en ciment du bungalow. Ses yeux brillaient, ses larges narines d'Hindou de

basse caste, à la limite de l'intouchabilité, frémis-
saient comme celles d'un chien qui sent la soupe, en
respirant la bonne odeur de l'argent; pareil ainsi à
tous les Indiens que je connais quand, pour une raison ou pour une autre, j'ouvre mon portefeuille devant l'un d'eux, maharajah que j'ai envie d'étrangler
parce qu'il est trop riche, squelette affamé que je
voudrais assommer pour le délivrer de la misère.
Chez nous, on aurait attribué la manifestation de la
joie de Rama au calcul de se savoir bientôt remboursé
de ses avances, peut-être récompensé de sa fidélité...
A la satisfaction d'avoir eu raison contre lui-même,
ou contre le reste de la valetaille (« Je vous avais bien
dit que le sahib remonterait sur son cheval », etc.)...
Il faisait nuit, nuit noire, et les chers chacals commençaient à chanter du côté des jardins pleins de ruines,
de tombeaux, tout ce qui reste de la dynastie Lodi...
J'étais incapable de lever un doigt, encore moins de
me lever, pourtant il le fallait. Près de moi, le plateau
d'argent, si brillant hier soir, était terne, plein de
traînées sales, la lampe était éteinte, à bout d'huile
et de mèche, son cristal encaqué de points bruns faits
par les gouttelettes de chandoo tombées de l'aiguille
ou du fourneau. Cela sentait le tabac froid — on
fume, si j'ose dire, en fumant — le dross figé, la sueur
sèche.

Habituellement, quand il me trouvait ainsi, matin
ou soir, mort au champ d'honneur de l'opium, Rama
ouvrait les fenêtres, mettait en marche le ventilateur
du plafond, enlevait le plateau et m'apportait une
tasse de thé fort et bouillant. Je me levais et il faisait
le ménage, pendant qu'hébété devant la glace de la
salle de bains, je contemplais mes yeux rouges, mes
pupilles dilatées par le manque...

J'allai soulager mes entrailles dans ce qu'on appelait la commode, sorte de seau hygiénique encastré

dans une caisse en bois, vidé quand il était plein par l'Intouchable, voué par sa naissance immonde à coltiner la merde éternelle. Ai-je écrit que tous les domestiques, sauf Rama, avaient déserté mon navire pourri? Il devait être resté, l'Intouchable, parce que Rama n'aurait jamais vidé ma merde afin de respecter la dignité de sa caste infime (ainsi va l'ordre des choses) et je ne me rappelle pas, au cours des jours difficiles, avoir une seule fois trouvé plein le seau de la commode. Rama devait payer l'Intouchable de sa poche, ou le faire chanter, ou, plus sûrement, le battre. Les loups entre eux! Cette vidange des entrailles quand on fume est un moment important. C'est celui où l'on touche le fond de la misère physiologique, contrepartie de la gloire des sommets de la divine fumée. Ce n'est qu'une fonction naturelle pour l'homme ordinaire. Pour le fumeur, c'est le zéro à partir duquel il va pouvoir remonter de pipe en pipe jusqu'à l'infini de sa divinisation. Tous les novices, certains néophytes quand ils ont été mal initiés, quelques insatiables, et les instables, cèdent à la facilité, comme je le fais parfois... Plutôt que de passer, après la douleur du réveil comateux, par la déchéance de l'excrétion, à jeun de drogue, ils se dépêchent d'engloutir deux ou trois pipes, l'œil entrouvert. Sûrs de remonter aussitôt la pente, ils sont, en contrepartie, voués à rester bouchés, sacs à merde pour les prochaines vingt-quatre heures. Certains, j'en ai connu, pratiquaient la vidange un jour sur deux, quelques-uns, hebdomadaire. Ceux-ci étaient les grands paresseux ou les très vieux intoxiqués à peu près anorexiques, sans rien à stocker. J'ai toujours pensé qu'ils blasphémaient, au moins qu'ils manquaient de respect à l'Opium... S'il est malsain de garder, même figée, toute cette fermentation organique, il est criminel de souiller le corps humain créé par Dieu... Et c'est le corps qui est, qui demeure, qu'on le veuille ou non, le véhicule des extases cérébrales de la fumée... Sans corps, l'opium n'agirait pas sur l'esprit!

Cette fois Rama avait attendu de me voir levé pour mettre en marche le ventilateur. Il avait ramassé soigneusement les roupies et les chèques qui traînaient et, bien qu'illettré, il les déchiffrait en comptant les zéros sur ses doigts...

Le bain était coulé et j'étais plongé dans son eau tiédasse, rougeâtre à cause des pluies qui avaient commencé, déjà rasé, songeant à la première pipe, incapable, vraiment incapable, d'être dans mes esprits. Bruits de moteur, voix dans le jardin, c'étaient Frédéric et Sushila accompagnés de la Franco-Belge Janine, la laissée pour compte du vieux maharajah de Kathapura, suivis de Jerry Basset que j'avais oublié, qui pourtant était auprès de moi quand j'avais sombré dans la mort noire au lendemain de ma victoire au poker. Pourquoi, comment Jerry Basset, pas vu depuis six mois et davantage, s'était-il trouvé la nuit dernière chez Puri Nayer?

— Tu t'es endormi en roulant une boulette, m'a dit Jerry...

— Comment es-tu là? Est-ce moi qui t'ai écrit de me rejoindre?

Jerry a ri:

— Je n'ai jamais reçu ta lettre! C'est parce que je t'ai pris pour un lâcheur que je suis venu te relancer... En vérité, je suis affecté ici, pour des histoires dont nous parlerons en fumant...

Jerry Basset... Il y a trois ou quatre ans que nous nous connaissons avec des *in* et des *out*. Mais nous avons, ensemble, vécu fort et si intense une bonne demi-année qu'un lien puissant s'est noué, malgré ce que je pense de lui, malgré ce qu'il pense de moi...

Comment l'ai-je connu? C'est toute une histoire,

qui me revient par bribes, ce soir où je n'ai rien à fumer, où je ne suis même pas soûl. J'étais au cachot, à Recife, Brésil, province de Pernambouc. Un cachot à barres de fer, au bout du port, où de vieilles putains venaient nous porter à manger, ou d'autres femelles aussi vieilles mais mieux nippées nous donnaient un peu d'opium blanc (c'est de l'héroïne amalgamée à je ne sais quoi de plastique... Ça se mâchouille comme du chewing-gum). Le malheur, c'est qu'en échange il fallait faire l'amour à ces vieilles femelles, à travers les barreaux, et debout. Elles payaient les gardiens, qui les baisaient aussi. C'est depuis Recife que je ne baise plus n'importe qui. Il est vrai, aussi, que j'ai vieilli.

Pourquoi donc étais-je en taule à Recife? Une erreur. Mon erreur. Une des grandes erreurs de ma vie : j'avais fait confiance à un imbécile.

Je passais des trucs à l'époque. Des trucs qui rapportaient, des pistolets. En Amérique latine, pour se sentir mâles, les hommes ont besoin d'être armés. Je passais des pistolets. Plutôt je vendais des pistolets que je faisais passer par de pauvres types. J'étais l'âme, si l'on veut, d'un rackett, et je ne risquais rien, ou pas grand-chose. Sauf que l'imbécile qui était mon agent auprès du capitaine des douanes s'avisa de coucher avec la femme de ce fonctionnaire et de faire un beau cadeau à la dame en oubliant de régler la commission du mari... Cocu ça se pardonne. Mais volé c'est sérieux. Pour avoir le conard et venger son honneur, le mari vexé dénonça la chaîne et je fus le seul pris, parce qu'étranger. Au trou et quel trou!

Pourtant on avait un bon consul à Recife, mais il était en tournée dans le *Nordeste* et son adjoint n'était qu'une andouille, terrorisé par les autorités locales... Pourtant je n'étais pas le seul Français dans cette taule dégueulasse, parmi les nègres et les Indiens et les Chinois et tous les malfrats et pauvres innocents de la création, entrés sans visa, assassins de coin de rue, cocus dénoncés par leurs rivaux, violeurs de petites filles, piqueurs de porte-monnaie. Ces vaches de Brésiliens avaient arraisonné un langoustier breton dans leurs eaux territoriales... Ils avaient laissé courir l'équipage à cause des syndicats parce que leur gouvernement était à l'époque d'extrême gauche, mais ils gardaient le capitaine et son giton, le mousse, seize ans, blondinet, que les nègres enfilaient en série aux hurlements de jalousie du Kerkaradec... Rien à bouffer, sauf la charité des putains. Pour la drogue, j'ai déjà dit ce qu'il fallait faire. Il y avait trois Chinois (ce n'est pas si rare au Brésil, malgré la distance). Je ne sais pas ce qu'ils avaient fait de mal, parce qu'ils ne parlaient aucun langage humain en dehors du cantonais. Ils s'étaient rendus populaires au gnouf, car l'un d'eux avait réussi à camoufler un petit pot de pommade, qu'il appelait *sibsippié* et ils se livraient à un trafic peut-être unique, témoignant de l'esprit d'invention des Chinois et de leur rapide adaptation aux circonstances. Que faire d'autre, dans la promiscuité immonde de cette prison brésilienne, que de se camer... Mais pour avoir la drogue, je l'ai dit, il fallait passer par toutes les sorcières vérolées et toutes les nymphomanes édentées de la province de Pernambouc. A travers les barreaux. Alors les Chinois, du bout du petit doigt, beurraient délicatement de *sibsippié*, en plissant les yeux, le bout du gland des grands nègres rigolards, qui en avaient après ça pour quatorze ou dix-huit heures sans désemparer à jouer les tour Eiffel. Et l'opium blanc, l'héroïne chewing-gum, c'était les Chinois qui la mâchouillaient pour s'envoyer en l'air sans payer de leur personne...

Un matin, une voix plutôt parisienne cria à travers la grille pour demander s'il y avait des Français là-

dedans. C'était le consul, rentré de tournée. Le capitaine du langoustier, son mousse (qui pouvait à peine
marcher tant les nègres l'avaient bourré), moi-même
et les trois Chinois pour lesquels je me portais garant
qu'ils étaient vietnamiens, donc protégés à l'époque
par la France, parce qu'ils m'avaient refilé un peu
de la drogue gagnée par eux sur les nègres, dûmes
nous battre pour venir au premier rang mentir au
consul. Pas d'histoires, six heures plus tard, nous
étions libres tous les six, avec des excuses, les trois
Chinois dans la nature sitôt lâchés, le capitaine, son
mousse et moi hébergés au consulat, baignés, émor-
pionnés, vêtus de frais.

Avec les excuses du chef de la police et du commandant des douanes, moi-même autorisé à récupérer (profits et pertes) quatre des six caisses de pistolets automatiques *Beistegui Hermanos,* fabrication
espagnole de 1917-1918, qui partent tout seuls quand
on ne s'en sert pas et qui s'enrayent quand on veut
tirer avec. Sur le conseil du consul, je fis cadeau d'une
caisse supplémentaire au chef de la police et d'une
autre au gabelou-major, le bénéfice des deux res-
tantes me payant le billet de cargo jusqu'à Dakar
et un peu de quoi prendre l'avion pour aller plus
loin. Aussi de quoi m'habiller comme un monsieur et
d'offrir des fleurs à la femme du consul!

Un beau soir, j'embarquai pour Dakar, sur un rafiot
battant pavillon argentin, chargé jusque sur les ponts
de caisses étiquetées *Corned beef La Plata...* On me
montra la cabine où j'avais une couchette avec deux
autres passagers. « Un Goanais, m'avait dit le subrécargue, et un de vos compatriotes... » Le compatriote,
surprise de ma vie, était un des Cantonais de la taule
de Recife, l'homme au *sibsippié,* habillé, impeccable,
en gentleman tropical.

Quand il se présenta : Jerry Basset, de la Compa-

gnie Machin-Chouette, import-export, je le regardai
avec stupeur :

— Tu parles français?

— Mais je suis Français...

— Et la taule?

Regardant à droite et à gauche, d'un geste inimi-
table, le ci-devant coolie chinois mit l'index sur ses
lèvres :

— Chut!... Il est des cas où il faut savoir fermer sa
grande gueule... Puis : Merci infiniment, cher monsieur, de m'avoir aidé à sortir de ce gnouf infâme...

Quatorze jours à tanguer sec, à rouler bord sur
bord, à dégueuler tripes et boyaux les premiers temps,
puis à somnoler jusqu'à ce que ça passe... Nous avons
eu le temps de nous raconter notre vie. Du moins ce
que l'un et l'autre voulait bien en raconter. C'est ainsi
que j'appris de Jerry Basset qu'il était né à Hué, en
Indochine, d'un père administrateur des Colonies
d'une bonne famille normande, avec des attaches en
Ecosse, et d'une mère fille d'un mandarin fort connu...
Il avait fait ses études secondaires à Hanoï et à Saigon, avant un assez long séjour à Hongkong et à Canton où il avait acquis la maîtrise de la langue anglaise
avec une très bonne connaissance du chinois, qu'il
écrivait et dont il parlait à la perfection les dialectes
du Sud. Il avait aussi fait du droit à Montpellier,
visité les Etats-Unis et une partie de l'Amérique du
Sud... Il était de mon âge, à peu près. Cultivé, inté-
ressé par toutes sortes de choses, il avait des histoires
à raconter sur n'importe quoi... Pourtant il restait peu
prolixe sur les raisons qui l'avaient contraint à se
camoufler en coolie cantonais analphabète...

— De méchants cons voulaient ma peau, se bor-
nait-il à répéter. J'ai rencontré Lee et Chang, déser-
teurs d'un cargo norvégien, qui m'ont donné l'idée de
me joindre à eux et, pour être à l'abri, de me cacher

dans la prison... Je ne pensais pas qu'elle pût être si dégueulasse.

— Tu trafiques de quoi? Parce que tu trafiques de quelque chose... Import-export, c'est tout dire... C'est du trafic ou bien une couverture... Tu fais dans le renseignement?

— Chut! Chut!... Le Goanais écoute...

Le Goanais ou le skipper, ou le subrécargue. Et il changeait de conversation... Il me parut qu'il existait une connivence entre le Goanais et lui... Des clins d'œil... Une conversation épaule contre épaule penchés sur la rambarde, sous prétexte de dégobiller, le lendemain du départ de Recife.

— A bientôt, dit Jerry en me serrant la main avant de s'élancer sur la vedette du capitaine de port de Dakar qui était venu spécialement le chercher en rade, comme une personnalité... Je descends chez le gouverneur général, c'est l'ancien chef de cabinet de mon père quand il était résident au Cambodge...

A Dakar, je m'installai dans le meilleur hôtel d'alors, place Protêt... Je crois que c'était déjà la Croix-du-Sud. Cher comme le diable, mais comme je cherchais des clients, ma présence dans cet établissement coûteux faisait savoir aux *autres* qu'on ne m'aurait pas pour une pièce de cent sous.

Ce fut payant, et deux jours plus tard je me retrouvai parlant affaires, c'est-à-dire armes de guerre, avec deux messieurs dont l'un, celui qui m'avait abordé, était visiblement un comparse, mais dont l'autre, parfaitement à l'aise en français avec une touche d'accent anglais, m'assura connaître des membres de ma famille et avoir entendu parler de moi par des amis communs. Visiblement, ce qu'il savait des miens était tiré d'un Bottin mondain assez ancien (le seul qu'il avait dû trouver à Dakar), car des trois barons Berghaus soi-disant rencontrés par lui avant la guerre

au golf de Saint-Cloud, au pesage de Longchamp ou
à Deauville, deux étaient morts depuis vingt-cinq ans
et l'autre c'était moi-même...

Je le laissai parler, jusqu'aux affaires sérieuses : il
me proposait une clientèle en Afrique centrale et
orientale, pour n'importe quoi qui tire en faisant du
bruit... En effet, il se préparait des mouvements d'indépendance, et le réseau de vente d'armes qu'il fallait
monter était déjà amorcé par la vieille contrebande
pan-africaine des Haoussas du Niger et de la Nigeria.

Il savait que je possédais une option à Tanger sur
tout un lot de vieux fusils et de pistolets déclassés...
Pour les nègres, disait-il, c'est toujours assez bon...
Ce n'est pas comme pour les Arabes, qui sont des
guerriers nobles et qui s'y connaissent en fusils, etc.
Quand j'étais dans les émirats du golfe d'Oman, ou
au Yemen, c'était autre chose, etc.

Visiblement, j'avais affaire à un de ces gentlemen
des services secrets britanniques en train de mani-
gancer quelque révolte tribale. De ces révoltes mon-
tées de toutes pièces afin de justifier des répressions,
pour démontrer aux socialistes de la Chambre des
Communes l'impérieuse nécessité de maintenir l'ordre
britannique aux colonies. En faisant s'entretuer quelques douzaines d'anthropophages de part et d'autre
d'un marigot plein de moustiques...

Je ne sais pas pourquoi, l'affaire ne m'inspirait pas
tellement, et je demandai un délai de vingt-quatre
heures avant de donner une réponse ferme, malgré
l'avance confortable (le tiers du prix d'une première
tranche à faire livrer à Ifni, territoire espagnol) qu'il
me proposait *cash*, et sans reçu comme il se doit.

A l'hôtel, je trouvais obséquieux le réceptionniste
européen qui me tendit une enveloppe blanc et or
aux armes de la République française. Une invitation
à déjeuner pour le lendemain au gouvernement géné-

ral. Jerry Basset, bien sûr. J'y fus. Repas banal et pompeux, comme toujours. Quelques fonctionnaires de corvée, trois ou quatre notables nègres de service, une ethnologue à lunettes et cheveux tirés. Le gouverneur général aimable mais distant, comme il convient envers un personnage dont les activités, parfois utiles à la politique, sont considérées comme marginales... Après le café, les liqueurs, le cigare, les notables indigènes endormis et les fonctionnaires partis, Jerry me prit dans un coin.

— Je t'ai fait inviter pour te parler incognito... Ton Anglais d'hier, qui se fait appeler Morgan...

— Tu sais déjà?

— Tout se sait. Morgan est en réalité Prestovsky, agent soviétique, qui prépare à longue échéance une insurrection en Algérie dans les montagnes... Son histoire d'Haoussas n'est pas entièrement fausse... Dans son projet figure le soulèvement du nord de la Nigeria britannique...

— Merci, Jerry. Je me doutais que tu étais bien informé. Mais à ce point... A ce point...

— Je te demande d'accepter de leur fourguer ta camelote, même celle que tu ne possèdes pas, de faire avec eux l'opération... En exigeant un compagnon de ton choix, un ami sûr... Cet ami sûr, c'est moi. Compris?

Je n'ai rien compris sur le moment, mais aux yeux de chat-tigre du métis, j'ai dit oui. D'autant plus qu'il me plaisait et que je flairais dans l'aventure avec lui un parfum de quelque chose que je ne connaissais pas encore très bien.

C'est ainsi que j'ai vécu six mois, les mois des Haoussas, les plus intenses de ma vie, avec Jerry... Si bien qu'en le voyant rappliquer à Delhi, j'ai pensé que la vie calme était terminée, que quelque chose allait rebondir.

— Cette pipe... On la fume?

C'était Janine, la Franco-Belge, qui geignait sur le bat-flanc. Qu'elle était vulgaire, cette fille, malgré des yeux verts émouvants et profonds... Grasse et molle, un accent entre Bruxelles et Paris. La peau blanche, blanche, pleine de taches de rousseur et les seins larges et lourds, presque liquides, avec des mamelons rose pâle tout petits et pointus, sans plus d'aréole que ceux d'une petite fille. Elle était crémeuse comme on dit, naïve par bonté, pas par bêtise. Je la connaissais, cette Janine, depuis quelque temps, depuis un soir où elle avait débarqué au bungalow après un coup de téléphone du chargé d'affaires de Belgique. Son histoire était assez banale, et elle nous l'avait racontée sur le bat-flanc, à Frédéric et à moi, étonnée qu'aucun des hommes avec lesquels elle se trouvait presque nue sur le lit n'ait fait le moindre geste, ni montré le moindre intérêt érotique. Elle s'était fait une raison, fumotant en toussant, laissant brûler les minuscules boulettes que je lui préparais comme à une débutante. Un des rabatteurs du maharajah de Kathapura lui avait fait miroiter les merveilles d'une cour princière des mille et une nuits... Elle en deviendrait facilement la Shéhérazade, son genre de beauté étant celui du maître, un petit vieux bien propre, pas exigeant sur la chose, à cause de son âge et des abus d'aphrodisiaques. Les médecins du maharajah ne lui permettaient qu'une fois par mois l'infusion de poudre de cantharide, après examen du cœur et des artères. Si elle plaisait, les diamants, les rubis et les perles grosses comme des noisettes ruisselleraient sur elle. Si, par malchance incroyable, elle n'était pas gardée par le maharajah, elle serait rapatriée avec une indemnité très généreuse (laquelle, précisait le rabatteur, serait payée en valeurs sûres, pierres précieuses et pièces d'or). Janine, comme tant d'autres éblouies, avait marché. Ce n'était pas le moins du monde une prostituée, rien qu'une fille qui avait mal tourné, comme on dit, s'étant fait engrosser et ses parents (le père pharmacien du côté de Sainte-Gudule) l'avaient chassée de la maison. L'enfant mort-né — elle n'en parlait qu'en pleurant — elle était restée à Paris ville refuge où, après plusieurs tentatives de travail honorable, elle vivait de quelques passes bien payées, ayant réussi à se faire inscrire sur les listes d'une des maquerelles les plus cotées de la rue Marbeuf. Comme elle était très paresseuse, ce genre d'existence lui plaisait en lui permettant de rencontrer, comme elle disait, « des gens intéressants », dont elle n'avait jamais pensé qu'ils puissent exister dans le milieu étriqué et cafard du quartier de la cathédrale à Bruxelles.

La perspective du voyage aux Indes l'avait tentée plus que l'intérêt et la curiosité, l'esprit d'aventure, si l'on veut, l'avait décidée à accepter la proposition du truchement. Celui-ci lui avait donné — contre reçu — une certaine somme d'argent, avec un billet de train-bateau pour Londres et Liverpool où elle devait s'embarquer à telle date sur un paquebot de la *Peninsular & Oriental,* à destination de Bombay où elle serait accueillie. « Pas d'aventures sur le bateau, Son Altesse le saurait infailliblement et vos chances seraient compromises. Vous serez tentée sans doute, les voyages en mer sont grisants pour les femmes, surtout passé la mer Rouge ! »

« Qu'est-ce que j'ai raté comme occasions sur ce bateau, racontait Janine... On m'avait payé des premières, et c'était rempli d'hommes seuls qui louchaient sur moi, qui me pourchassaient dans les coursives... le commissaire en chef m'a presque eue, j'ai dû lui expliquer où et chez qui j'allais... Il a ri et il m'a dit qu'il y en avait une autre à bord, mais d'un

maharajah plus radin que le mien puisqu'elle voya-
geait en seconde. J'ai fait la connaissance de la fille
en question, qui était aussi blonde que moi mais plus
mince. Marcelle je ne sais plus quoi. Elle allait au
Bengale, et elle me souhaita bonne chance en m'embrassant quand je descendis à Bombay... Elle continuait, la veinarde, jusqu'à Colombo où elle devait
changer de bateau et embarquer sur un caboteur à
destination de Calcutta... Tu te rends compte, un caboteur qui, parti de Trincomalee, faisait presque tous les
ports de la côte de Coromandel, Negapattinam, Cud-
dalore, Masulipatham, Visakhapatham, Berhampur
et, tiens-toi, Bhubaneswar... » Janine dégustait les
noms   bizarres   qu'elle   avait   dû   apprendre   en
s'ennuyant dans sa cabine, à feuilleter le guide
Murray.

Frédéric avait demandé à Janine si elle se souve-
nait du maharajah de Marcelle... Quelque chose
comme... et elle prononça un nom connu qui nous
fit rire, Frédéric et moi. « Ma pauvre Janine, ta
copine a encore moins de chance que toi ! Son maharajah est la plus grande pédale de l'armorial indien,
lequel en est bien pourvu. Il est passé à travers une
sale histoire il y a peu de mois. Il paraît qu'il s'amuse
à torturer les femmes européennes. Vengeance de
pédéraste colonisé ou sadisme ordinaire, ou les deux.
Cela n'a jamais été éclairci, il n'y a pas eu procès,
rien qu'une enquête étouffée par les Anglais, parce
qu'il est important et les appuie dans leur politique
du moment. »

Janine avait fondu en larmes, et les parcelles de
fumée qu'elle avait absorbées l'envoyèrent en l'air
pour son premier petit kief de débutante. « Ce n'est
pas mauvais, dit-elle en ouvrant les yeux après trente
ou quarante secondes. Un peu l'impression de jouir
profond... mais ça se passe tellement plus haut... Est-

ce toujours comme cela? — Cela dépend avec qui tu fumes, dit Frédéric, et ce que tu fumes, et du temps qu'il fait, et de ton humeur. Ça dépend du génie de la lampe. Bon, pauvre Janine... tu en étais à Bombay, à l'arrivée. — Il y avait sur le quai un bonhomme barbu à turban rose qui m'a demandée au commissaire, qui s'est occupé de mes bagages. Je n'avais qu'une grosse valise, en plus d'un petit sac de voyage, parce qu'on m'avait dit de ne pas prendre de robes, le maharajah voulant voir ses femmes en sari quand elles n'étaient pas toutes nues. Il était censé, par le contrat, me couvrir de toutes les soies du monde!

« J'avais rêvé qu'on me montrerait au moins la grotte d'Elephanta. Pas du tout. Ils — je dis « ils » parce que le bonhomme à turban rose avait une paire d'assistants qui ne me quittaient pas d'une semelle — ils m'ont embarquée comme une prisonnière dans un compartiment de train réservé pour moi toute seule, le soir même de l'arrivée du bateau. Vingt-trois heures jusqu'à Delhi... Je n'avais pas le droit de descendre aux stations et ils rappliquaient de leur wagon chaque fois que le train s'arrêtait, comme si j'avais voulu me sauver. La gare de Delhi, ignoble. Un repas au buffet avec les trois gendarmes en turban qui parlaient leur jargon. Le train pour Jullundur. Tu connais? — Eh oui, Janine, Kathapura est un grand ami de la France. Il nous a invités à chasser le tigre il y a deux mois. C'est un homme charmant. Un Sikh qui a eu le courage de se faire couper la barbe, c'est un progressiste, un moderniste... C'est quelqu'un, grand-croix de la Légion d'honneur. — C'est aussi un mufle et un cochon. Quand vous saurez ce qu'il m'a fait. — On le devine! Tu n'es pas la première. — Ah... dit Janine, voilà que ça me reprend, ça vient... » Et, fermant les yeux, elle prit le deuxième kief de sa vie, qui dura bien une minute et demie ou deux minutes.

En ouvrant les yeux, elle souriait comme un nouveau-né, aux anges, et elle avait pardonné à Kathapura. Ni Frédéric ni moi n'avons eu le courage de lui dire que les premiers kiefs sont les seuls vraiment divins et qu'une partie de la carrière d'opiomane consiste à leur courir après, sans jamais les rattraper! Il est vrai qu'on trouve, à force de fumer, beaucoup d'autres merveilles dans la magie brune... Mais ces premières envolées, ces premières victoires de l'esprit sur la matière, ne reviennent jamais. Même quand après dix ans de coupure ou vingt ans on se remet à fumer!

« Alors, Janine, ton maharajah? Tu étais à Jullundur. — Attends... Donne-moi encore une pipe, une forte, je crois que je vais bien la prendre. — Attention, attention... Pour une première fois, tu as ton compte, toute belle, si tu abuses, tu vas être malade. Reste couchée, détends-toi bien. » Elle était assise, à demi levée et la tête lui tournait : « Tu vois... Il faut connaître : tu es là pour apprendre, apprends. »

Elle était étendue sur le dos, maintenant, la tête renversée sur un oreiller chinois en cuir dur et elle retenait une nausée qu'on voyait monter et descendre du haut du sternum à la pointe du menton, le long de son cou et de sa gorge. « C'est drôle, dit-elle quand la nausée fut passée. » Je lui donnai un peu de thé, sans rien dire, elle resta quelques minutes à ravaler, à reprendre des forces pour finir son histoire.

« A Jullundur, on est venu nous chercher dans une grosse voiture anglaise, genre Bentley. Puis on m'a fourrée dans une sorte d'appartement, avec cinq ou six Indiennes en pantalon et blouse, avec une grosse natte dans le dos, terminée par une rallonge de soie noire en écheveau. Elles ne parlaient pas un mot,

ni anglais ni français. Pourtant le rabatteur m'avait
affirmé qu'à Kathapura tout le monde parlait français. C'était un mensonge. ... Les femmes, assez braves,
m'ont donné du riz, avec du curry et des galettes, des
chapattis, qui n'étaient pas mauvaises. Cela a duré
une semaine à peu près. On m'essayait des saris dans
la journée, je dormais et j'attendais. Je sais mettre
un sari, maintenant. Un cordon à la taille, plus ou
moins de plis selon qu'on est mince ou grosse... Pourtant, ça ne me va pas très bien le sari, pas mieux
qu'aux autres Européennes. Je ne sais pas marcher
avec. Il faut être souple comme une Indienne... Le
huitième jour ou le neuvième, je ne me souviens plus,
on m'a mis un beau sari rouge sang-de-bœuf (coup
en vache, ce genre de rouge est fait pour les très
brunes, pas pour les blondes aux yeux clairs)... Un
grand bonhomme sans barbe, le grand eunuque, m'a
accroché un collier de perles autour du cou, m'a
fourré une demi-douzaine de bagues aux doigts, avec
des cabochons gros comme des bouchons de carafe,
puis il m'a emmenée par des couloirs et des cours
intérieures jusqu'à une chambre gardée par quatre
chaprassis en livrée bleu et or... ou rouge et blanc...
j'ai oublié. C'est ta drogue. On a ouvert la porte et
je me suis trouvée devant une sorte de momie en
costume européen, un complet gris avec une cravate
bleue à pois blancs. Une momie qui parlait très bien
français, qui m'a baisé la main et qui m'a dit : Je
suis heureux de vous accueillir, mademoiselle. Vous
êtes très belle. Voulez-vous vous déshabiller? Ce que
j'ai fait, conformément au contrat de Paris. Gardez
les bijoux. Un sari, c'est vite enlevé, surtout quand
il n'y a rien dessous. Il m'a regardée attentivement.
Sans un geste ni rien. Couchez-vous. Où? J'ai posé
la question, parce qu'il y avait deux lits, plutôt deux
divans... Un très large, pour quatre personnes ou six,

comme ce bat-flanc, et un plus petit, très suffisant pour deux. Sur le grand je me suis couchée, avec un sourire engageant. Il a tiré une chaise, il s'est assis près de moi et il a sorti une cigarette d'un étui en or. Sans m'en offrir. Il a allumé la cigarette, et il l'a fumée, sans quitter mes seins des yeux, puis il a approché le mégot allumé de mon estomac, comme s'il allait me brûler... J'ai eu un geste de recul qui l'a fait sourire et il a jeté le mégot. J'avais une frousse bleue... Si j'avais su l'histoire de Marcelle, j'aurais piqué une crise de nerfs... Alors ce vieux dégoûtant m'a chatouillé la pointe des seins en disant guili guili... Vous pouvez vous rhabiller. C'est fini pour aujourd'hui. — Tu l'as revu ? — Oui... Cinq ou six fois en deux mois de captivité. Le même cinéma chaque fois, ou presque. Sauf la dernière où il portait une robe de chambre au lieu de son costume gris, qu'il a enlevée pour se coucher tout nu à mon côté, sans me toucher... J'ai eu un geste de politesse et j'ai porté la main, respectueusement, dans la direction de ses attributs... qu'il dissimulait de son mieux, parce qu'il n'y avait pas de quoi être fier. Mais il a arrêté ma main sans rien dire, il m'a fait mettre sur le côté de façon à lui tourner le dos, lui me tournant le sien. Au bout d'un quart d'heure d'immobilité absolue, sans aucun contact, il s'est levé, il a remis sa robe de chambre et m'a dit : Merci, Mademoiselle. C'est tout pour aujourd'hui. Le lendemain matin, l'homme au turban rose m'a dit de faire ma valise, m'a repris tous les saris et les bijoux, m'a fait monter dans une vieille guimbarde qui m'a amenée à la gare de Jullundur où le chauffeur m'a remis un ticket de seconde classe pour Delhi. J'ai attendu le train et j'ai pris, en arrivant, un taxi avec le peu d'argent qui me restait. Je suis allée à l'ambassade de Belgique. »

Depuis le temps qu'elle racontait son histoire, Janine l'avait enjolivée de pipe en pipe, car elle avait pris le goût du bat-flanc, pas encore l'habitude, et la tendance embellissante devenait invention, quand elle venait fumer, de temps en temps, et broder sur le thème de la conspiration de palais : on allait l'étrangler quand elle s'était sauvée à cause de l'influence qu'elle avait prise sur le vieux maharajah impuissant qu'elle était seule désormais à faire bander, seule d'un troupeau de quatre cents femmes dont plusieurs européennes, et sur le fils qui était fou d'elle et aurait voulu empoisonner son père pour l'épouser et la mettre à son côté sur le trône. C'était magnifique... Mais ce soir je craignais qu'au lieu d'ajouter un chapitre, elle ne reprenne toute l'histoire depuis son début désormais mirifique (princesse en Belgique, enlevée par un commando masqué, chloroformée et transportée en Inde par avion spécial, etc.) à cause de Jerry sur lequel, dès l'abord, il me parut qu'elle avait un œil, et qu'il en avait un sur elle. Quand je me retrouvai dans ma peau, pas encore Dieu, mais d'accord avec mes sens et mes organes, après une demi-douzaine de boulettes, ou plutôt mes sens et mes organes accordés, je lui demandai où elle en était avec Puri Nayer, car la vision, vraie double vue, m'était venue soudain, de sa valise dans le vaste coffre de ma Buick noire au fond du jardin...

— Puri Nayer est un salaud, une ordure... Il vient de me flanquer dehors, comme l'autre... Il se prend pour un maharajah, ce mercanti... Pourtant, côté chose, ça marchait entre nous... Il est doué, le Puri... Tiens, Puri, pourri, ça lui va bien comme nom, à cette ordure... Un vrai héros du Kamasoutra, depuis trois semaines que je vis avec lui... Cet après-midi, vers trois, quatre heures, en me réveillant, j'ai trouvé le *bearer* en train de faire ma valise... « Memsahib

s'en va... — Où ça? — Où elle voudra. C'est l'ordre
de Puri Sahib. Un *chitti,* une lettre pour vous. » J'ai
ouvert l'enveloppe. Pas un mot. Un billet de cent
roupies. Le salaud!

— Je te fais remarquer qu'il est plus généreux que
ton maharajah.

— Roule-moi une belle pipe, cher Albert, pour
oublier... Heureusement que tu es là, et Frédéric, et
Sushila... Et Jerry. Des amis, ma vraie famille...

Et Janine de fondre en larmes, avant de prendre la
pipe.

— C'est la nouvelle qui m'a fait jeter dehors, la
fille de Calcutta, Constance, l'Anglo-Indienne qu'ils
appellent Connie. Tiens, ça lui va bien comme nom
à cette garce! Tu ne le sais peut-être pas, c'est elle
qui a téléphoné hier soir pour te faire venir. Ils
ont discuté en italien à toute vitesse, une partie de
la soirée, et ton nom revenait avec des mots que je
saisissais vaguement... J'en ai assez pigé pour comprendre qu'ils manigançaient quelque chose qui te
concernait. Sûrement contre toi... Lui, Puri, disait
non, c'est elle qui insistait. Ce n'est pas que je sois
jalouse; on aurait même pu faire des trucs à trois...
Je répète, Puri est un champion du Kamasoutra. Non.
C'est autre chose... Ils ont compris que je comprenais
et que je pouvais venir t'apprendre. D'où le pied au
cul avec cent roupies. Et le boy qui descend ma valise,
qui appelle un taxi, et qui a le culot de me réclamer
un bakshish... Je lui ai foutu ma monnaie à la gueule,
qu'il a ramassée avec des bénédictions. Quelle en-
geance ces Indiens! J'ai vu la Buick noire devant le
cinéma Plazza. J'ai mis la valise dans le coffre et moi
sur la banquette pensant te voir rappliquer, ou Frédéric. C'est Sushila qui est arrivée...

Sushila fumait. Elle approuva de la main. Mais
Jerry avait l'œil affûté...

— Vous dites bien Connie, dit-il, avec la pointe d'accent annamite qui ressortait quand il était attentif et concentrait ses moyens. Connie pour Constance, une Anglo-Indienne de Calcutta?

— Je crois... Mais c'est plutôt Connie pour Connasse...

Jerry changea de sujet, comme toujours quand il réfléchissait :

— Tu te souviens, Albert, de la petite fortune bêtement perdue à l'Aletti d'Alger? Et du banco de Biskra, à l'hôtel transatlantique, et de ta culotte au cercle de Zinder, ruiné, détroussé par ce commandant... Comment s'appelait-il? Le pétomane? Celui qui mettait les tirailleurs au garde-à-vous rien qu'en lançant des pets sur le front des troupes... Attends... Un nom qui sonnait corse... Leopoldi... Leontini... Leonardi...

· Je dis à Jerry qu'il nous ennuyait. Que le souvenir du commandant pétomane me faisait rigoler bien qu'il m'eût ratissé, mais que le patronyme exact de ce distingué personnage, corse ou pas corse, ne m'empêchait pas de dormir.

Jerry suivait une idée...

— Connie? Connie... N'est-ce pas une Anglo-Indienne à la peau claire qui se dit espagnole ou portugaise, comme tant d'autres? N'a-t-elle pas été mariée à un Américain, plus ou moins légalement?

— Elle parle anglais façon G.I., mais cela ne veut rien dire... Elle a l'âge de s'être farci quelques Américains à Calcutta, au temps de la route de Birmanie...

Jerry pense toujours. Par sa mère, c'est un enfant de l'Annam. Il aime la *Tuokphion,* la pipe à opium, que les vieux Français d'Indochine appelaient la *Touphione* et il sait fumer, en hédoniste, en chercheur. C'est lui qui, pendant l'affaire des Haoussas, m'a appris comment doser la cuisson pour obtenir tel ou

tel effet et jouer selon des données subtiles sur la
gamme des seize alcaloïdes et plus contenus dans la
sève du pavot. Pourtant l'opium qu'on fumait en
Afrique était mauvais... Acre au gosier, odeur rance,
saveur fade et surtout raide au foie... C'était du syrien
ou du turc, passé par les Libanais.

Ce soir, c'est lui qui roule nos pipes et il les cuit
à peine. Il ressasse, tout en travaillant sur le fourneau, comme si, d'une incantation, il voulait faire
jaillir la lumière... Calcutta... Connie... Anglo-Indienne
blanche de peau... Accent américain... Comment s'appelait donc le pétomane de Zinder?

Janine s'est coulée contre lui qui, naturel, détaché,
pétrit de sa petite main l'un des gros seins crémeux.
Et le spectacle est curieux, de cette sorte de Confu-
cius méditant, à demi éclairé par la flamme jaune
de l'huile d'amande amère, modulant sa concentration sur un sein de beurre fondu toujours recom-
mencé. Debout, Jerry passe n'importe où, sauf
l'accent, qu'il sait pourtant effacer quand il fait un
effort, pour un Européen. Stature, carrure de l'Europe. Sur le bat-flanc, les générations de mandarins
fumeurs et lettrés reviennent l'habiter, lui remodèlent
le visage, lui confèrent des gestes et des attitudes
qu'il n'a jamais debout.

— Connie... Calcutta... Anglo-Indienne? Blanche de
peau, Italienne, accent américain... Leontini, Leopoldi... Il chantonne, répétant indéfiniment les mêmes
mots, la main activement pensive autour du sein de
Janine qui s'envoie en l'air à la sixième solide pipe,
indice certain de ce qu'elle est sur la bonne voie,
car la dernière fois elle était déjà partie à la troisième. Connie, Calcutta, Anglo-Indienne, Puri Nayer....
Leonardi... Au fait, Puri Nayer n'est-il pas anglo-
indien?

— Non pas. Mais métis de marchand marwari

et de putain vénitienne. Qu'est-ce que ça te fait?
— Rien. Et Jerry s'abandonne, ce que je vois à
la main qui lâche le sein pour s'allonger au bout du
bras contre le corps étiré sur le dos, détendu complètement. Frédéric sort aussi, épuisé par la nuit d'avant,
blanche, plus une sortie avec sa jument...
Sushila est contre moi, dure et sèche, elle me sourit
et nous sommes les seuls à fumer maintenant. Quelle
heure est-il? Les chacals ont presque fait silence. On
ne les entend plus rire qu'en brefs éclats étouffés,
comme des enfants excités qui se couchent. Je suis
dans l'état, et Sushila comme moi, qu'on appelle bêtement, faute d'autres mots, d'intense perceptivité...
Nous rions tout bas ensemble d'entendre gambader
les souris dans la cuisine, trois pièces fermées plus
loin, même par-dessus le vacarme du gros réfrigé-
rateur quand son vieux moteur est pris de spasmes
dandinants pour faire un peu de froid. Rien qu'en
nous regardant, rien qu'en nous effleurant, nous fai-
sons l'amour mieux que tous les amants du monde
et nous glissons dans un même rêve où nous nous
enfonçons, et qui est, nous le savons, le même rêve
que celui de Jerry et de Janine, comme celui de mon
cher Frédéric... Ensemble nous nous réveillons tous
cinq, comme la belle au bois dormant... Avons-nous
dormi dix minutes, ou deux heures, ou cent ans?
Qu'importe... le temps n'existe pas. Nous avons dormi
comme personne ne dort jamais sans la combinaison
par la magie de la fumée noire, d'amour total et de
confiance absolue vécue en commun sur un bat-flanc.
Le plus beau miracle de l'opium.
Janine n'est plus la pauvre Janine, la bonne Janine,
paumée, vulgaire, pas plus que Sushila n'est une Indienne déclassée rejetée par son monde... Je ne suis
plus joueur, drogué, foutu... Frédéric n'est plus aventurier, petit espion, ni Jerry espion tueur, lui que

j'ai vu de mes yeux dans une case de boue séchée étrangler de ses petites, de ses jolies mains, moi l'aidant en étreignant les jambes qui se débattaient, la belle garce qui nous avait vendus à Maradi, au temps de l'affaire des Haoussas... Cette nuit est ineffable, et tout est beauté, pureté, bonté et, sans sacrilège, sainteté et communion divine... Une chaîne de cristal nous unit tout au long d'une sorte d'éternité et nos âmes bien au-delà de nos esprits ont retrouvé le grand tout de l'Univers, au cœur infini de la spiritualité universelle et de l'absolu...

Pourquoi faut-il que Jerry, revenu sur terre avant les autres, se mette à penser tout haut, ce qui revient à hurler dans l'état où nous sommes...

— J'ai trouvé! Leopardi... Elle s'appelle Leopardi, comme le commandant du cercle de Zinder. Dinah Leopardi, et c'est une Italo-Américaine d'origine triestine... D'entre Trieste et Venise, comme la mère de Puri Nayer... Peut-être une parente, ou dans l'alliance de sa famille... Elle a travaillé pour les Yougoslaves, puis pour les Russes. C'est Morgan alias Prestovsky, qui l'avait envoyée jouer les Anglo-Indiennes de petite vertu auprès des officiers de Mountbatten, à Kandy dans l'île de Ceylan. Après elle a fait Calcutta, toujours les G.I. et aussi les Français au temps des premiers parachutages sur l'Indochine. Je ne l'ai pas reconnue hier, parce que je ne l'avais jamais vue, mais je suis sûr que c'est elle.

Jerry parlait surtout pour Frédéric, parlait business. Et moi, qui l'écoutais d'une oreille, j'admirais la beauté de l'opium, malgré le cristal brisé, grâce auquel un agent secret chevronné, rompu à toutes les dissimulations, d'une prudence irréprochable, parlait en confiance totale devant deux filles qu'il connaissait depuis la veille, devant deux hommes, l'un naguère son complice réticent, moi, l'autre, Frédéric, dont il ne pouvait pas ignorer que son bureau d'import-export servait de couverture à des activités au profit d'un service avec lequel le sien n'entretenait pas les relations amicales qu'on aurait pu attendre. Par la grâce de l'opium était venue la complicité totale, et la confiance indélébile, et l'amitié immortelle entre nous cinq qui vivions cette nuit parfaite...

Nous nous sommes endormis, tous ensemble, sans fumer davantage, pous nous réveiller tôt dans l'après-midi du samedi, nous coucher de bonne heure et nous lever de même. J'avais promis à Frédéric de le suivre le surlendemain dimanche à la chasse au renard dont il était un adepte, comme du polo, par goût de l'exercice, surtout pour ne pas laisser ses muscles s'avachir à longueur du temps passé sur le bat-flanc à ne rien respirer d'autre que la fumée noire et celle des cigarettes innombrables dont on l'accompagne, à ne pas laisser son cerveau tendre uniquement vers la spiritualité et le refus de la vie de tous les jours. En quoi il était plus fort et plus équilibré que moi qui passais de longues séries de semaines comme les dernières, à fumer jour et nuit sans rien faire d'autre que construire et reconstruire le monde de l'opiocratie, autour duquel s'édifiera un jour la véritable internationale, la vraie société nouvelle, ou bien de laisser mon esprit tourbillonner parmi les âmes détachées du Grand Tout dans le ballet tantôt douloureux, tantôt lumineux qui les rapproche de Dieu, duquel elles sortent, dans lequel elles disparaissent, comme les éphémères à la lumière qui les fait naître et les consume sans laisser de trace. Frédéric me secouait et il avait raison, si bien que, de temps en temps, je faisais comme lui, je chaussais mes bottes et l'accompagnais aux écuries du vice-roi où il s'était débrouillé pour laisser en pension les deux chevaux qu'il avait achetés d'un ancien aide de camp

de lord Wawell parti en catastrophe lorsque Mountbatten muni de son plan d'indépendance avait rappli-
qué avec un *staff* nouveau. Lui, Frédéric, montait
le plus souvent Stella, la jument dont il était amoureux et, dois-je le répéter, moi aussi, tant elle rap-
pelait Sushila, dans ses allures et dans son caractère.

Ce dimanche matin le *meet*, le rendez-vous, est
avant six heures, assez loin d'ici, au sud du Qutb
Minar, et les chevaux avec leur *saïs* sont partis dans
la soirée afin d'être frais et dispos quand les sahibs
et les memsahibs viendront les monter pour courir
après un malheureux chacal choisi parmi les milliers
d'autres par les *shikaris* aux ordres du maître d'équipage du vice-roi, un major pompeux mais charmant,
dont la raison d'être et la fonction dans la vie consiste
à être le « maître des chiens » comme disent les
Anglais, du vice-roi des Indes... Il est major depuis
vingt ans, ayant renoncé à toute carrière, à toute
ambition. Quand Singapour tombait, quand la Birmanie était envahie par les Japonais, quand ses
camarades de promotion de Sandhurst construisaient
le pont sur la rivière Kwai, mouraient de soif et
de misère à El Alamein, débarquaient en Norman-
die, pendant la bataille d'Angleterre, pendant le
siège de Stalingrad, le jour où le champignon atomique s'élevait au-dessus d'Hiroshima désintégré, le
major Shandy-Lamotte, assisté de son épouse, sortait par la grille de Crescent Circle, en culotte claire,
bottes à revers, cravate de chasse blanche, fer à cheval en épingle, chapeau melon gris et veste de tweed
fendue dans le dos (l'habit rouge et la toque de
chasse restaient dans la naphtaline, en attendant la
fin de la guerre et la reprise de la chasse officielle).
Et la chasse officielle avait repris, avec l'habit rouge,
et la meute des foxhounds était dans le même état
de forme et de dressage, avec la même proportion

de chiens et de lices, de vieux et de jeunes qu'au jour
de la déclaration de guerre en septembre 1939.

Frédéric, ami des Shandy-Lamotte, avait été élevé
à la dignité de *first whip,* de « premier fouet », ce
qui lui conférait l'obligation d'être dehors à cheval
avec les chiens deux ou trois fois par semaine en
plus des jours de chasse, laquelle au gros de la saison
avait lieu tous les dimanches et le mercredi, une
semaine sur deux.

Il prétendait que les deux heures passées à cheval,
lors des séances de dressage, à encadrer le maître
des chiens avec le *second whip,* le « second fouet »,
afin de discipliner le *pack,* au pas, au trot et au galop,
à déployer et rassembler la meute au fouet et à la
voix, dans la joie des coups de gueule et du frétille-
ment des queues en trompette des foxhounds trico-
lores nez au sol, à grosses pattes et aux oreilles pendantes, étaient pour lui la contrepartie de nuits
d'opium, trop cérébrales pour un homme anxieux de
rester équilibré. Les jours de chasse, Frédéric accom-
plissait consciencieusement son travail de *whip,* mais,
d'accord avec le major Shandy-Lamotte et surtout
avec la femme de celui-ci qu'on appelait lady Georgina parce qu'elle était la fille aînée d'un très noble
lord, il sabotait la quête et la poursuite afin d'épar-
gner le chacal, autant qu'il était possible.

Ses fausses maladresses, ainsi que les erreurs gros-
sières commises subtilement par le maître des chiens,
mettaient en rage le second fouet, qui chassait, lui,
pour tuer. C'était un ancien chirurgien militaire
retraité d'office à la démobilisation, borné, type du
Britannique de petite race, trop mesquin pour avoir
compris l'humour noir du sport et celui tragique du
pays. Les chasseurs au rassemblement du dimanche
matin se retrouvaient, parfois trente, d'autres fois six
ou huit. Un contingent variable en raison de la pres-

sion des événements était fourni par l'Etat-major
particulier de lord Mountbatten, lequel dormait tard.
En revanche, lady Mountbatten, l'étonnante Edwina,
manquait rarement la fête, avec Pamela la fille
cadette et, quand elle était en Inde, Patricia, l'aînée,
lady Brabourne. Parmi les membres du Delhi Hunt
autres que ceux de la Maison du vice-roi, figuraient
quelques couples très antiques de hauts fonctionnaires
pensionnés sur place, chevauchant des biques préhis-
toriques, asthmatiques, squelettiques, à l'encolure tendue, dents en avant sur un mors de filet trop lâche,
des rênes interminables tenues du bout des ongles.
De vieilles dames à derrières victoriens débordaient
de leurs selles à peine sanglées, « pour ne pas faire
mal à la pauvre bête », avec de vénérables gentlemen
à monocle, visage rouge brique, cinquante ou soixante
ans de whisky, de *pink gin* et de soleil indien. Parmi
les actifs, on trouvait un dentiste, d'origine autri-
chienne, excellent cavalier aux chevaux parfaits, le
correspondant d'un journal anglais, agent comme
Jerry de l'Intelligence Service (le dentiste autrichien
travaillant pour les Soviétiques) ; aussi un Indien ou
deux, rajkumar, c'est-à-dire prince héritier d'un
maharajah ou petit nabab des environs. Je montais
le second cheval de Frédéric (qui en avait un troisième, un gris, un peu léger pour lui et pour moi,
qu'il prêtait aux dames), un bai cerise solide, assez
trapu, qu'on appelait Red Rock, qui devait avoir une
bonne moitié de sang anglais à en juger par son
ardeur infatigable. Quelques diplomates; un Chinois
parmi les assidus, quoique aussi peu élégant cavalier
qu'un sac de pommes de terre; l'attaché naval américain en pantalons de cuir à découpes style cow-boy,
qui faisaient grincer des dents les vieux gentlemen
et rire franchement les filles Mountbatten et les aides
de camp qui papillonnaient autour d'elles. Des êtres

de passage, aussi, membres des Hunt Clubs, en voie de disparition ou déjà disparus, de Lucknow, de Lahore, de Calcutta...

On arrivait en voiture, on se saluait gravement, on se mettait en selle plus ou moins lourdement selon l'âge et l'heure à laquelle on s'était couché. Beaucoup parmi les messieurs et les dames n'avaient pas encore, à l'heure matinale, fini de cuver la cuite coloniale du samedi soir, et certains, jambes molles et muscles imprécis, avaient du mal à se jucher sur les chevaux, malgré l'assistance des esclaves à turban. Frédéric était très entraîné, aussi beau à cheval, aussi élégant qu'au temps d'Epernay, maréchal des logis en tenue fantaisie, sur les pur-sang de haras de l'émule du baron de Charlus (lequel était mort héroïque, fusillé sous l'Occupation pour refus de livrer les réfractaires qu'il employait dans son château d'Auvergne). Stella faisait avec lui un couple élégant et le cordonnier cantonais du *Connaught Circus* avait fabriqué pour eux une paire de bottes noires d'une perfection naguère atteinte une fois sur dix dans les meilleures années par le maître-bottier de Saumur aux beaux temps de la cavalerie française. Moi je m'en tirais avec une boulette de dross avalée au réveil dans un peu de lait qui me tenait en forme la matinée. Mes bottes étaient quelconques, mais le coupeur écossais de chez Phelps m'avait assez bien réussi une culotte rousse couleur *harris tweed homespun* que je portais avec une veste beige clair...

On partait au coup de trompe du maître des chiens. Un cornet à deux tons, minable, sans rapport avec nos fanfares de vénerie... Un coincoin enroué, le cri d'une De Dion-Bouton, d'une Delaunay-Belleville, au tournant du siècle. Et c'était parti, les chiens découplés derrière Linda l'antique cheftaine des limiers, sur la voie du chacal choisi pour faire office de renard. La meute derrière, et les chasseurs, échelonnés selon la qualité de leur monture, leur adresse à cheval et leur courage à sauter les canaux d'irrigation, les buissons épineux, les tombeaux en ruine, les murettes vives et mortes, les puits imprévus, les trous insolites, ou leur pusillanimité à contourner les obstacles. Les très vieux, qui connaissaient le terrain par cœur (il n'y avait qu'une demi-douzaine de sites chassables à courre autour de Delhi), allaient au petit trot ou au petit pas, de point en point par où ils savaient qu'aboutissaient presque inéluctablement les *run*, les laisser-courre, qui, pour les bons chevaux et les bons cavaliers, étaient des radadas terrifiants, dangereux, exaltants, épuisants, mais excitants et apaisants... Edwina Mountbatten sur' une petite jument noire toujours en tête. Il est vrai que personne n'osait dépasser la femme du vice-roi. Pamela, sa fille, bonne cavalière, derrière ses lunettes de myope extrême, quand la chasse s'animait, fourrait le nez du tranquille alezan qu'elle montait d'habitude dans la queue d'un cheval connu pour ne pas s'offusquer. Puis, déchaussant ses hublots et les rangeant soigneusement dans son habit de chasse, aveugle désormais, elle laissait son cheval galoper tête à croupe derrière un autre à travers le terrain, casse-jambes et brise-cou, des environs de Delhi... Quand la course folle s'arrêtait, elle rechaussait ses lunettes, regardait qui était autour d'elle, et jusqu'au prochain *run* demandait ce qui s'était passé. Elle avait un courage incroyable et chaque fois que je la voyais galoper à tombeau ouvert, les rênes très longues, laissant au cheval toutes les responsabilités, je ne pouvais m'empêcher de penser à Michel Strogoff aveugle sur un cheval aveugle, zigzaguant à travers la steppe pour la Russie et pour le Tsar! Ce matin le rite se déroule, immuable, et Frédéric m'a promis de faire de son

mieux pour laisser vivre le chacal (plus tard en galopant, il me dira que Pamela Mountbatten a demandé
la même grâce au maître des chiens). Pourtant c'est
parti un peu vite, surtout pour un ci-devant brigadier de Quetta passé par Delhi dire adieu aux vieux
camarades de l'Armée des Indes en pleines valises.
Nuit blanche trop arrosée, au premier *run* de la mise
en place après le découplement, un jeune chien s'est
fourré dans les jambes du cheval prêté (un peu sur
l'œil) qui a pris peur, pointé des antérieurs et levé le
cul sans mauvaise intention, quoique juste assez pour
projeter le brigadier, du coup éveillé, par-dessus l'encolure, sur la clavicule gauche. J'ai mis pied à terre,
comme un des valets de chiens montés, pour emmener aux voitures le blessé blanc comme un linge (ça
fait mal, une clavicule, même quand on est soûl)
qui voulait continuer la chasse et qui, pour cela,
ordonnait au valet de chiens de dérouler son turban
pour lui faire un bandage. Il a fallu que j'invoque
les précédents du prince de Galles (plus tard
Edouard VIII, plus tard duc de Windsor, époux de
Mrs Simpson), spécialiste naguère, en course, des
fractures de l'os du cou, pour convaincre le dur à
cuire d'aller à l'hôpital se faire mettre un plâtre.
J'ai biaisé, pour rattraper la chasse, avec trois bons
quarts d'heure de retard, au moment où le maître
des chiens couinait la vue dans son cornet... J'étais
mal placé, à cause de mon zèle à rejoindre, entre le
chacal et les chiens, et le maître couina derechef
pour m'avertir et me blâmer. Pauvre chacal. C'était
un très beau, un mâle dans la force de l'âge, et son
pelage doré avait des reflets gris. En cherchant à
reprendre ma place dans la chasse, je me suis trouvé
quelques instants en face de lui, à dix mètres, plus ou
moins, et il me regardait sans crainte ni méfiance,
d'yeux jaunes, comme ceux de mon chien. J'ai eu

l'impression qu'il me demandait de le sauver de cette horde de furieux chiens criant fouaillés par des enragés hurlant « Tally Ho, taïaut, taïaut... » montés sur ces grandes bêtes complices dont la viande pourrie à point quand elles sont mortes est si délicieuse aux chacals. A cause de moi, la chasse s'est arrêtée parce que la vieille Linda, la lice qui menait la meute, m'ayant vu là où je n'aurais pas dû être s'était crue en faute (effet de sa bonne éducation) tandis que le chacal doré à reflets gris disparaissait dans quelque cache.

Je m'excusai auprès du maître des chiens, lui rapportant l'accident survenu au brigadier. Je fus absous, mais alors tout fut à recommencer. Plus tard, après une seconde et nouvelle vue, s'engagea une argumentation sur la véracité du pied, qui fit descendre de cheval le maître, le piqueur, le premier et le deuxième fouet, celui-ci écumant de fureur, plus lady Georgina Shandy-Lamotte, d'une très grande mauvaise foi à confondre la vieille chienne Linda, qui pourtant avait raison mais qui était trop bien élevée, quoique chien de meute, pour contredire celle qui l'avait vue naître, nourrie, dressée, et accouchée tant de fois. Troisième chacal couru, après deux perdus. Le temps passait, et la fatigue venait avec la chaleur qui se faisait torride. Le second fouet, le féroce, voulait à tout prix du sang et personne n'avait plus la force de tricher pour l'en empêcher, si bien qu'il se farcit, pris à la gorge entre deux trous de rocher par quatre chiens trois fois gros comme lui, un chiot chacal de quelques mois, brandi en triomphe, déchiqueté, sanguinolent, devant le reste de la chasse écœurée. Moi, j'étais pire qu'écœuré, niène, et niène de la plus vilaine façon.

Cette fois la chasse avait duré plus longtemps que d'habitude, à cause des deux chacals manqués et de l'entêtement du second fouet. J'étais aussi plus vulnérable, à cause de doses devenues trop fortes ces dernières semaines passées à attendre le grand coup, aussi peut-être de l'oxygène brûlé au cours de cette matinée au grand air. Quand le maître des chiens eut sonné coincoin, la fin de la chasse et le triomphe de trente hommes, autant de chevaux et plus de cinquante chiens sur un toutou jaune sevré depuis moins de deux mois, et comme nous étions loin, la cavalcade, ou ce qu'il en restait, les vieux messieurs et les vieilles dames étant rentrés depuis longtemps au pas pour nous attendre au lieu du *meet,* boire la bière tiède et manger les sandwiches rituels, pain-mie jambon et fromage style kraft, la cavalcade prit le galop. Que j'étais mal... D'abord — c'est un malheur de croire ou de vouloir croire qu'on est plus fort que la drogue — j'ai accusé Red Rock de galoper désuni, pour m'infliger ces douleurs qui, à cheval, avaient tendance à se localiser dans les reins, là où le corps travaille aux allures vives. J'ai changé Red Rock de pied (habituellement il était plus doux à gauche qu'à droite). Pareil. J'ai allongé, j'ai rassemblé. Il n'était pas fautif, ce n'était pas lui, c'était moi qui cherchais à me leurrer. J'étais dans le peloton, encore deux ou trois *miles* à tenir, dix-huit ou vingt minutes, vingt-deux ou vingt-trois si l'on prend le pas assez tôt, comme on devrait pour amener les chevaux pas trop mouillés aux saïs qui doivent déjà préparer les couvertures... J'avais, comme toujours, une petite boîte en fer, une ancienne boîte de Kalmine « spécifique de l'élément douleur », ronde et plate, parfaite pour cet usage, dans laquelle je gardais les boulettes de dépannage, quand pour une raison ou pour une autre il fallait attendre l'heure de la fumerie ou même la sauter. Dans cette boîte, une demi-douzaine de pilules brunnoir, brillantes, faites de raclures de fourneaux, plus concentrées que l'opium véritable, débarrassées des alcaloïdes légers partis en fumée... les alcaloïdes spiritualistes, si j'ose dire. Ce qui reste dans le dross, ce n'est pas pour le besoin, mais pour le manque, le vide physiologique, aussi fort que le matin après un coma quand, privé de sang, de moelle et de nerf, je contemple ma ruine dans la glace, avant de me vider les entrailles, de manger un peu et de tirer sur les premières pipes qui referont de moi un homme. Se trouver nième chez soi, même ailleurs, c'est pénible, sans plus, surtout quand on sait qu'il n'y a qu'à attendre... Quoique infiniment plus douloureux, c'est comme d'avoir très faim à l'heure d'un repas, si l'on a des habitudes régulières... L'heure passée, la faim s'efface, avant de revenir, des heures après, plus tenaillante. J'ai mes boulettes, dans ma boîte de Kalmine, et je sens cette boîte ronde et plate, blanc crème avec ses lettres bleues à peine lisibles à force d'avoir traîné dans une poche, maculée de brun comme tout ce qui touche à l'opium et à son dross... Je n'ai qu'à m'arrêter, mon cheval ne demande que cela. J'ai tous les prétextes... Une sangle à serrer... Un caillou entre sole et fourchette, n'importe quoi, pour mettre Red Rock au pas, ôter mon gant droit, sortir la boîte de la poche gauche de ma veste, ouvrir la boîte, ce qui n'est pas toujours facile car l'opium, avide d'eau, se liquéfie facilement, même quand les boulettes sont parfaites, et peut coller le couvercle de ces boîtes pharmaceutiques souvent très ajustées. Le ferai-je? Non. J'ai honte de moi. Nième au lit, à pied, même en voiture, c'est atroce, mais ce n'est pas ignoble. La nièneire à cheval relève d'une telle contradiction, malgré le décuplement des souffrances, qu'elle entraîne sa négation. Tiendrai-je... Je tiens, mais je n'en puis plus quand, le rendez-vous en vue, avec les voitures étincelantes au soleil de midi passé et les turbans blancs des saïs accroupis, attendant les chevaux et les sahibs, la cavalcade se met au pas.

Frédéric s'arrange pour être à mon niveau... « Tu es niène, murmure-t-il, comme une vache, ça se voit... arrête-toi, prends une boulette. » Je serre les doigts, Red Rock s'arrête et les autres passent pendant que je fouille dans ma poche, comme pour une cigarette. Mais le rajkumar de service aujourd'hui me veut du bien, revient sur ses pas pour demander si je n'ai besoin de rien. Si, d'une cigarette... et je lâche la boîte ronde et plate que j'avais entre deux doigts et elle glisse au fond de ma poche. Je prends sa cigarette. « Galopons, dit cet imbécile, pour rattraper les autres ... Les chevaux auront le temps de sécher au pas sans cavaliers du Qutb à Delhi...» Et nous galopons, moi pire que mort les derniers deux ou trois cents yards jusqu'au saïs Babu Lal, à qui je jette les rênes. Il comprend tout, me tend sa boîte en fer-blanc à lui, ouverte. « Sahib, c'est meilleur que le pain et le vin. Le sahib en a besoin. Prends-en plusieurs! » J'ai pris trois boulettes (petites il est vrai) bien fermes, amères à vomir au palais et sur la glotte, quand on ne les jette pas au fond du gosier d'un grand coup d'eau fraîche. Personne n'a regardé, personne n'a vu, à part les autres saïs et, bien sûr, Frédéric... C'est lui qui a dû affranchir Babu Lal en me voyant arriver aussi démantibulé. Maintenant je suis rassuré, je me sens presque bien, en attendant avec reconnaissance le pincement au foie, plutôt les trois ou quatre pincements qui viennent, ain... ain... ain, précéder d'une seconde ou deux la nausée affreuse du choc de la drogue sur l'organisme à jeun d'elle. Mais ces pincements, cette nausée sont des amis, les messagers de la libération... Elle est plaisante, cette nausée atroce, puisqu'à peine sera-t-elle surmontée, mes poumons se dilateront, de chaque côté, en partant du plexus. Je ne serai plus ni brisé ni démantibulé, je serai de nouveau fort, intelligent et je redeviendrai beau. C'est

fait, et je rejoins les autres... C'est moi qui conduis la
voiture et nous allons tous ensemble au club sacrifier
au culte du dimanche en buvant de la bière, en nous
empiffrant de mouton au curry très fort, avec du
riz aux raisins et au safran, des chutneys de mangue
verte et de mangue douce, toutes ces choses de la
cuisine indienne, exquises quand on a faim après
quelques heures de galopade furieuse au grand air
suivant une courte nuit...

Mais l'opium de Babu Lal m'a coupé l'appétit, d'autant qu'en arrivant au club, au vieux Gymkhana, aux
cabinets, comme un collégien qui se masturbe, j'ai
ouvert l'ancienne boîte de Kalmine, « spécifique de
l'élément douleur », pour renforcer l'effet des trois
premières pilules. Et l'opium mangé, vulgaire pour
un fumeur, ignoble, mais nécessaire quand on est
éperdu, fait bien plus d'effet, quoique plus lent, que
la fumée. La bière ne passe pas, ou si mal que je
vide mon verre dans un pot de fleurs, près de la
table, sans me cacher du *bearer* en blanc, plastron
rouge galonné d'or. Quant au curry, j'en mâchouille
quelques bribes la gorge serrée, l'estomac aux lèvres,
prêt à dégueuler, comme si je ne savais pas, par
expérience, qu'on ne vomit même pas dans ces cas-là,
à mon point d'intoxication. Je dois être beau et sédui-
sant, la paupière rouge de nouveau, l'arcade gonflée,
sans plus de noir aux pupilles qu'un chat au soleil, et
le gris de l'œil sec brillant comme du métal poli! Le
serveur au plastron rouge et or a compris, comme
Babu Lal tout à l'heure en m'ouvrant sa boîte à
pilules... « C'est meilleur que le pain et le vin... » Eux
connaissent l'opium, ils en mangent tous, ou ils en
ont mangé, ou ils en mangeront, pour tuer la faim,
la soif, le chaud, le froid et la misère. Ce qu'ils ne
savent pas, ce qu'ils ne peuvent pas comprendre, c'est
qu'un sahib, Crésus pour eux, même quand il n'est

qu'un pauvre Blanc misérable, prenne du plaisir à chercher dans la drogue la magie qui fait vivre en esprit pour oublier l'horreur de vivre. Mes commensaux, aides de camp, rajkumar et le brigadier à l'épaule cassée, déjà plâtré et rentré de l'hôpital, ne voient rien de mon désarroi, et Frédéric m'agace avec sa pitié fixée sur moi... Ils boivent, ils bouffent, ils rotent à l'anglaise... Ils rotent gras, comme devait roter John Bull en habit rouge, culotte blanche et bottes noires à revers jaunes. Puis ils se séparent, nous nous séparons, eux les joyeux chasseurs pour une sieste épaisse sous le ventilateur, la panse dilatée, sans espoir ou velléité d'hommage pour la compagne retrouvée, tant l'hébétude du réveil des siestes tropicales après trop boire et trop manger ressemble à celle du coma à l'opium interrompu... Avec la différence que deux ou trois pipes remettent le fumeur sur les rails, alors qu'il faut une douche, du temps et beaucoup d'alcool pour faire passer l'autre... A tout à l'heure, pour les drinks du dimanche soir, en smoking sur la pelouse, whisky tiède à l'eau de soda qui sent la souris morte... Nous sommes rentrés, Frédéric et moi, retrouver notre monde, et je suis fier d'avoir tenu jusqu'après le café sans goût et la *drambuie* écœurante.

Notre monde au bungalow dans la pénombre des rideaux tirés, dans le parfum de la fumée douce, autour du plateau d'argent brillant sous la lampe de cristal à flamme jaune pâle, aussi divine que celle des autels au fond des cathédrales. Sushila maigre et belle est contre Janine grasse et belle, la noire et la blanche.

En chien de fusil, comme s'il entourait le plateau pour le garder à lui tout seul, est un très jeune homme lové, qui tire comme un goinfre sur le bambou, vingt ans, vingt-deux ans... Philippe, fils d'amis d'amis qui

me l'avaient annoncé, arrivé des environs de Madras,
d'un ashram où il essayait d'oublier le camp de Bergen-Belsen, déporté par les nazis quand il avait seize
ou dix-huit ans.

Assise au bord du bat-flanc, sans fumer, une sorte
d'apparition, jamais vue avant : visage ingrat, petit,
maigre, creux, éclairé d'yeux bruns pailletés étincelants en profondeur, coiffé d'une chevelure de comète,
d'or rouge sombre, longue, ondée, comme si elle
venait d'être déchignonnée... Elle se présente comme
Vivian Raleigh, en Inde depuis des années pour trouver la vérité, la justice et la paix. Elle vient de l'Est,
des environs de Puri, en Orissa, où l'on adore le
Maître du Monde. Aujourd'hui elle est à Delhi à chercher autre chose, parce qu'elle a rencontré Philippe
qui pourrait être son fils, qu'elle a suivi pour le
protéger.

Jerry nous rejoignit tard dans la soirée, le dimanche de la chasse, assez maussade, et plusieurs
pipes furent nécessaires pour lui délier la langue.
Il dit : « C'est une drôle d'affaire. Bizarrement em-
manchée. » Puis : « Qui est celle-ci ? » Celle-ci, c'était
Vivian aux cheveux d'or rouge, assise au bord du bat-
flanc. Sushila s'est levée pour emmener Vivian trouver dans une chambre un charpoy où poser le sac
birman en tissu brodé qui lui sert de valise. « Qui
est celui-là ? » Celui-là, c'était Philippe, écrasé de
drogue, hors de combat, râlant sur le dos comme un
mourant, du côté noir du bat-flanc, loin de la lampe.

— Soit, dit Jerry, voici l'affaire, en gros, en très
gros. La stratégie de l'affaire et sa philosophie. La
fille Connie, donc ex-Dinah Leopardi, propulsée par
les Russes (c'est du sûr), est en train d'empaumer
Puri Nayer dans l'idée de soulever les Pathans et
la province du Nord-Ouest, pour qu'ils refusent de

joindre le Pakistan auquel ils sont voués par co-
islamisme, en vertu du plan Mountbatten de l'Indépendance, à condition de partage. Pour soulever, il
faut armer...

— Tu retardes, Jerry, c'est une vieille affaire que
celle des Pathans. Abdul Ghaffar Khan, le « Gandhi
de la Frontière », les chemises rouges, l'invention du
Pasthounistan, tout ça existe depuis longtemps... C'est
la vieille politique de Nehru et de Patel tirée des
Saintes Ecritures, tant de l'Ancien que du Nouveau
Testament, en l'occurrence des lois de Manou selon
lesquelles ton ennemi c'est ton plus proche voisin.

— Non. Cette fois, c'est un peu différent parce que
les Russes sont de nouveau intéressés par l'Afghanistan et la frontière du Nord-Ouest comme au temps
de Kipling. Ils avaient d'autres chats à fouetter pendant la guerre, à Stalingrad et autres lieux. Et la
Leopardi travaille Puri en Vénitien, comme dit Janine, surtout au gros fric, auquel aucun Marwari n'a
jamais résisté, même métis, s'agirait-il de tuer père
et mère... Or, par mes collègues (réticents mais cor-
rects) de l'Intelligence Service, j'apprends que tu es
dans le coup. On me demande de te surveiller. On te
crois au courant.

— Moi ?

— Oui, toi. Je sais que tu es aussi puceau dans
cette affaire qu'il est possible de l'être, mais je sais
aussi que tu es repéré, fiché, catalogué, enregistré,
encarté comme trafiquant d'armes pro-communiste,
pédéraste notoire et, qui plus est, drogué...

— Qu'est-ce que c'est que cette histoire ?

— Rappelle-toi. Tu vas chez Puri gagner de
l'argent. Beaucoup d'argent. Tu dis toi-même, enfin
tu me l'as dit l'autre soir avant de sombrer dans le
néant : « Pourquoi cette ordure de Puri m'a-t-elle in-
vité ? » Pourquoi cette salope de Puri s'est-elle cram-

ponnée à te laisser gagner, alors que tous les autres,
Merakhot, les Bikaner et Kerauli, avaient lâché pied...
Qui t'avait relancé dans la nuit pour venir au poker,
qui t'a filé en douce en ouvrant la porte les mille roupies de la première mise? Ton gain de l'autre soir,
c'était l'appât. La moque, comme on dit en Bretagne,
ce qu'on jette dans la mer pour attirer le poisson aux
lignes et aux filets.

— Bon, tu dis qu'ils m'ont fait gagner tout ce fric
pour m'appâter.

— Tout juste. Ils savent que sur un câble de toi
en Suisse, en Espagne, en Suède, n'importe lequel de
ces pays putains de la guerre mondiale, les armes
peuvent venir par centaines de caisses. Tu as bonne
réputation chez les marchands d'armes. Malgré le
loupé de l'affaire des Haoussas... Malgré tes malheurs
de Recife!

— Jerry, crois-moi, ils ne m'ont rien demandé.
S'ils m'avaient demandé, j'aurais accepté. Oui. J'aurais sûrement accepté. Je travaille pour l'argent, moi,
rien que pour l'argent. Avec la bombe atomique, j'ai
compris où menaient l'honneur et la gloire.

— Autrement dit, tu es prêt à travailler pour les
Russes?

— Pour les Russes ou les Américains, ça m'est parfaitement égal. Pour l'argent je te dis. Pour le fric,
si tu préfères.

Un silence. Un long silence pendant lequel je me
tape trois ou quatre solides muffetées, roulées par
Jerry qui n'a pas son pareil pour cuire la juste pipe
au juste moment pour une juste cause, la sienne. Lui
fume aussi.

Et c'est lui, après une heure, peut-être deux, de
rêverie commune, de détente à nous deux (les autres
nous ont laissés, même Philippe, que Sushila est
venue chercher pour ranger ce qui reste de lui sur une

natte au pied du charpoy de Vivian), qui reprend :

— Je te parie ce que tu veux, la fille Connie va te faire du charme...

— Si elle veut que je la baise elle peut aller se rhabiller... Je suis impuissant.

— Tu n'y es plus, Albert. Tu fumes trop. C'est là qu'elle te guette. On t'apprivoise en te faisant gagner. Beaucoup. Beaucoup pour toi, mais pas grand-chose par rapport à l'affaire qu'ils montent, lui pour le fric, elle pour l'idéal. Peut-être elle aussi pour le fric. On a vu d'autres agents des Soviets passer à droite une fois bourrés d'oseille. Si mes tuyaux sont bons, et je crois qu'ils le sont, on va t'inviter pour un week-end. Chez Puri, dans sa campagne, à Juhu, au nord de Bombay. Week-end, enfin cinq ou six jours, sept ou huit, dix ou douze, ça dépend.

— Ça dépend de quoi ?

— De toi. Du temps que tu mettras à te ronger, sans opium, dans un bungalow au bout d'une plage à cocotiers, ébloui par la mer et écrasé par la chaleur. Si tu dis oui tout de suite, on t'apporte un plateau avec une lampe et le séjour est parfait. Si tu dis « peut-être », ou bien « attendons », on t'apporte du scotch ou du gin en gimlets et tu tires la langue, tu deviens malade et tu dégueules de niènerie. On te refuse la pipe. Ce qui est une manière de torture ou de chantage.

— Mais j'ai toujours des boulettes sur moi. S'ils me privent, je me débrouille...

— C'est prévu. On te la piquera, ta boîte à pilules ! On te laissera nième jusqu'à ce que tu dises oui.

— Je m'en fous, je dirai oui tout de suite.

— Bon. Alors tu es du côté des Russes. C'est ce que je pensais.

— Mais non, bougre d'âne. Je te dis que je travaille uniquement pour le fric, le fric.

Jerry se mit à rire :

— Demande à Frédéric ce qu'il en pense. A Frédéric et à ses amis.

— Quels amis?

— Tu les connais. Ses amis pour lesquels il travaille vraiment. Pas le conseiller commercial qui le couvre. Les autres, ceux du... enfin quoi, les Français...

— Les Français s'en foutent, du succès du plan Mountbatten... ou plutôt ils ne s'en foutent pas, parce que si l'indépendance de l'Inde marche bien, enfin la décolonisation, c'est le portail ouvert, le gouffre où sombreront tous les pays colonialistes. Les Français voudraient voir rater le plan Mounbatten pour pouvoir dire « je l'avais bien dit » et continuer de mégoter avec les Indochinois en attendant les Marocains et les Algériens. Si Mountbatten réussit, c'est la fin des colonies, de toutes les colonies, l'indépendance en Afrique, chez les Pygmées, chez les anthropophages, et les Français, au fond du cœur, sont des colonialistes.

— D'accord, dit Jerry d'une voix douce, mais cette fois, pour des raisons que j'ignore, illogiques, anormales, contre nature, les Français veulent donner l'impression qu'ils sont anticolonialistes. Ou veulent le faire croire. Aussi ils soutiennent le plan Mountbatten. Alors, Albert, es-tu toujours anticolonialiste, oui ou merde?

— Merde. Je ne crois plus qu'en l'opium et qu'au fric pour avoir de l'opium... Aussi au jeu pour le frisson. Je me fous des colons, des colonies, des colonisés, des coloniaux, des colonialistes, des colonisateurs et des colonisables. Si le côlon m'intéresse, c'est le mien quand je suis constipé. Jerry, mon cher Jerry, fous-moi la paix, fous-moi la paix, fous-moi la paix et laisse-moi nous faire des grosses pipes un peu trop cuites, des pipes pour oublier, des pipes pour

ne pas penser, pour ne pas te laisser me torturer
parce que tu es le diable en tentant de m'infléchir
dans ma décision contre ton service. Je ferai ce que
l'opium me dira, demain après les premières pipes.
En attendant, je ne veux ni problème de conscience
ni torture. L'opium rend bon l'opium rend faible, j'ai
honte d'être bon, je regrette d'être faible et tu sais que
tu as gagné, même sans demander à ma conscience
ou à Frédéric de faire mon siège. Non, non et non!
    Le lendemain, après la vidange et la sixième pipe,
j'ai promis à Jerry devant Frédéric, Janine et Sushila
de refuser les avances de Puri Nayer et de Connie.
    Connie m'a téléphoné trois jours plus tard. Très
astucieuse, cette fille, d'avoir attendu une semaine
après la nuit du poker : « C'est vous, mon cher
Albert?... Je m'ennuie avec Puri, ces Indiens ne pensent qu'au jeu, ne pensent qu'au fric, ne pensent aux
femmes que pour leur plaisir à eux... Invitez-moi
donc à déjeuner, chez vous ou ailleurs... Plutôt chez
vous parce qu'on dit que vous avez un bon cuisinier,
et les restaurants d'ici et les hôtels sont infects... »
Nous avons pris jour et heure et elle est venue au
volant d'une petite Singer rouge, décapotable, celle
que j'avais failli offrir à Sushila le mois d'avant, mais
l'affaire ne s'était pas faite au dernier moment, faute
d'argent.
    Aucun de mes amis n'était là. J'avais fait ranger et
cacher par Rama tous les instruments de l'opium et
aérer systématiquement le bungalow, si bien que je
le trouvais bête, et vide, et sans odeur. Le cuisinier,
c'était moi. Levé de bonne heure, après une nuit
assez raisonnable, j'avais préparé moi-même le déjeuner avec des salades fraîches, du poulet à la diable
(ma spécialité) et je ne sais plus quoi avec du champagne qu'avait apporté le petit Philippe de Pondichéry. J'avais commandé à Rama de ne pas se mon-

trer, sauf si je l'appelais, et il s'était enfermé dans les
quartiers domestiques. Quand Connie entra, mon
chien lui fit une fête insensée, si bien qu'elle fut persuadée m'avoir favorablement impressionné, d'autant plus que ma courtoisie d'homme du monde tran-
chait sur les manières de Puri Nayer, lequel, quoique
bâtard de Vénitienne, tenait de son père la grossièreté
foncière des Orientaux envers les femmes, faite du
mépris héréditaire des plus forts pour les plus faibles
dans les pays que la chevalerie chrétienne n'a pas
imprégnés. Elle était fine et futée, la Leopardi, je l'ai
dit, et même maligne, et même intelligente, mais
elle ne me savait pas affranchi sur son compte. Elle
joua pour moi son rôle d'Anglo-Indienne presque
blanche... Nos grand-mères étaient des princesses et
nos grand-pères des gentlemen (c'est souvent vrai)...
Nos mères ne sont plus que des infirmières et nos
pères des contremaîtres, quant à nous, nous sommes
des putains et nos frères des maquereaux, etc.

Elle savait un peu d'hindoustani appris, qui lui
permettait, comme les Anglo-Indiennes véritables qui
le parlent à merveille, de prétendre n'en connaître
qu'un peu. « Ces filles sont bêtes, disait-elle, parlant
des Anglo-Indiennes, de chercher à se faire passer
pour italiennes ou espagnoles (même les très noires
de peau, petites-filles de filles d'Intouchables). Pourquoi n'assument-elles pas leur condition d'Eura-
siennes, d'Anglo-Indiennes? Pourquoi? » J'ai failli
exploser, et j'aurais explosé si je n'avais promis, juré,
craché à Jerry et à Frédéric, devant le reste du bataillon sacré, Sushila et Janine, d'être diplomate et pas
moi-même. Pourquoi, pauvres filles, pauvres bougres
d'Anglo-Indiens, les plus grandes victimes du système
des castes, rejetés comme bâtards et intouchables
par les Indiens, comme corniauds et blancs de seconde
zone par les Anglais, voués à la médiocrité intermé-

diaire, fiers comme des paons de s'appeler Sẃeeney, Black, Smith et même White, traitant les Indiens d'en haut pire que les vraiș sahibs, traités par les Indiens d'encore plus haut, comme enfants de putains baisées pour de l'argent ou pour du pain. Tant que les Anglais restaient, les Anglo-Indiens pouvaient dire *home* en parlant de Londres et nommer fièrement le château de leurs ancêtres d'Ecosse, ou du pays de Galles. Mon jeu était de faire semblant de croire à l'histoire insensée, car une fausse Anglo-Indienne c'est un cas unique. Impossible. Car c'est à qui ne sera pas anglo-indien!

Tandis que Connie baratinait, j'avais des envies morbides de mettre les pieds dans le plat, que j'assouvissais à moitié en lui demandant par exemple pourquoi elle parlait avec l'accent américain plutôt qu'en chantonnant l'anglais comme tous les Anglo-Indiens? « Mes parents ruinés... J'ai fait un temps la vie (je pensais le tapin) avec les G.I. de Calcutta. Injustice de la société. Puis j'ai été la maîtresse d'un colonel qui voulait m'épouser. J'ai pris leur accent. Quels hommes que les Américains, c'est dommage qu'ils boivent trop pour se donner du courage, après boire, à l'œuvre, ils sont médiocres, et même, passé trente-cinq ans, impuissants. Parce que moi, j'aime ça!» Attaque directe.

Elle essayait de m'enchatter, dès la salade. Au poulet, elle ne toucha que très peu, comme au champagne dont je bus, malgré l'opium dont j'étais plein pour tenir le coup, la presque bouteille. C'était du bon. Du Bollinger. Au dessert (œufs à la neige avec du gâteau de Savoie au chocolat), elle dit : « On fait la sieste?... J'ai vu que vous aviez un lit pour famille nombreuse.» J'ai regardé ma montre, qui marquait trois heures moins le quart. J'avais convoqué l'équipe (plus Vivian et Philippe) pour trois heures. Je ne risquais rien. « Soit, ai-je dit, la sieste... » et je lui ai diplomatiquement soupesé les deux seins dans mes mains en coupe, plaquant mon bas-ventre contre ses fesses, qu'elle avait tentantes... Et nous avons marché ainsi vers le bat-flanc, au pas... Elle, enchantée de réussir sa mission politique, moi surpris d'un désir, lequel, pour une fois, était un vrai désir. Un inconvénient de l'opium, vu sous l'angle érotique vulgaire, c'est qu'il n'empêche pas l'érection, au contraire, mais la rend extérieure au désir... D'où la chasteté des fumeries véritables (je ne parle pas des fumeries bordels où quelques non-fumeurs, ou de très petits fumeurs, des fumeurs occasionnels, vont tirer sur une pipe pour s'en faire tirer une. Méprisable!). Le vrai fumeur, donc, auprès de la plus jolie fille du monde, contemplera son érection sans grande envie de l'utiliser... Si la fille est droguée, elle non plus n'aura guère de goût à faire l'amour... L'idée du chevauchement d'une femme par un homme, ou celle d'une dame assise embrochée sur un monsieur lui paraîtront risibles après un certain degré de connaissance cérébrale. Pourquoi avais-je l'impression, pour la première fois depuis des mois, de ressentir un vrai désir, un désir neuf? Etait-ce la fille? Non pas, et je m'analysais comme je m'analyse des années, des années après, rien qu'en me souvenant.

J'étais simplement, grâce au champagne qui détruit en partie, comme les autres vins et alcools, mais plus intelligemment, les effets de la drogue, de toute drogue, aux confins de l'effet et du non-effet, peut-être la meilleure période de la vie tourmentée du drogué. Les confins où l'on est à la fois vide et plein, quelqu'un d'autre et soi-même. Pas encore détruit par le besoin qui fait que rien d'autre n'existe, mais déjà libéré de la dictature des instances supérieures... C'est un peu, même tout à fait, le navire qui laisse tomber ses voiles, court sur son erre pour stopper au point précis où l'ancre doit être mouillée, c'est la locomotive sur sa lancée, quand, du temps où elles marchaient à la vapeur, le chauffeur cessait de bourrer la chaudière, dix, vingt, trente kilomètres, selon la pente, avant la gare terminale.

Connie avait la chance de me trouver dans cet état rare (seul ou avec mes amis, sans avoir bu de champagne, je n'aurais ni largué les voiles ni cessé de bourrer la chaudière). Je la culbutai sur le bat-flanc, mon pantalon jeté au fond de la pièce (je ne suis pas de ceux qui plient leurs vêtements quand ils se déshabillent pour faire l'amour), priant le Seigneur de faire un miracle (ma montre marquant cinq minutes avant trois heures) pour que mes amis convoqués tombent en panne d'essence, de carburateur ou d'allumage, ou même tamponnent un jacaranda.

Mais un hallali de klaxons retentit à la barrière blanche, et mon désir tomba brutalement, et je me trouvai niène à crier mon royaume pour un cheval, mon âme pour une pipe. C'est Jerry qui menait la danse, suivi de Frédéric auquel les deux filles, Janine et Sushila, emboîtaient le pas ayant laissé Philippe et Vivian entre les mains d'un swami désintoxicateur quelque part dans la vieille ville. Et Jerry attaquait bille en tête Connie qui cherchait à planquer quelque part la culotte rose arrachée tout à l'heure, et tapotait, debout, les plis creux de sa jupe blanche retombée...

— Mais c'est toi, Dinah!... Quelle joie de te retrouver après tant d'années... Tu m'as oublié? Ce n'est pas possible... Tu as oublié Jerry Basset, ton vieux boy friend de l'université de Cincinatti (Ohio)... Ce n'est pas possible... On était copains parce que tu n'étais qu'une Italo-Américaine, et moi un pauvre métis de chinetoque... Dinah Leopardi... Je me souviens de ton nom, tu vois et... attends un peu... Tu es née à... merde, j'ai oublié. Quelque part entre Venise et Trieste, puisque tu racontais, pour que cela fasse mieux auprès de ces nazis d'Américains bochisés du Midwest, que ton grand-père était autrichien... Attends un peu... mais oui... Monfalcone... ça me revient parce qu'on t'appelait la panthère, à cause de ton nom et de tes griffes, plutôt de tes serres de *falcone,* de faucon, quand tu agrippais quelqu'un.

Jerry était étonnant... Il faisait un effort linguistique et il parlait l'anglais comme Charlie Chan, comme un Chinois de la côte Ouest, étudiant dans l'Ohio...

— Mais, monsieur, disait Connie en camouflant son américain, mais monsieur, je suis Connie MacGregor, de Howrah, près de Calcutta... Vous savez bien, de l'autre côté de l'Hoogly. Je suis née Grierson Road, dans la station, parce que mon père était sous-chef de la gare des marchandises... Je vous assure, je n'ai jamais mis les pieds aux Etats-Unis, encore moins à l'université. Cincinatti? Je ne sais même pas où c'est. Bien que j'en aie entendu parler.

— Allez, allez, ma belle! Je suis sûr et certain de te remettre...

Et Connie Leopardi, ou Dinah MacGregor, avec un sourire amusé :

— Cela ne m'étonne pas, je suis sortie avec tant d'Américains pendant les années de la guerre que j'ai pris leurs manières... Et même, par complexe d'Anglo-Indienne j'ai cherché à me faire passer comme les autres, pour espagnole ou italienne, et même pour américaine...

Mais Jerry, impitoyable, accumulait les détails :

— Je ne t'ai pas reconnue sur le coup, l'autre nuit chez ton ami... Comment l'appelles-tu?... Puri Nayer? C'est cela, Puri Nayer, grosse fortune, charmant garçon, un peu play boy, comme je les aime. C'est après, en rentrant à l'hôtel Impérial, où je descends quand je ne suis pas chez mon vieil ami Albert à tirer sur le bambou... Au fait, ça te dirait peut-être d'essayer, Dinah?

— Je vous répète que je ne suis pas Dinah, Connie je suis, Constance MacGregor de Howrah, Calcutta. Anglo-Indienne, plus du côté blanc que du côté indien, à cause sans doute de la bonne caste de mes aïeules.

Personne des autres ne disait rien. Sushila (le coup était monté avec Jerry), après un assez long silence pendant lequel Rama ayant tiré les rideaux je préparais le plateau en écoutant ce qui se disait, Sushila donc :

— Je pense, Jerry, que tu te trompes. Je connais Connie depuis quelque temps et jamais l'idée ne me serait venue un seul instant qu'elle pût être américaine... C'est une Anglo-Indienne, jolie fille, pas bête, qui n'a jamais pu se débarrasser du comportement mélangé d'arrogance et d'infériorité de ses congénères vis-à-vis des vrais Indiens de caste, comme moi.

J'étais nième, dois-je le répéter, nième au fond du trou, et de préparer le plateau intensifiait le manque en moi, à me faire crier de douleur. Pourtant mes yeux ont regardé le visage de Connie au moment où Sushila proférait son témoignage atroce, et j'ai surpris un éclair dans ses yeux sombres, plus que de reconnaissance, de plaisir d'être crue, qui me persuada de son mensonge... Si *vraiment* elle était une *vraie* Anglo-Indienne, la panthère aurait sorti les griffes à pareille insolence devant des hommes blancs d'une Hindoue de caste, son ennemie naturelle.

Jerry secouait la tête, faisait la bête, la bête pas absolument persuadée de s'être trompée mais cherchant à s'en persuader... Il jouait remarquablement,

et sous prétexte de battre en retraite sans perdre
la face, il sortait l'un après l'autre quelques détails
biographiques extraits du long télégramme d'information sur elle, reçu de Londres et déchiffré la veille
au soir afin que Connie se sentît mal dans sa fausse
peau. Connie faisait bonne figure, souriait, plaisan-
tait, comme d'une erreur amusante... Pourtant elle
avait une puce à l'oreille, une double puce... Sait-il
réellement qui je suis ou bien se trompe-t-il vraiment?
Après tout, devait-elle se dire, j'ai couché avec tant
de monde, déjà du temps de Cincinatti, qu'il est possible que je me sois aussi envoyé celui-là sur l'herbe
du campus.

Pour garder contenance, elle a accepté de rester
un moment près du plateau. Sans fumer. Pour l'ambiance. Et nous avons bavardé de choses et d'autres,
moi après m'être remis en selle avec quelques pipes
parmi les meilleures de ma carrière (comme toutes
celles attendues longtemps). Jerry était déchaîné, lui
plutôt silencieux d'ordinaire, sur le bat-flanc et il
parlait, parlait, de Cincinatti où il n'avait jamais mis
les pieds, pour bien faire comprendre à Connie
qu'elle était repérée, brûlée... disant si bien n'importe
quoi qu'elle se coupa, relevant un nom de lieu, rat-
trapé d'extrême justesse. Vers six heures du soir elle
nous quitta, d'une amitié débordante pour tous, embrassant Sushila et Janine... Cette dernière encore trop
nature, pas assez affranchie pour lui cacher sa grin-
cherie de rivale évincée sous un simulacre de baiser.

— Maintenant, elle sait qu'on sait, dit Frédéric.
Crois-tu, Jerry, que ce soit vraiment habile?

Jerry mit un temps à répondre. Pour se reposer
de la tension et de l'effort qu'il venait de fournir,
il s'était laissé aller à une courte dépersonnalisation
et son esprit flottait ailleurs au moment de la question.

— Je crois, dit-il, revenant à lui, je crois... plutôt
je ne serais pas surpris si elle rappliquait un de ces
prochains jours proposer quelque chose de positif à
toi, Frédéric. Après le coup manqué je doute qu'elle
s'attaque directement à Albert. Elle va tenter d'avoir
les contacts d'Albert à Stockholm, Zurich, et à Madrid
et Lisbonne par la bande, peut-être par toi, Frédéric.

— Moi, elle ne me déplaît pas, dit Frédéric. Puis
après un moment : Si on les mettait sur une fausse
piste... J'ai une idée. Je pars brusquement vers le
Nord... vers l'Afghanistan... Je puis partir en quelques
jours, je connais, cul et chemise, l'ambassadeur
afghan !

L'idée de la manœuvre conçue par Frédéric était
simple, de l'intoxe pure et rien d'autre : faire croire
à Puri Nayer et à ceux qui l'utilisaient que j'envoyais
mon ami intime reconnaître le terrain pour faire
moi-même l'affaire sans passer par eux, avant de la
porter au compte de qui je choisirais. Frédéric en
route, tout seul, pour l'Afghanistan, devait se faire
voir à Lahore, à Rawalpindi et à Peshawar... Après,
sur la route du Khyber, il devait prendre des allures
mystérieuses pour visiter Kata Kushta, Landi Kotal,
Nichni Kandoo, Landi Khana et quelques autres noms
lourds d'histoire, de gloire et de sang pour la vieille
Armée des Indes en décomposition... Passé la Frontière, après Sherabad et Lal Pura, il devait glander
quelque temps au pied de la falaise noire de Tor Kham
et de Kafir Kot, puis séjourner au *Karavan séraï* de
Dakka et à celui de Jallalabad... Tous ces noms dont
je me régale, rien qu'à les écrire, presque autant
que je m'intoxique en parlant d'opium dix ans après
avoir fumé la dernière pipe, tous ces noms ne disent
rien à personne, mais ils sont pour ceux qui les ont
vécus, à certaines périodes de grâce de leur existence,
des portes magiques sur l'indicible, l'incommunicable,

sur l'aventure par les mots que je n'aurais jamais compris sans une nuit d'opium qui me fit, quand? j'ai oublié depuis longtemps, naviguer sur l'océan du temps et de l'espace confondus, semé d'îles et de récifs aux noms merveilleux, entre des continents aux côtes lugubres garnies de ports aux noms de tous les jours... Quand la mémoire évoque (en grande confusion, parce que je ne sais plus très bien où ils se trouvent par rapport aux coordonnées des dépoétiseurs de géographie) Michni Kandoo, Lal Pura, Tor Kham et Kafir Kot, c'est comme si je fumais autant de grosses pipes cuites à point pour partir à cheval au galop par-dessus tous les nuages de merde et de bêtise qui nous tuent tous les jours, nous retuent et nous archituent...

Donc, Frédéric quitta Delhi après une *farewell party,* afin que nul n'en ignore... Une partie de porte-toi-bien pour parler français, à laquelle étaient invités tous ceux qu'il fallait inviter, Indiens, Anglais, diplomates et la crème des agents secrets sous diverses dénominations, déguisements, faux nez, barbes postiches et fonctions bidon...

Non sans chuchoter à ceux qui s'y intéressaient que Frédéric, en route pour Kaboul, portait « la valise ». Quelle valise?

On but du whisky, beaucoup, car il était rationné : c'était l'immédiate après-guerre. On but de la bière, qui coulait de source, parce que l'Inde en produisait, qui venait de Murray, assez bonne, on but de tout. Sur la pelouse du bungalow, avec Rama comme maître d'hôtel en chef, chamarré par-dessus sa toile blanche, assisté de toute la valetaille des environs (dont il avait fallu inviter les maîtres pour avoir assez de verres), l'ambassade de France était discrètement présente, comme les autres.

Pourtant, celui qui aurait dû, normalement, être

le héros de la fête, l'Afghan, par prudence à l'égard des Russes, des Américains et des Anglais officiels s'était excusé, pris de colique (bonne excuse, excellente excuse au pays du choléra, de la typhoïde, de la peste bubonique et de tous les typhus, murins, exanthématiques et autres). Le gros des buveurs était figuré par la presse internationale, peu nombreuse mais triée sur le volet, trois sur cinq en effet de ses membres agents de renseignements actifs, quatre sur cinq du reste agents de renseignements occasionnels, cinq sur cinq du tout informant qui de droit épisodiquement, dans les cas graves. On était sûr que, chiffré ou pas, l'itinéraire de Frédéric, vrai ou faux, allait être diffusé *urbi*, et surtout *orbi*... « Je suis le chacal de la chasse à courre, dit-il le soir... Ils vont être à mes trousses... J'attends le premier, les premières, au Faletti de Lahore... Je te parie ta pipe en cloisonné de Pékin qu'il y en aura au moins un... Pourvu que ce soit une... Si c'est Connie-Dinah ou Dinah-Connie, je me la fais, Connie ou Dinah, Dinah ou Connie. Et même je l'invite à faire la tournée avec moi. »

Jerry était venu tard à la partie. Noblesse oblige. Aussi parce qu'il avait mis, grâce à tout le réseau de l'I.S., la dernière main à l'opération approuvée par ses services.

Que la soirée fut longue... Je m'étais bourré de fumée à l'avance, mais j'avais perdu l'habitude d'être vertical après cinq ou six heures du soir et les premiers invités arrivés à cinq heures et cinq minutes (les invitations *at home* partant de cinq à huit) étaient toujours à boire à dix heures. Pour eux la partie commençait vraiment! Moi, j'en bavais. Les jambes me rentraient dans le corps, mes genoux flageolaient et je sentais monter en moi les signes affreux de la niènerie...

Frédéric, Jerry arrivé tard, plastronnaient. Petits

fumeurs. Fumeurs polygames. Ils baisent la drogue
sans vivre avec, ils s'en amusent et ils baisent ailleurs,
sans complexes. Comme je l'ai fait longtemps avant
d'être attrapé, collage, liaison, mariage.

Ce soir-là, j'ai décidé, non pas de ne plus fumer,
mais de moins fumer. Folie. C'est comme, si l'on
est fou d'une femme, décider qu'on ne l'aimera plus
qu'un peu. Il faut rompre. Ils s'en amusent, de la
drogue, mais ils sont quand même intoxiqués, ou
ils ont peur de l'être. La preuve, c'est que Frédéric
m'a demandé de lui préparer un « en-cas » pour le
voyage, des pilules autrement dit, qu'il puisse avoir
sous la main, s'il ne se sentait pas bien. Je les ai
enveloppées ces pilules, chacune d'elle, amoureusement, dans du papier d'argent. Le tout dans trois
petites boîtes rondes et une rectangulaire. Il en a pour
deux mois, en admettant qu'il ne trouve pas à se
ravitailler. Et tel que je le connais, s'il ne fume pas
chemin faisant, ce que j'appelle fumer, il sera désintoxiqué... C'est tellement dégueulasse les boulettes,
pour un fumeur. Aussi vil, la douleur en moins, que
la piquouse des camés à la morphine et à l'héroïne.
D'ailleurs, à la longue la boulette finit par faire un
trou dans l'estomac. Au moins un ulcère. Alors que
la fumée guérit de la tuberculose, de toutes les dysen-
teries, et qu'elle blanchit la syphilis !

J'aurais bien sorti un plateau avant le départ des
soiffards, mais les bungalows construits par les Travaux publics britanniques de l'Empire des Indes manquent d'intimité et les chambres donnent les unes
dans les autres. Quand tout est ouvert comme ce soir,
fermer une pièce attirerait l'attention. La moitié des
gens qui traînent là sont des ivrognes, donc des
bourriques incapables d'admettre l'opium...

J'ai mis les derniers dehors à onze heures, avec
deux faux départs, organisés par Jerry et par Puri

Nayer qui voulait me parler. Les filles, toutes les
filles, Sushila, Janine, même la Connie, jouaient les
hôtesses, servaient les drinks, poussaient à la consom-
mation sans voir que j'étais niène à crever.

Puri Nayer voulait me parler. Du sérieux, mais il
n'osait pas. Fin comme il était, comme il est toujours,
un des plus gros capitalistes, aujourd'hui, de l'Inde
moderne, socialiste, progressiste, même communiste
(les mots ne coûtent rien), il avait saisi, dans le brus-
que départ de Frédéric une manœuvre, sans comprendre vraiment laquelle... Il avait dû charger Connie
de s'informer davantage, mais en bon bâtard d'Indien
et d'Italienne il était incapable de surmonter sa pos-
sessivité à l'égard des femmes auxquelles il tenait et
sa jalousie éclatait aux yeux de tous, comme celle
du More fameux. En fait, il était pire qu'Othello
pour Connie, qu'il ne quittait pas de ses yeux de
braise brûlante tandis qu'elle faisait du charme à
Frédéric avec lequel elle dansait frotti-frotta. Furi-
bond, grossier, il l'a jetée dans sa Cadillac à chauffeur, presque avec des coups. Rien ne pouvait me
faire plus plaisir. Pas les coups, bien sûr, mais leur
départ, car eux partis ce ne fut qu'un jeu d'expulser
les attardés de la presse étrangère et les employés de
bureau d'ambassades. Enfin j'allais pouvoir fumer.

Ce fut paisible après l'horreur de cette *party* où tout
m'avait fait mal... Loin des grands mots, des grandes
idées et même des manœuvres de la tactique opéra-
tionnelle, nous réglâmes quelques points de détail.
Que faire du chien de Frédéric, un berger allemand
qui souffrait de la chaleur et montrait de l'eczéma?
Sushila se chargea de le mettre en pension à Dehra
Dunn, au pied de l'Himalaya, où elle connaissait
un vétérinaire... Les chevaux, je jurai de m'en occuper et de passer au moins une fois par jour aux écuries surveiller les palefreniers.

Frédéric est de ceux qui ont trop de conscience pour partir en voyage sans avoir préparé leur retour. J'avais assez fumé pour percevoir qu'il n'avait pas confiance en mes serments quant aux chevaux... Il comptait sur Sushila, en vérité, et il avait raison. Vers minuit ou une heure du matin, les chacals, revenus après la fête qui avait dérangé leurs habitudes sur la pelouse, faisaient gambader les feux follets de leurs yeux verts, bleus, jaunes et rouges quand le trot d'un cheval de tonga, accompagné d'un coup de timbre au tournant d'Aurangzeb Road, les dispersa un moment, chiens craintifs, dans la haie en buisson. C'étaient Philippe et Vivian. Vivian qui nous regarda tristement autour de la lampe et dont le geste navré pour retenir Philippe n'empêcha pas celui-ci de se jeter sur le bat-flanc mendier une pipe, qu'il voulait énorme, très vite et très cuite... La première de la journée, haletait-il. Pauvre Philippe... L'opium l'avait sauvé quelques mois plus tôt, au moment où il allait se tuer par désespoir de vie foutue. Maintenant la drogue le tuait. La drogue, toutes les drogues, dont Vivian tentait de le sortir par tous les *swamis, yogis, gurus* et *shri-mas* qu'elle connaissait, des vrais, des sages (il y en a peu, vraiment) pas des charlatans pour étrangers. Qu'était pour Philippe la pipe que je lui roulais? Je voyais ses bras nus et ses cuisses maigres, short relevé, criblés de marques vieilles et fraîches de piqûres, les unes encore rouges, d'autres croûteuses. Morphine. Héroïne. N'importe quoi. Il prenait même de la coco. Il en prisait sûrement à voir le bas de sa cloison nasale, pourpre, comme rongée... Je suppliais Vivian, forte femme mais bornée par une foi irlandaise aux absolus de la spiritualité, de l'abandonner à l'opium, de le laisser courir dans cette direction, la moins dangereuse, pour espérer un jour le rattraper. Surtout de nous le laisser, de le laisser entre les mains d'hommes comme nous, d'hommes drogués dans lesquels il aurait mis sa confiance de drogué... Et Vivian buvait du thé en regardant râler ce garçon de vingt ans qu'elle aimait.

La présence de Vivian et de Philippe assombrit la fin de notre nuit à l'opium léger, aussi plaisante, aussi optimiste avant leur venue qu'une soirée passée à boire une bouteille ou deux de champagne entre amis. Le cas du pauvre Philippe, quoique extrême, posait quand même notre problème. Comme celui de l'ivrogne indécent, de la victime d'une crise publique de delirium, pose le problème des alcooliques raisonnables et des éthyliques qu'on appelle mondains.

Sushila resta avec moi, seule, quand Vivian eut traîné Philippe ailleurs pour cuver, quand Frédéric eut pris ma voiture pour rentrer chez lui, et nous eûmes, elle et moi, une fois de plus, la communion parfaite des esprits sans que rien d'autre que nos bras nus se soient frôlés.

C'est le surlendemain que Frédéric prit l'avion pour Lahore, au début de l'après-midi, et je fus le conduire à Safdar Jang, à deux pas du bungalow, pour voir s'envoler le vieux Dakota peint en argent, à grosses lettres noires, dans la direction du Nord et de l'aventure.

DEUXIÈME PARTIE

HISTOIRE DE FRÉDÉRIC

Comme c'est bon de respirer... Respirez, mes enfants, respirez, vous ne respirerez jamais assez... L'air pur... l'air pur... l'air pur... l'air pur... l'air pur... Et je respire de tous mes poumons l'air de la nuit par la portière du compartiment délabré première classe des « Sahibs » que j'ai pour moi tout seul depuis Lahore, en route pour Peshawar... J'ai dîné, affreux, à la gare de Rawalpindi et le wagon cahote de ses vieux boggies sur la voie métrique du *Northern Punjab Railways* posée sur un ballast qui se délite depuis que tout va à vau-l'eau, depuis la guerre, depuis l'alliance avec les Russes contre Hitler qui a rendu moins stratégiques les chemins de fer du nord de l'Inde, depuis la politique de *Quit India*... Quand on sait qu'on déménage, pourquoi entretenir?

Je respire donc, profondément, et je pense à ma mère qui nous le répétait... respirez mes enfants, respirez mes enfants. Je respire l'air de la nuit qui devrait m'inspirer, puisque nous venons de passer Taxila, carrefour comme toute cette partie du monde de l'hellénisme et du bouddhisme, mais je suis mal. Je suis mal. Pourquoi? A cause de l'opium. Ce foutu opium. Je croyais le dominer, j'étais sûr de l'avoir dominé jusqu'à ce soir. Plutôt jusqu'à hier soir, quand j'ai vraiment compris que moi aussi, j'étais pris. Pourtant cela fait trois jours pleins que je n'ai touché à rien. Depuis qu'Albert, Sushila et les autres m'ont fait leurs adieux, au pied de l'avion aux lettres noires, à Safdar Jang. J'ai les quatre boîtes de boulettes préparées par Albert, amoureusement préparées. Trois dans ma valise, une dans ma poche de chemise. Pour avoir confiance, comme affirme Albert... Pour que je sache, si je me sens mal, vraiment mal, que le remède est là, sous la main.

Mais je ne toucherai pas au remède. J'ai décidé de résister à la tentation et j'ai ma volonté, je ne suis pas un aboulique comme les drogués ordinaires... et même les extraordinaires de type Albert. J'ai décidé de me désintoxiquer, avec ma seule volonté, sans recours au relais de la boulette. Je sais bien... Je prends de grands airs qui ne trompent ni moi ni personne. Parce que je connais ma vérité, la vérité. Je sais que je suis un intoxiqué « léger », au tournant de quelque chose de plus grave, en passe de devenir un vrai intoxiqué, un intoxiqué profond. Et cela, je ne le croyais pas il y a huit jours, parce que jusque-là, pendant les périodes où je ne fumais pas, je n'éprouvais rien d'autre que la nostalgie de l'ambiance et du plaisir de fumer avec mes amis. Je n'imaginais pas que seul, tout seul, je ne puisse me reprendre. En un mot, je ne m'étais jamais senti physiquement niène.

Pas de douleurs aux jointures, pas de nez qui coule ni d'yeux qui pleurent. Les muscles durs, la vie active, facilement distrait par le monde, les chevaux, les filles, bon appétit pour tout! Aujourd'hui, je sais que le ver est dans le fruit. A moi de l'extirper.

L'avion m'avait posé dans l'après-midi à Lahore. Taxi, hôtel Faletti, coup de téléphone au mari de Gill (une amie du Hunt Club) qui dirige la succursale

de la Lloyd's Bank. Justement Gill est là. Dîner im-
provisé en mon honneur, parce qu'elle m'adore et
« Red », le mari, aussi. Soirée parfaite de l'Inde qui
s'en va... Drinks interminables, ivresse du meilleur
ton... Dîner médiocre, mais avec tout le rituel des
hors-d'œuvre, soupe *mulligatawny,* poisson en filets,
jambe de mouton à la menthe, chevrotines couleur
vert petit pois, pommes sautées, carottes bouillies et
choux de Bruxelles, de la *gravy,* brunâtre et grasse,
épaissie à la farine, un *cabinet pudding* particulièrement serré, à la custard, et le meilleur pour dessert,
du gingembre au sucre avec du chocolat amer. Vins
français, restés de la cave du prédécesseur de Red.
Whisky post-prandial, après les dames au dressing-
room pour se poudrer le nez et les hommes au jardin pour arroser les rosiers.

Whisky post-prandial dix, quinze, vingt fois renou-
velé. Beaucoup d'eau, peu de glace, encore moins
d'alcool. Mais vingt petits whiskies, cela fait dix doubles ou cinq quadruples et je suis rentré à l'hôtel
complètement assommé. Pourtant je n'ai pas dormi
une minute de la nuit. Deux heures de coma conscient
béat d'alcool suivies de quatre heures d'insomnie totale, d'angoisse et d'anxiété à se suicider. Choses à
faire, le matin, gens à voir, forme parfaite. Déjeuner
léger avec Gill et sieste avec elle jusqu'à quatre heures,
sous le ventilateur. Son mari à la banque jusqu'à
cinq. Douche et promenade et pèlerinage à Zam
Zammah, le gros canon, au musée aux idoles de bois
et aux bouddhas grecs. Le Fort... Le vieux Fort, rouge
comme tous les monuments mogols. Dans le Fort, je
me suis effondré d'un coup, et dans le Fort, *Dewan-
i-kas, Dewan-i-am, Hathi pol* et *Moti mashid,* n'en
pouvant plus, pris d'un sommeil incoercible, je me
suis couché par terre sur une pelouse pelée pour ne
pas m'endormir debout sans plus de volonté qu'un

chiffon, inerte comme une méduse morte... On m'a
laissé, comme on laisse les morts et les mourants dans
ces pays Islam ou Hindouïté et à la nuit noire un poli-
cier m'a réveillé en me faisant les poches. J'ai eu la
force de lui étreindre le poignet, si bien qu'il n'a pas
insisté et qu'il a appelé une tonga pour me ramener
à l'hôtel où j'ai dîné seul au lit sans boire une goutte
d'alcool. Nuit blanche derechef, nuit atroce avec toute
la nièncrie imaginée se transformant en nièncrie
vraie. Malade, malade, à hurler, à devenir fou, mal
partout. J'ai tenu bon, en héros, parce que je savais
que d'une seule boulette j'étais sauvé. J'ai voulu me
dompter. J'ai tenu. Le lendemain matin, bain chaud
et quelques whiskies à onze heures parce que c'était
samedi avec Gill et son mari qui m'ont mis au train
après déjeuner. Le train dans lequel je suis. J'ai dormi
lourdement, sans conscience de rien, comme un cadavre, jusqu'au moment où le chef de convoi anglo-
indien, sachant qu'un vrai sahib ne manque jamais
un repas, m'a secoué, cet imbécile, pour faire du
zèle, pour m'obliger à profiter de l'arrêt buffet de
Rawalpindi... Ces buffets de gare de l'Inde du Nord...
Peut-être les pires, avec leurs nappes sales sur des
tables carrées boiteuses, avec les bouteilles de sauce
encaquées de mouches, le pain de mie rassis, les vian-
des immondes et rebouillies, les légumes à vomir en
les regardant. Depuis j'essaye de respirer. Depuis
que le train est reparti, inhalant l'air de la nuit,
j'essaye de penser un peu, de mettre en place des
idées. C'est impossible. Rien que des fragments sans
enchaînement. Le désordre, l'impuissance, la panique.
Pas seulement intellectuelle car je l'ai dans tout moi,
cette panique. Dans mon moi physique. A gauche,
côté cœur qui bat n'importe quoi. A droite, côté foie
dont je sens comme si j'étais dedans l'anarchie des
sécrétions. Au milieu la tripe. La tripe qui grince,

qui se coince, qui se décoince. Symptômes précis de la modification du comportement viscéral par les alcaloïdes de l'opium. Je suis donc marqué, donc pris et bien pris physiologiquement, moi qui me tenais pour un amateur, à la recherche d'une secousse intellectuelle : je sais maintenant que je suis un prisonnier, un esclave et un malade.

Et dans ma panique, je me dégoûte et je me hais... Comment mon pauvre Albert peut-il porter cette contrainte, cette déchéance, la tête haute comme il le fait... Lui sait qu'il est esclave, depuis des années, qu'il n'en sortira jamais, jamais vraiment. Je dois m'en sortir, moi... et je ressasse et je ressasse en pensant sournoisement au remède dans ma poche et dans mon sac de voyage... Je connais par Albert et par les autres : une seule boulette et je revis. Je veux me désintoxiquer. Pourquoi ai-je accepté les boîtes en fer-blanc préparées par Albert? Il savait donc, lui, que j'étais intoxiqué? Moi aussi, je le savais, mais je me mentais. Je vais les jeter, ces boulettes, et tenir bon. Dans deux, quatre, huit, dix jours je serai sauvé. On m'a toujours dit, c'est une question de volonté et d'équilibre. Changez de milieu, d'occupation, de routine, et coupez *tout*. Comme pour les peines de cœur. S'arrêter pile. Je change de milieu, d'occupation, de routine, mais je ne pense qu'à ça... Je ne pense qu'à ça et aux moyens de me désintoxiquer. Par petites doses?

Alors me reviennent en mémoire les histoires d'un vieil opiomane d'Indochine d'avant, de bien avant la guerre, qui racontait ses exploits à ma mère horrifiée dont il était amoureux. Et moi qui, dans ce train, en panique, n'arrive pas à fixer mon esprit, je le revois, ce M. Roque, baratiner ma mère chez elle, dans son salon, lui expliquer comment en Indochine il fumait l'opium pour éviter le pastis qui donne la

cirrhose et le delirium dans les pays chauds et comment il se désintoxiquait de la drogue en mélangeant
celle-ci au cognac sur le paquebot pendant le voyage
du retour en France pour le congé tous les trois ans.
En un mois — c'était à quelques jours près la durée
de la traversée — l'esprit avait perdu l'habitude et
le corps avait remplacé l'accoutumance à l'opium par
celle au cognac, denrée plus facile à se procurer en
métropole, moins chère et surtout moins scandaleuse.
« Deux bouteilles d'un litre au départ de Saigon, chère
Madame, l'une remplie d'une solution d'opium, l'autre
de cognac de troisième qualité... »

« Le premier soir, en doublant le cap Saint-Jacques,
quand l'heure de la fumerie quotidienne se rappelle
à vous par les malaises dont je vous parlais l'autre
jour (je l'entendais, M. Roque, dans ce train cahotant
du nord de l'Inde, avec son léger accent du Midi,
de mes deux oreilles de quatorze ans avides de tout
apprendre et je comprenais maintenant tout ce qu'il
avait voulu expliquer à ma mère, qui le moralisait
parce qu'au fond elle l'aimait bien). Une cuillerée
à soupe de la bouteille d'opium liquide. C'est mauvais
au goût mais ça vaut la peine. On est presque aussi
bien après que si l'on avait fumé... Et l'on remplace
la cuillerée qui manque à la bouteille d'opium par une
cuillerée de la bouteille de cognac. De même le
deuxième jour, et le troisième, et le quatrième et le
cinquième... Entre Aden et Bab el-Mandeb, au
vingtième jour l'opium est si dilué dans le cognac que
le corps n'y pense plus. Au large du Stromboli, l'intoxiqué d'hier carbure au cognac aux anciennes
heures de fumerie, et la petite lampe, le bat-flanc,
les rêves en commun sont restés derrière, au pays des
pagodes, des arroyos et des rizières. Croyez-moi, le
retour est triste aux vulgarités de l'Occident... »
M. Roque ne parlait pas seulement d'opium, c'était

un bon conteur et ses histoires de chasse au tigre sur
les hauts plateaux Moïs, de prospection dans les montagnes du Tonkin aux confins de la Chine me faisaient désirer que ma mère eût le goût de se rema-
rier avec lui pour m'emmener là-bas. J'en rêvais la
nuit comme j'y pense maintenant, passé du souvenir
au songe dans un glissement scandé par les essieux
du wagon sur les rails mal alignés du *Northern
Punjab Railways*. Dans un grand bruit de freins et
de vapeur renversée je reviens à la conscience entre
ma mère et M. Roque et ma sœur qui aurait préféré
que notre mère restât veuve, parce qu'elle, elle aimait
mieux Paris.

Des voix dans la nuit, c'est Attock avant la traversée de l'Indus, sur le pont grandiose qui coûta
si cher en coolies... Hébété je suis descendu sur le
quai où grouillait la foule ordinaire des porteurs,
des curieux, des flâneurs agités, parmi les marchands
de beignets trop gras, trop sucrés, de fausse oran-
geade en canettes décapsulées d'avance, d'eau simple
à goût de bouc, giclée d'une outre sale au fond du
gosier de l'assoiffé assis sur les talons. J'ai demandé
aux uns et aux autres de me trouver un flacon de
rhum, de ce rhum de Meerut, noir, poisseux, collant,
râpeux, brutal, qu'on trouve partout en Inde. A Rome,
vivre comme un Romain... Je ressasse bêtement...
M. Roque, sur un bateau des Messageries, pouvait
s'offrir du cognac... Au pont d'Attock quoi boire d'autre que le rhum local pour conjurer l'opium?

On me l'apporta, ce rhum, au moment où le train
s'ébranlait, et l'homme en turban sale à qui j'avais
donné un billet mauve de dix roupies attendit que le
train décollât pour me passer au vol la bouteille par
la fenêtre du compartiment avant de détaler sans
rendre la monnaie, soit les trois quarts du prix. Je
le trouvais honnête, car à force d'attendre je n'espé-

rais plus, d'autant qu'une sorte de grignotement mordait ma conscience en me faisant penser aux quatre boîtes de boulettes amoureusement préparées. Je la caressai un moment, cette bouteille noire et collante, et de la caresser j'étais déjà mieux. Elle contenait de l'espoir, celui de me dédroguer sans trahir, et j'attendais et j'attendais. Je décidai d'attaquer la bouteille une fois l'Indus franchi. Pourquoi? Pour rien. Peut-être pour marquer ma victoire (relative) par une coupure, et quelle coupure, l'Indus... Et le train s'engagea sur le pont lentement, très lentement parce qu'il y a des phénomènes de vibration imprévisibles, avec un bruit ronflant de tôles ébranlées rivetées très lâche.

Vers la mi-pont j'allais attaquer le débouchage de l'ignoble rhum quand une présence me fit lever la tête jusqu'à la glace d'une portière où s'encadrait un buste vêtu de rouge, surmonté de cheveux hirsutes un peu cendrés. Puis je vis un nez s'écraser sur la vitre entre deux gros yeux de plus de blanc que de noir.

J'ai compris qu'il ne s'agissait pas d'un fantôme ou d'un assassin mais d'un voyageur sans ticket. D'un de ceux qui font la moitié et plus de la clientèle des chemins de fer indiens. Il avait dû sauter, sachant que le train passait le pont au pas, sur le marchepied de bois longeant tout le wagon sans couloir, et marcher de poignée de cuivre en poignée de cuivre jusqu'à la seule portière éclairée. Il devait être déçu de se trouver devant un sahib, peut-être même inquiet.

Je l'ai laissé prendre le frais pendant la traversée du fleuve. Je regardais de l'autre côté l'eau immense miroiter entre les bancs de sable sombre sous une lune à demi pleine en fin de course, et je manœuvrai la double mécanique des verrous après que le bruit des boggies eut cessé d'être métallique. Je fis entrer

l'homme. Il avait peur, se faisait petit, tassé, rata-
tiné, recroquevillé dans le coin du compartiment
opposé à celui où, de la pointe d'un canif, j'émiettais,
faute de tire-bouchon, le liège presque bois collé au
goulot du flacon noir. J'allais boire, mais juste avant,
réflexe immémorial, sacerdotal, de la libation, j'élevai
le flacon en regardant le passager clandestin qui
refusa de la tête et fouilla dans les plis de son dhotti
grisâtre pour une grosse boîte plate en fer-blanc, serrée d'un élastique, pareille à celles où les très vieux
paysans de France mettent le gros tabac plein de
bûches avec un carnet de papier JOB non gommé.
C'était sa boîte à opium, l'écrin de la magie noire,
pour parler comme Albert dans ses moments de
lyrisme. Il se servit. Deux boulettes brunes, assez
grosses, qu'il goba l'une après l'autre sans eau ni
rien, après avoir cependant fait le bruit du canard
qui s'ébroue avec ses joues et sa bouche, pour ensa-
liver celle-ci. Comme je le regardais, une sorte d'envie
dut se voir sur mon visage et la panique dut se reflé-
ter dans mes yeux.

— Prends, Sahib, c'est meilleur que le pain et le
vin. Et il me tendit sa boîte. La même phrase que
Babu Lal avait dite à Albert devant moi le jour de
la chasse à courre. Comme Albert, aussi éperdu que
lui ce jour-là, j'ai ouvert la boîte et j'ai pris deux
boulettes, et je me suis senti bien, avant même de les
avoir dégluties d'une rasade de l'alcool poisseux à
goût de caoutchouc.

J'attendis la nausée, si bien décrite par Albert.
C'était, n'oublions pas, ma première boulette, la boulette de l'abandon, la boulette de la déchéance... J'aurais pu refuser... J'aurais dû refuser... Et puis, en
lâche, un jour plus tôt, un jour plus tard... La nausée
ne vint pas, la nausée du choc au foie. Rien d'autre
qu'une impression de chaleur à l'épigastre, qu'un épa-

nouissement de tous ces nerfs et nervicules qui convergent au creux de l'estomac.

J'étais bien, j'étais moi-même, j'étais sauvé pour un jour, mais j'étais sur la voie de la perdition. Parce que j'avais gâché le bénéfice des quelques jours atroces dont je sortais.

Plus besoin de respirer, respirer, respirer, pour chercher mon souffle. Tout était désormais normal dans l'ordre des choses et ma tête marchait, sans plus s'occuper du reste du corps. L'homme s'était rencogné et je l'observais. Un Hindou de basse caste, sans âge, entre trente et cinquante, sombre de peau, les traits épais, maigre et osseux. Son *pagri* — que nous appellerions turban — était plus gris que blanc, au-dessus d'une espèce de *kamiz* rouge sale et d'un dhotti, je l'ai déjà dit, douteux. Il n'avait aucun bagage, pas même le baluchon, le mouchoir noué de l'Indien pauvre en voyage. Il devait faire un bout de chemin seulement. Je pensais à l'agent secret rencontré par Kim dans son grand voyage et je regardais s'il avait au cou le charme! Il n'avait qu'un collier de noyaux comme bijou, avec un anneau de cuivre à l'oreille gauche. Un ouvrier agricole, probablement. Il disparut dans la nuit un peu avant Naushera, quand le train ralentit de nouveau, sans prendre congé, sans avoir dit autre chose que « Prends, Sahib, c'est meilleur que le pain et le vin... ».

J'arrivai au très petit matin à Peshawar sans avoir dormi, mais éveillé, plein d'énergie pour me jeter dans le bain de l'action et de plus en plus décidé à me désintoxiquer avant qu'il ne soit trop tard... Et je pensais aux conséquences de ma servitude... Enfin je comprenais les angoisses d'un héros de Marcel Aymé pris par les Allemands pendant la guerre, devenu loque humaine par la privation des quelques litres de vin blanc quotidien qui faisaient de lui un homme depuis des années. J'étais vulnérable moi aussi, autant qu'Albert... Mais sous l'influence de la drogue, j'étais plein d'aussi bonnes intentions que l'alcoolique chronique à remettre le sevrage au lendemain, toujours au lendemain.

J'ai passé un certain temps à faire mes affaires, comme on dit, à Peshawar, et je ne m'attarderai pas sur leur aspect sordide et quotidien. La situation n'était pas si mauvaise et par la filière d'un magasin d'antiquités, de tapis et de fourrures, je faisais passer mes rapports au « numéro » à moi donné par Jerry Basset. J'appris des choses intéressantes, mais j'en compris davantage, difficiles à vérifier, donc peu utilisables... De l'atmosphère de bazar, si l'on veut.

Je prenais mes boulettes : ce n'était pas le moment, en plein travail, d'entreprendre une cure. Maintenant j'étais intoxiqué, je le savais et je devais assumer ma servitude. Une boulette vers dix heures le matin me mettait en forme, avec l'avantage de me couper l'appétit et de me dégoûter de l'alcool, une autre vers quatre heures l'après-midi, quand venait la fatigue, c'est-à-dire quand l'effet de la première prise disparaissait. C'était régulier, médical, fonctionnel, pharmaceutique, négatif... Aucun plaisir, sinon celui de n'être pas malade.

Un matin pourtant, dans l'idée fixe que j'avais de la désintoxication, je coupai ma boulette en deux, une moitié pour maintenant, l'autre pour cet après-midi. Parfait. Sauf que vers treize heures je sentis le besoin et à quatorze heures trente, je fus incapable de fixer mon esprit sur autre chose que compter les quatre-vingt-dix minutes qui me séparaient de l'heure H, fixée à seize heures, l'heure H de la seconde moitié de la pilule. Le soir, je m'en tirais en buvant pas mal de whisky et de pinkgin au Club où je décidai de m'installer (ils avaient une chambre libre) plutôt qu'au Dean's, l'hôtel traditionnel, où j'avais l'impression d'être surveillé. Comme membre (et même « premier fouet ») du *Delhi Hunt,* j'avais été accueilli de la manière la plus amicale par ce qui restait du *Peshawar Vale Hunt,* naguère l'équipage de chasse à courre numéro un de l'Inde britannique, comme le *Tent Club* de Meerut était le plus fameux du monde pour le *Pig sticking,* ce sport dangereux, barbare et raffiné qui consiste à embrocher à cheval et au galop de petits cochons sauvages noirs et nerveux, selon des règles très strictes, avec une lance de frêne de sept pieds de longueur.

J'étais comme chez moi chez le gouverneur et je montais ses chevaux comme ceux de ses collaborateurs. Plaisirs mondains mais relations ambiguës, dans l'ignorance où j'étais de ceux parmi les officiels au parfum de ma mission. Je ne tardai pas grâce à Dieu à me trouver fixé! Le troisième soir après mon arrivée, le gouverneur me pria à dîner avec, m'avait dit l'aide de camp porteur du carton, un gentleman parsi, très connu pour sa fidélité à l'Empire et ses collections archéologiques, de séjour à Peshawar entre ses résidences de Bombay et de Karachi.

Lorsque le gouverneur me présenta à sir Babhbhai Topiwallah, je fus je l'avoue surpris de reconnaître le personnage, remarquable par le curieux chapeau en cuir bouilli constellé d'or religieusement porté par les notables zoroastriens, aperçu hier dans l'arrière-boutique du magasin de *curios* où j'avais mon contact. La femme du gouverneur, longue et brune aux yeux verts dans un visage très ovale, était d'origine grecque cypriote et parlait aussi bien le français que l'anglais avec le même roucoulant accent. John Earle était là, que je connaissais pour lui avoir acheté un cheval à Delhi, Sexton, mon gris d'origine sud-africaine, que je prêtais aux jeunes filles parce qu'il était doux.

Janet son épouse était là, arrivée depuis quelques jours, que je n'avais pas vue depuis huit ans... C'étaient d'étranges retrouvailles, car nous avions été presque fiancés en 1939, elle et moi, juste avant la guerre qui nous avait séparés... Elle était fille d'un ministre de Chamberlain, l'homme au parapluie, et mariée depuis quelques mois à l'un des plus brillants sujets de la plus prestigieuse administration de la Grande-Bretagne impériale, John Earle, I.C.S. - *Indian Civil Service*. Ce soir, épouse du second haut fonctionnaire de la Province Frontière du Nord-Ouest, elle était habillée d'une tunique lamée d'argent sur un fourreau vert d'eau, et elle avait coiffé « à la page » ses cheveux blond lin, comme le soir où nous avions eu le coup de foudre chez des amis très snobs, dans un *mews* de Chelsea, au printemps de l'année de la guerre.

Un autre couple de fonctionnaires, à ce dîner. Des figurants dont les visages se mélangent à ceux de tous les figurants des centaines de dîners officiels par lesquels je suis passé. Une Indienne aussi, en sari noir et or. Hindoue et même Bengalie, c'était la célèbre lady Chatterjee, entre deux âges mais encore séduisante aux jeunes gens, rencontrée deux ou trois fois à Delhi et à Calcutta, ce qui l'autorisait, ayant un faible pour moi, à m'appeler Frédéric, à me parler et à parler de moi comme si j'étais son grand fils ou son jeune amant.

Nous étions neuf au salon, à l'heure des drinks. Il manquait quelqu'un d'après le plan de table encadré de maroquin gaufré posé sur le guéridon de l'entrée, à côté du livre des visiteurs. J'avais lu un nom dans le casier des places, celui de Miss Shirley Hudson. C'était donc elle qu'on attendait.

Je pensais qu'il pouvait s'agir d'une des filles de Government House, secrétaire restée à taper une

lettre tardive ou chiffreuse penchée sur une machine
à coder, invitée en bouche-trou, à la dernière minute,
pour faire la table paire. Peut-être une fille de lord,
car depuis la guerre où elles avaient servi dans les
forces auxiliaires féminines, nombreuses étaient les
nobles demoiselles qui travaillaient outre-mer dans
les bastions de l'Empire en train de s'écrouler.

On attendait en buvant des *gimlets* aqueux, des
dry martinis humides et des whiskies noyés... La
Cypriote aux yeux d'Aphrodite mûrissante et la Bengalie au regard de gazelle prolongée se racontaient,
commères orientales, notre histoire, à Janet et à moi,
ainsi que des bribes chuchotées m'en informaient par
bouffées depuis le sopha vert où elles caquetaient à
mi-voix avec des regards furtifs dans les trois directions de Janet, de John Earle et de moi. John avait
quitté le groupe, un peu gêné, quand dans une brus-
que chute du brouhaha général la voix criarde de
lady Chatterjee, distinctement entendue de tous, avait
évoqué Tennyson et le poème d'*Enoch Arden,* le mate-
lot porté disparu rentrant au pays pour retrouver sa
promise mariée avec un autre... « John a cru bon
de raconter notre histoire à Son Excellence, dit Janet
tout près de mon oreille, quand il a su que vous
étiez à Peshawar... J'espère que vous ne lui en voulez
pas... Tout est si clair entre nous... » Tout n'était pas
si clair et nous tremblions un peu de désir retrouvé,
surtout depuis que John, s'étant senti de trop, avait
glissé vers le gouverneur qui parlait sérieux avec le
Parsi et le fonctionnaire-figurant.

Une sorte de courant chaud nous unissait, Janet
et moi, après huit années. Chaud et sensuel. John
au loin tournait le dos résolument, comme un coupable, et Janet toucha mon bras. Cambridge, souffla-
t-elle. Et, ridicule, je répétai : Cambridge. Cambridge,
c'est là que nous avions échangé les serments éternels

au clair de lune découpant sur le ciel le vrai et le faux gothique des collèges, étendus sur l'herbe fraîche au bord de la rivière Cam, parmi des dizaines d'autres couples. Nous avons, ce soir-là, presque fait l'amour, dans l'intention d'aller de plus en plus loin le lendemain et le surlendemain. Et le lendemain, fascicule 3, je devais dare-dare rejoindre mon groupe de reconnaissance formé avant la mobilisation générale. Hitler et Staline avaient signé le pacte de partage de la Pologne et les rafistolages de 1919 finissaient de se dissoudre. Les commères orientales nous regardaient, émues comme des midinettes au cinéma, et nous étions là, tous les deux, assez bêtes, sans rien dire, conscients d'un rôle obligé.

« La voici, dit une voix. Voilà Miss Hudson. » Et Janet, de service, courut auprès de son mari et de Leurs Excellences pour accueillir l'arrivante confondue en excuses et en explications sur son retard. C'était une Américaine entre vingt-cinq et trente ans, une fille-fleur à taille de liane, des bras comme des ailes, une démarche de sylphe à la Mendelssohn. Elle était drapée de soies indiennes, mélange de mousselines impalpables et de lourds brocarts. Un enchevêtrement de couleurs orientales hurlantes, mais qui, par je ne sais quelle grâce, se fondaient pour s'accorder avec les cheveux un peu fauves répandus sur ses épaules... les yeux mauves, le teint lisse et rose, la bouche rouge et les dents blanches. Souvent ces belles Américaines rompent en parlant le charme de leur apparition : ce ne fut pas le cas pour la jeune femme qui venait d'arriver... Elle avait, sur le fond d'un doux accent du Sud, une fermeté bostonienne dans l'articulation. Exactement la voix que j'imaginais à Scarlett O'Hara avant d'avoir vu *Autant emporte le vent* au cinéma et entendu dans le rôle la merveilleuse Vivien Leigh.

Leùrs Excellences firent les présentations et nous
passâmes à table après le gracieux refus de la fille-
fleur de boire même un verre d'eau. Conversation du
lieu et de l'époque, Leurs Excellences disant à chacun
ce qu'il fallait pour que chacun soit heureux d'avoir
dîné à Government House et de le raconter plus
tard... Chevaux, polo et chasse à courre pour moi,
antiquités gréco-bouddhiques pour le collectionneur,
chasseurs et bombardiers pour lady Chatterjee dont
le fils, brillant pilote, venait d'avoir une promotion
fulgurante dans la *Royal Indian Air Force*... Travaux
publics pour le figurant mâle, études des enfants
pour le figurant femelle, enfin philosophie hindoue
et soufisme pour Miss Hudson, qui venait de Madras
et de Calcutta par Bénarès, Rishikesh et Delhi et qui
se rendait à Téhéran par Kaboul et Meshed afin de
recevoir l'enseignement des grands derviches, après
celui des plus fameux sages de l'Inde parmi lesquels
elle avait séjourné dans les ashrams.

Longue table de bois clair polie comme une glace,
dentelle serrée de lin sous les assiettes carrées de
vermeil, argenterie, surtouts, cristaux, fleurs fraîches... Un valet en livrée rouge et or, turban pathan,
derrière chaque chaise à haut dossier, une armée de
maîtres d'hôtel pour présenter les plats, pour rem-
plir les verres... Un rituel sévère. La chère, à
l'anglaise, plutôt bonne : il y avait ce soir-là de la
venaison que découpa à l'ancienne, sur le dressoir,
le gouverneur, non sans mérite car il avait perdu une
jambe en Birmanie et rester debout longtemps le
fatiguait. Il est vrai que, le couteau à trancher en
main, tournant le dos à la table, il n'avait pas à
faire d'effort pour la conversation. J'étais entre lady
Chatterjee et Janet, en face de John et de Miss
Hudson. J'observais celle-ci qui, à ma surprise,
mangeait la viande sans grimaces, si elle se conten-

tait de tremper seulement ses lèvres dans le vin.

— Vous n'êtes pas végétarienne? demanda Janet, connaissant assez son Inde pour savoir que les néophytes occidentaux sont généralement parmi les pires zélotes, en matière de tabous alimentaires.

— Pourquoi? répondit-elle, je ne suis ni hindoue ni musulmane. Rien qu'une agnostique de père presbytérien et de mère baptiste. J'étudie les religions, je ne me crois pas obligée de les expérimenter. Je fais une enquête pour une thèse. Rien de plus.

Moi en face, ai-je dit. Nous nous sommes regardés elle et moi et nous avons vu ensemble et compris ensemble la même chose, par-dessus la table et à travers les sornettes de la conversation, celle-ci devenant générale et animée, ce qui est rare dans un dîner anglais, exceptionnel dans un dîner officiel.

Janet à mon côté a senti passer quelque chose entre Miss Hudson et moi, si bien qu'à la fin du dîner, au moment où Leurs Excellences, un, deux, trois, comptent mentalement ensemble pour se dresser en même temps, elle se penche comme pour ramasser son sac qui n'a pas glissé à terre... « Qu'y a-t-il, Frédéric, entre vous et cette fille? » Puis d'une voix jalouse : « Vous l'aimez, elle vous aime... cela se voit comme les yeux sur la tête... Depuis qu'elle est entrée, c'est de la glace entre vous et moi... »

Brouhaha des sorties de table, les femmes ensemble à l'anglaise pour se poudrer le nez, les hommes assis à se passer les flacons de cristal à gourmette d'argent et plaque d'identité sur le ventre, porto, xérès amontillado, sherry pale-dry... Allumer les cigares, des havanes d'avant-guerre comme seuls les Anglais savaient, au temps de l'Empire, les conserver et les améliorer. Le gouverneur vient quelques instants s'asseoir près de moi : « Mon ami, dit-il à mi-voix et en français, de la manière la plus naturelle, au cas où sir Babhbhai vous proposerait d'aller ce soir admirer ses bouddhas en sortant d'ici, suivez-le sans hésiter.» Et d'enchaîner en anglais, parlant de lord Wawell, de Mountbatten, du général lord Ismay, du major Shandy-Lamotte. Même d'Albert qu'il avait bien connu (je crois aussi fait expulser) du temps d'Aden et du trafic d'armes dans les émirats du golfe Persique. Lui, le gouverneur, ainsi qu'il me l'expliqua, était alors détaché par l'*Indian Civil Service* auprès du résident d'Oman et Mascate. Il m'apprit aussi que le père de Janet avait été tué pendant le *blitz* de Londres...

L'homme des travaux publics somnolait, rouge de bonne chère, presque violet, John Earle avait disparu, le Parsi écoutait de ses deux longues oreilles tapissées de poils blancs qui contrastaient avec de gros sourcils restés noirs. A force de regarder les bouddhas, pensais-je bêtement, les lobes lui ont poussé. Si nous rejoignions les dames. Bon sourire et voix ferme, c'était un ordre de Son Excellence. Ces dames au salon.

Elles étaient autour de la maîtresse de maison avec Miss Hudson pour principale interlocutrice. A parler tissus, saris de Bénarès raides et souples, mi-or mi-étoffe, soies du Bengale épaisses et légères, crêpes de Madras mousseux et denses... Janet n'écoutait rien, ne disait rien, elle nous surveillait, l'Américaine et moi, qui n'avons pu échanger que des banalités.

Je déclinai l'invitation de John Earle et de Janet d'aller boire le dernier verre chez eux et je suivis sir Babhbhai Topiwallah dans la vieille ville, au fond du cul-de-sac d'une ruelle étroite encombrée d'échoppes. Une vieille porte d'un bois massif, en cèdre de l'Himalaya, cloutée d'acier forgé en pointes de diamant. Devant, le plus immense des Pathans jamais recensés, sabre courbe lame nue. Dans l'ombre, entre

les piliers, brillaient les *khoukris* de deux Gurkhas
en kaki et chapeau de brousse, comme des soldats
réguliers. Khoukris au vent et mitraillettes à l'épaule.
   J'avais déjà visité plus d'un palais de maharajah
ou de nabab, plus d'une résidence des mille et une
nuits chez de fastueux Indiens... Partout, chez Jaipur,
chez Bundi, chez Kapurthala, chez Baroda, chez le
nizam de Hyderabad, même chez Gwalior, parmi
les objets les plus fantastiques dans les architectures
les plus pures, les meubles les plus rares, les bois les
plus précieux, les tissus les plus somptueux, partout
des fautes de goût à hurler, couleur ou forme, ana-
chronismes indécents, du plastique mêlé au marbre,
des bronzes victoriens parmi les rois mauryas et les
Shivas dansants, *l'Angelus* de Millet en chromo de
calendrier au milieu de miniatures persanes et une
vache de Rosa Bonheur dans la peinture moghole...
Chez le Parsi de Peshawar ni bric-à-brac, ni faute
de goût. Rien que des chefs-d'œuvre, et chaque chef-
d'œuvre à sa place naturelle... Il avait le génie des
éclairages : pas d'électricité! Devant nous couraient
de salon en galerie, de véranda en vestibule, de
chambre d'apparat en bibliothèque une armée de serviteurs pour mettre le feu aux sources de lumière,
cires, huiles, etc. les plus chaudes ou les plus légères,
les plus dansantes ou les plus immobiles... Si bien
qu'un monde foisonnant de statues et de peintures
vivait et s'animait, comme si les dieux et les bêtes,
les apsaras et les rois, les arbres et les génies ressusci-
taient... Sans la moindre fausse modestie, sir Babhbhai commentait avec fierté, tâtait (et faisait tâter)
une rondeur de marbre, donnait une date. Il fit ouvrir
pour moi un coffre de pierreries... J'étais comme
Edmond Dantès devant le trésor des Spada, dans la
grotte de Monte-Cristo...
   Pour dire quelque chose, les remarques exclama-

tives vite épuisées (où trouver les adjectifs?) je fis
observer à l'antiquaire qu'il devait être bien dur de
faire commerce des objets quand on aimait ceux-ci
avec la passion qu'il semblait leur témoigner... « Mais
je ne vends pas ce que j'aime, jamais... Je donne
aux musées ou aux amis qui peuvent apprécier. Je
fais vendre ce que je n'aime plus, je fais commerce
de ce que je n'aime pas. »

Et il m'entraîna à travers des chambres après s'être
incliné au passage devant la flamme perpétuelle du
temple zoroastrien personnel, gardé par les taureaux
ailés de pierre aux torses humains, toques de juges
et barbes géométriques. Plusieurs odeurs flottaient
dans l'air : celles de diverses sortes d'encens et d'oli-
ban, aussi celle du nard, peut-être celles du benjoin
et de la cardamone. En entrant dans une pièce plus
petite, meublée à la chinoise, mes narines palpitèrent
et mes yeux se mouillèrent à l'impalpable trace
d'opium en fumée qui donnait son corps au reste
des parfums, comme les huiles essentielles, ylang-
ylang et géranium rosat, transmettent leur puissance
aux compositions des César Birotteau géniaux. Je crus
d'abord, dans la pénombre où deux lampes à huile
timides vacillaient pour faire s'entrelacer des dragons
sur les colonnes d'un lit pour empereur Ming, au seul
raffinement de mon hôte soucieux de parfaire par
l'odorat l'ambiance chinoise de la chambre... Non !
Deux domestiques silencieux apportaient et dépo-
saient sur la natte de paille très blanche au milieu
du lit un service à opium sur deux plateaux d'argent.
Une pipe comme la flûte enchantée, une autre en
cloisonné bleu, vert et rouge, une lampe de cristal
taillé, avec les paraphernaux les plus chinoisement
raffinés...

— Je pense que vous connaissez, dit le Parsi... En
fait, je sais et je sais même que vous êtes assez sage

pour fumer à la manière des Orientaux bien élevés,
c'est-à-dire raisonnables... Ce qui est rare, chez vous
autres Européens ou Américains... Sans doute avez-
vous trop confiance en vous, peut-être surestimez-
vous votre force de résistance, peut-être comptez-
vous trop sur votre volonté avant d'avoir compris que
l'opium ouvre si bien sur la sagesse du monde qu'il
ronge aux sources mêmes de la volonté... Qu'importe,
nous serons bien ici pour parler affaires.

Le Parsi roulait les boulettes lui-même, domestiques congédiés. Sauf un, très noir, debout près de
la porte, attentif aux gestes de son maître...

— C'est un sourd-muet. Je l'ai acheté il y a des
années à un Marwari de Bhopal, en Inde centrale,
qui en fait toujours commerce, après avoir remarqué
la fréquence de la tare dans plusieurs villages de la
principauté. Avant lui, mon domestique de confiance
n'était qu'un muet simple : mon père lui avait fait
couper la langue pour qu'il n'aille pas raconter nos
histoires de famille... C'était pratique courante il y a
peu d'années. On n'oserait plus aujourd'hui. Quoique
certains maharajahs au fond de leur palais ne se
gênent guère avec leurs sujets. Qu'adviendra-t-il
d'eux quand l'indépendance sera accomplie, puisque
Nehru et Patel proclament leur intention de supprimer les Etats princiers? Ils n'y parviendront jamais
tout à fait. Du moins pour les gros Etats... Jamais le
nizam de Hyderabad ne se laissera faire, ni les hommes indomptables que sont Baroda, Gwalior, et même
Jaipur.

Le Parsi me fit fumer le premier, deux fois. Deux
pipes parcimonieuses qui produisirent un effet déli-
cieux, miraculeux, à moi qui n'avais pas goûté à la
fumée depuis des jours! Quelle différence avec les
boulettes! Il se roulait deux grosses belles pipes blond
clair dont il avala la fumée à petites aspirations

d'abord, comme un gourmet se fait le palais avant de goûter franchement. Ce qui me faisait honte de la gloutonnerie avec laquelle je m'étais jeté sur les premières pipes. Que j'étais bien avec cette fumée dans les poumons, et je mourais d'envie d'en prendre davantage, mais sir Babhbhai fumotait et cela m'agaçait. Je n'osai rien dire quand il posa, ses deux boulettes prises, la pipe en travers sur le plateau. La pipe en cloisonné. J'espérais qu'il allait me tendre l'autre, pour me la faire goûter, en disant quelque chose comme « à vous de travailler, maintenant »... Non. Rien. Et je tirai la langue comme Tantale dans le lac, sous les branches, une bonne heure pendant laquelle il me regardait par-dessous ses gros sourcils. Je me suis bien tenu : je n'ai donné aucun signe d'impatience et j'ai pris calmement, sans tremblement d'ivrogne au matin d'une cuite, sans hâte, l'embout qu'il me tendit de la troisième dose et de la quatrième. J'aurais dû être mieux, beaucoup mieux, mais je ne l'étais qu'à peine et je compris à quel point j'étais atteint et comment l'intoxication qui, pour moi, s'était longtemps traînée sur le fil du rasoir, progressait à pas d'ogre une fois la descente amorcée.

L'autre observait, me jugeait, et j'ai bien compris pourquoi j'étais là, dans ce musée. Pour un examen de passage. Pour savoir si je pouvais sans danger pour les autres entrer dans le grand jeu, puisque nos services devaient travailler ensemble sur ce coup... Je pensais à Kim, à Kim à Simla, dans la boutique folle du professeur d'espionnage... Au test du vase brisé dont le petit Hindou sensible au merveilleux voit les débris se rassembler d'eux-mêmes et se ressouder, à la suggestion de Lurgan Sahib, alors que Kimball O'Hara résiste à l'hypnotisme parce qu'il sait, en fils de Blanc rationnel, qu'il n'y a pas de miracles, que lorsqu'un vase est cassé, il n'existe qu'une main humaine pour en recoller les mille morceaux. Cette fois, c'est moi qui suis au fond de l'Asie, dans une Asie qui est encore l'Inde où tout est possible, dans un extraordinaire palais-musée, et un maître espion s'assure de mon aptitude à résister à la plus élémentaire des pressions... Celle qui ne laisse aucune trace physique extérieure : la suppression de la drogue ou même la simple menace de suppression de la drogue. Par peur du manque, on vole, on tue, on se tue, ou... on trahit.

— Vous avez dû prendre un peu trop d'opium ces derniers temps, dit sir Babhbhai après avoir fumé sa quatrième pipe. Vous avez imperceptiblement tremblé, tout à l'heure. Tenez-vous votre langue, sur le bat-flanc?

— En principe on ne se trahit pas entre fumeurs.

— Hum. Autrefois oui, du temps des gentlemen fumeurs. Mais les choses ont changé, depuis la guerre. Désormais tous les moyens sont bons en espionnage comme en politique. Sur vous, nous n'avons que de bons renseignements. D'excellents renseignements. Votre sang-froid et votre maîtrise de vous-même sont, paraît-il, à toute épreuve. D'après les fiches, mais les fiches mentent, parce qu'elles datent : les hommes changent! Que pensez-vous de Miss Hudson?

Miss Hudson... Il a bien fallu une demi-seconde pour que ce nom vienne faire corps dans mon esprit avec quelqu'un... Depuis mon arrivée dans la maison des merveilles, j'étais loin, si loin du dîner chez le gouverneur, pourtant terminé depuis à peine plus d'une heure. Je me concentrai sur l'étude de caractère à laquelle se livrait sur moi le Lurgan Sahib de la Frontière. Ce que je pensais de Miss Hudson...

Avant toute chose, elle fume l'opium. Ensuite elle m'a semblé différente des indomanes européennes et américaines qu'on voit défiler dans ces parties du monde. Elle est loin du type classique des échappées d'ashrams. Elle m'a donné une certaine impression d'équilibre et de bon sens, malgré sa tenue extravagante.

— Pensez-vous qu'elle puisse être engagée contre nous dans un jeu comme celui auquel nous jouons?

— Première pensée, évidemment... Mais à la réflexion, je l'ai trouvée si naturelle que j'ai écarté, jusqu'à mieux informé, l'idée de sa participation à un jeu, comme vous dites. Avez-vous des renseignements sur elle?

— J'en ai demandé, j'en ai même reçu. Passeport, papiers, visas, en règle. Visite les consulats américains, invitée à déjeuner, connue des services culturels. Paraît sérieuse, voire puritaine, question sexe. On ne lui connaît pas de liaison depuis sept ou huit mois qu'elle est en Inde. Des aventures peut-être, mais pas de publiques. Elle a séjourné à Pondichéry, chez Shri Aurobindo Gosh où nous sommes très bien placés pour savoir tout ce qui se passe. Les coucheries n'y sont pas rares, surtout entre Européennes un peu mûres et jeunes Indiens de bonne caste. Sur elle, rien à Pondichéry. A Madras, elle est restée quelque temps à l'ashram de Swamiji Papooswamy Ayar. Là, nous ignorons tout, comme à Bubhaneshwar, chez la fameuse Shri Ma Vijayamati. A Calcutta elle est descendue à l'hôtel, comme tout le monde, au Great Eastern, et l'on a l'impression qu'elle a profité de son séjour pour se replonger dans un milieu occidental... Elle a été reçue chez les uns et chez les autres, au consulat général des Etats-Unis et à l'U.S.I.S. Elle a fait, avec un groupe de femmes américaines, le pèlerinage de Santinikettam, l'université de Rabindranath Tagore et l'on sait aussi qu'elle a visité plusieurs fois une petite fumerie du quartier chinois dont le patron, ancien ouvrier soudeur à la fabrique d'armes de Dum Dum, est un de nos sous-agents très actif et très compétent... Puis on la perd pendant deux semaines, presque trois, avant de la retrouver à Bénarès.

« Qu'a-t-elle pu faire pendant ce temps mort? Rien de mal, probablement... La police des étrangers est en pleine décomposition depuis l'approche du *Quit India* et c'est sur elle que comptent nos agents pour suivre ceux et celles sur lesquels nous n'avons pas le collimateur systématiquement braqué. Donc Bénarès. Deux semaines, dont dix jours invitée par le musicologue Shiva Sharan, un Français qui vit l'hindouisme en dentelle... Tout le monde le connaît, il n'y a rien à dire sur lui que du bien et sa maison est l'étape obligée des Occidentaux cultivés qui s'intéressent à l'Inde. Entre Bénarès et Delhi, rien pendant une douzaine de jours. Elle dit qu'elle a passé quelque temps à Harwar et à Rishikesh, ce qui est sûrement vrai étant donné le but de son voyage, Rishikesh, au débouché du Gange dans la plaine, s'imposait. Delhi... C'est là qu'on pourrait trouver une ombre de mystère. Elle dit y être restée un mois, mais on ne trouve sa trace ni dans les hôtels, ni dans les fumeries. Ce qui n'a rien d'inquiétant, je le répète, car c'est depuis son apparition dans la Province que j'ai enquêté sur son séjour dans le reste de l'Inde. Pourquoi? Parce qu'ici, les gens qu'elle fréquente sont connus pour être *très hostiles* à la politique que nous favorisons. Vous auriez pu la rencontrer à Lahore... Elle était au Faletti en même temps que vous... Mais vous étiez occupé avec vos amis de la Lloyd's Bank. Savez-vous que Red, le directeur, est un de nos agents? Très consciencieux et pas jaloux pour un sou : votre sieste avec sa femme figure dans son rapport. C'est aussi un banquier avisé avec un brillant avenir, à Londres dans la Cité. Nous le regretterons. Ici à Peshawar, Miss Hudson est l'invitée d'une famille hindoue connue, celle du pandit Durga Prasad Sharma, professeur de sanskrit de notoriété mondiale — il est vrai que le monde des sanskritistes, hors de l'Inde, n'est pas très vaste... Le pandit réside habituellement à Poona, où il enseigne, mais il séjourne à Peschawar depuis plusieurs mois avec sa troisième femme, qui est beaucoup plus jeune que lui, et leurs petits enfants. Il ferait des recherches sur le soufisme tantrique, mais au lieu de théologiens et de penseurs, il consulte surtout les agents d'Abdul Ghaffar Khan, celui qu'on surnomme le Gandhi de la Frontière, le chef des chemises rouges. Or Abdul Ghaffar Khan, musulman fanatique, c'est l'homme du Congrès hindou et l'adversaire de la Ligue musulmane... C'est l'instrument des pan-hindous contre le partage de l'Inde, contre le futur Pakistan. C'est lui qui tente, et souvent réussit, de soulever les tribus contre l'idée du partage... Et les Soviets sont dans le coup... Nous sommes à peu près certains que Durga Prasad Sharma, qui a fait plusieurs voyages à Moscou, et qui s'est rendu clandestinement à Tachkent le mois dernier, est l'un des principaux agents soviétiques dans la Province...

« Donc, pour Miss Hudson, rien à travers l'Inde, malgré quelques zones de mystère, dont celle assez troublante de Delhi. Mais c'est ici, à Peshawar, qu'on peut commencer à se poser des questions... Prudentes. Elle a toutes les bonnes raisons d'être introduite chez les Sharma, à commencer par le sanskrit. Parce qu'elle a fait véritablement des études de sanskrit, et des études poussées. Nous avons contrôlé. Nous avons même vérifié ses fréquentations politiques dans les diverses universités américaines où elle a étudié. Rien de particulier jusqu'au mois qui a précédé son départ pour l'Orient, où elle s'est fiancée officiellement avec un universitaire de son pays, militant *radical* comme ils disent, qui avait d'assez sérieux ennuis de la part d'une commission d'investigation anticommuniste... Tout cela n'est ni grave ni concluant, mais quelques hasards additionnés peuvent être autre chose que pure coïncidence.

Le Parsi réfléchissait. Il avait, comme moi d'ailleurs, fumé six fois depuis deux heures qu'il monologuait. J'ai pris la belle pipe cloisonnée et l'aiguille d'argent et, de mon autorité, j'ai roulé une boulette au-dessus de la lampe et j'ai tendu l'embout au vieux monsieur qui l'agrippa pour avaler, d'un trait goulu, et m'en réclamer. Après dix minutes de profonde réflexion :

— J'en suis à me demander, dit-il, si ce n'est pas Miss Hudson qu'ils auraient décidé de vous envoyer dans les pattes... A l'origine, tous les faisceaux convergeaient, c'était la Leopardi. Mais la Leopardi a disparu. Envolée, pfuitt... Pendant que vous étiez entre Delhi et Lahore. Où est-elle ? Que fait-elle ? Aucune nouvelle... L'Inde est grande et dans l'eau trouble les poissons se cachent mieux que dans l'eau claire... L'irréprochable réseau de renseignement et de contre-espionnage des beaux temps de l'Empire est désormais désorganisé, ses agents manquent de zèle et beaucoup parmi les Indiens changent de camp ou attendent pour le faire que le dernier Anglais ait pris le dernier bateau !... Faites-moi encore, cher Frédéric, une autre paire de pipes... (c'était la première fois qu'il s'adressait à moi paternellement). Nos effectifs fondent, et c'est pourquoi nous avons passé un accord avec votre service, dans lequel, à vrai dire, nous n'avons pas très confiance...

Il m'arracha presque des mains la belle pipe blonde et dodue dont j'allais me régaler après l'avoir roulée avec art.

— Mon cher Frédéric, il ne faut pas attendre, jamais... Nous devons savoir dès que possible qui est au juste cette fille et vous êtes ici à point nommé... Vous avez notre confiance. Vous me joindrez quand vous voudrez par le secrétaire du Club. Ne fumez pas trop.

Le domestique muet m'entraîna par un couloir qui évitait les galeries et donnait sur une poterne devant laquelle attendait une Austin bleu nuit conduite par un chauffeur en turban noir. Au Club, le gardien mal réveillé me remit deux messages. L'un de Janet qui m'invitait à déjeuner chez elle le même jour (il était une heure et demie du matin) l'autre de Miss Hudson, griffonné sur un bout de papier : « *Je vous attends cette nuit pour fumer. Votre heure est la mienne. Je suis chez le pandit Durga Prasad Sharma, près de Ghor Khatri. Tout le monde connaît...* »

Ainsi le jeu commençait...

Où trouver une voiture ? La mienne, celle du Parsi qui m'avait amené, était encore sous le porche, comme si le chauffeur avait reçu l'ordre d'attendre. Moteur au ralenti, lanternes allumées. J'ouvris la portière : « Ghor Khatri, dis-je, chez le pandit Durga Prasad Sharma. »

Les rues étaient désertes, la ville dormait, quelques charrettes arrêtées çà et là, aux chevaux assoupis, non pas déhanchés sur trois pieds comme les nôtres à l'écurie mais arc-boutés, les quatre jambes écartées. Les cochers en chien de fusil à dormir sur la banquette ou bien assis sur les talons, les guides passées par-dessus l'encolure enroulées autour du poignet. La vieille ville, irrégulière et tortueuse, maisons de boue à colombages, à l'intérieur de la muraille tantôt crénelée de frais au clair de lune, tantôt presque ruinée.

« C'est ici, Sahib. » Un bungalow genre britannique

blanchâtre sur le fond d'un ancien temple. Pas de
lumière. J'allais frapper quand la porte s'entrouvrit.

Renvoyer le chauffeur... Miss Hudson était pieds
nus, les cheveux sur les épaules, vêtue d'un sarong
noué au-dessus des seins... Elle m'entraîna par la
main à travers un hall circulaire assez vaste, par-
dessus quelques corps endormis, enfants ou domestiques de la maison, parents pauvres et amis d'amis...
Des ronflements... des geignements de mauvais rêves.
Deux ou trois autres pièces, pleines de dormeurs elles
aussi, comme toutes les maisons indiennes à la nuit.
Sa chambre était au bout d'une des deux ailes dispo-
sées de part et d'autre d'un octogone central, ouverte
par un large bow-window sur un perron qui descendait en quatre ou cinq marches vers le gazon du
jardin. La lampe de cristal était allumée sur un plateau long de travail indien banal, du Jaipur pour
touristes posé par terre sur un drap bordant deux
ou trois tapis épais...

Je me mis à l'aise, avant de m'étendre, pendant
qu'elle travaillait la pâte, et sans un mot nous fu-
mâmes, alternativement.

— Merci d'être venu, dit-elle la voix rauque, hale-
tante, j'avais peur de ne pas vous voir... Qu'avez-
vous fait après ce dîner assommant? Vous êtes-vous
laissé embarquer par cette Anglaise qui prétend avoir
des droits sur vous? Elle n'a pas cessé de m'empêcher
de vous approcher... Pourtant j'avais à vous porter
les amitiés d'amis communs qui vous présumaient
ici... de Vivian et de Philippe que j'ai connus à Bubhaneshwar, chez Ma Vijayamayi, rencontrés par hasard
dans un *coffee shop* de Connaught Circus... Ils m'ont
emmenée fumer chez votre ami Albert... Vous étiez
parti de la veille ou de l'avant-veille. Albert était très
fatigué.

—- Qui d'autre était là?

— Personne... J'ai fumé seule avec Albert qui n'a desserré les dents que pour tirer sur la pipe... Quelle est cette femme arrogante, la femme de l'adjoint du gouverneur... Elle est folle de vous, cela se voit, une tigresse, une panthère..

Je laissais Shirley Hudson s'exalter :

— N'avez-vous pas peur d'éveiller la maison? Le pandit et les siens vont découvrir que vous fumez.

Elle rit.

— Cacher quelque chose dans une maison indienne, vous savez bien que c'est impossible. D'ailleurs lui ne se gêne pas, le pandit, ni sa femme, sauf que leur drogue à eux, c'est plutôt le *bhang*, vous connaissez? Le chanvre à l'alcool... La grand-mère a sa boîte à opium, comme tout le monde, cousins et domestiques. Ce n'est pas du vice, ici, la drogue, c'est naturel. C'est plutôt nous qui les dégoûtons avec notre bière, notre gin, notre whisky et le mauvais rhum qu'on voudrait leur faire boire parce que c'est un monopole d'Etat. Vous tricotez bien, dit-elle en me regardant travailler sur le cristal de la lampe, combien de verres avez-vous bus chez cette Anglaise?

— Je n'ai rien bu, j'ai fumé. Pas chez l'Anglaise.

Et j'ai expliqué, sans digressions ni fanfreluches, la nature particulière des relations qui nous unissaient, Janet et moi. Que s'il n'y avait pas eu la guerre, ou si la guerre avait éclaté plus tard, nous serions probablement mariés. Qu'il devait subsister en elle, comme peut-être en moi, un reste vague d'amour, avec le regret de quelque chose d'inachevé par la faute d'un destin qui n'avait dépendu ni d'elle ni de moi... Le rêve peut-être de ce qui aurait pu être vu en idéal à travers la noirceur de la vie. Janet est comme ces fiancées veuves avant leur mariage, jamais consolées, qui gardent toute leur vie, vieilles femmes, quelquefois bonnes sœurs, l'image du beau jeune homme avec lequel leur union serait restée parfaite... Ou comme ces mères qui couvrent de perfections posthumes l'enfant mort-né dont rien ne permettra jamais de savoir s'il aurait été un génie ou un raté, un minus ou un criminel! Pour Janet, je suis un Si, comme elle est pour moi un autre Si.

Shirley, après un peu de thé, s'était renversée en plein kief. Je la suivis dans ce kief et nous ouvrîmes les yeux ensemble après un moment. Avec le sourire. C'est bon d'être deux en voyage.

Je lui demandai s'il y avait longtemps qu'elle s'était mise à l'opium.

— Non non, quelques mois, et c'est devenu ma vie. Comment est-ce possible en si peu de temps? J'ai commencé à Pondichéry par jeu, avec des Français qui venaient d'Indochine et qui alternaient les exercices de piété à l'ashram de Shri Aurobindo avec la fumerie à la maison, ce qui va merveilleusement ensemble... Avant de venir en Inde, le mot seul d'opium me faisait horreur, symbole de vice et de déchéance. A Madras, chez le swami Papooswamy Ayar, j'ai mentionné l'opium et l'on m'en a aussitôt proposé. Mais là-bas ils fument à la persane, comme ils disent, ce qui est barbare, un petit morceau de brut sur un charbon ardent. Mauvais goût, pas de poésie, mais la secousse... Comme le coup de rhum du docker. Même chose à Bubaneshwar, avec la pilule brune dans un verre de lait... Ailleurs, à l'ancien ashram de Bhagavan Shri Ramana Maharshee, le guru auprès duquel je me trouvais affirmait qu'il fallait préparer par la drogue, opium ou autre chose, le terrain des exercices spirituels. Puis j'ai retrouvé une Américaine du consulat général de Calcutta... Une vraie prêtresse de la fumée noire.

— Eliane Anderson?

— Oui, Eliane. Par elle j'ai tout appris et tout com-

pris, même le danger. Elle est sur une pente épou-
vantable... Savez-vous qu'elle a démissionné du service consulaire quand il a été question de la rapatrier
aux Etats-Unis? C'est une sorte de ruine... Elle vit
avec un Chinois qui a été pasteur évangéliste. Eliane
fume sans arrêt, roule des pipes pour les clients et
fait des passes, à l'occasion, quand les fonds sont
bas... Quelle horreur!

— Une question, Shirley, seriez-vous déjà si atteinte que la chute d'Eliane vous attire?

— Elle m'attire et elle m'épouvante, comme un précipice donne le vertige. J'ai parfois envie de m'y jeter,
dans le précipice. Mais je me reprends. Jusqu'à présent je me suis toujours reprise. Je pense aux miens,
aux Etats-Unis, à mon fiancé, propre, droit, idéaliste
comme j'étais avant d'avoir tâté du divin enfer.

— Mais Shirley, vous avez vu Eliane chez son Chinois? Toute ridée, la peau grise sur un squelette, les
cheveux cassants, ternes comme ceux d'une morte.
L'avant-dernière fois que j'ai rencontré Eliane, c'était
encore une des plus jolies Occidentales de Calcutta...
Elle commençait seulement à décrocher et elle prétendait braver l'opium et lui tenir tête, et c'est l'opium
qui a gagné, comme toujours avec les intrépides. Mais
la dernière fois... Vous n'avez pas peur?

— Oui et non. Ne faites surtout pas de morale à
une pauvre fille qui ne risque pas grand-chose... Je
suis sur le chemin du retour. Dans trois jours le station-wagon de l'ambassade des Etats-Unis à Kaboul
vient me chercher ici, et à Kaboul je dois loger chez
un conseiller dont la femme connaît ma famille. Aussi
pas question de fumer chez eux. Après quelques jours
Herat et Meshed et après Meshed, Téhéran où je suis
prise en charge par le conseiller culturel et sa femme,
amis intimes de Bob, mon fiancé, diplômé d'études
supérieures de persan et docteur en philosophie de

Harvard. Quelques semaines en Iran, chez les derviches et les soufis...

– Où les occasions de fumer ne manqueront pas.
L'opium est très pratiqué en Iran, comme toutes les
autres drogues...

— Ce sera le chant du cygne, avant Panamerican
Airways direct, via Istanbul et Londres et hop, dans
les bras de Bob à l'aérodrome de New York, nuit
de noces anticipée au Waldorf Astoria, wagon-lit pour
Atlanta (Georgie), mariage en famille et vie de femme de prof, prof elle-même ou chargée de recherches,
à Yale, à Stanford ou à Independence (Missouri) si les
idées politiques de mon mari ne plaisent pas au C.I.D.
De toute manière, tout est prévu dans l'*American way
of life*, et même ceux qui sont contre comme mon
pauvre Bob, sont tellement imprégnés de cet *American way of life* qu'ils y succombent... Pour un prof,
c'est la maison près du campus, la tondeuse à gazon,
la nouvelle voiture tous les deux ans, le capot s'allon-
geant avec la carrière. Pour moi un enfant dans deux
ans, fille de préférence, un garçon dans quatre ans,
et dans dix ans, le petit dernier... Cher Frédéric,
devant une telle perspective, laissez-moi me perdre
encore un peu, qu'il me reste des souvenirs... En
attendant...

En attendant, je lui ai cuit une très belle boulette,
grosse, torsadée, couleur peau de poulet rôti à point.
Son opium venait vraiment de Bénarès, et c'est Eliane
qui l'avait raffiné comme elle seule savait le faire.
Pipe et repipe. Nous avons pris un second kief ensemble. Un kief un peu angoissé... La pensée de la chute
d'Eliane, ou bien l'idée du retour de Shirley à l'ordre
américain et à son fiancé diplômé de persan?

Au réveil je la quittai. Il faisait presque jour et
le bungalow s'animait comme toutes les maisons indiennes dès que la nuit finit, comme si la lumière

tuait la mort. J'échangeai quelques mots avec le pandit qui faisait ses ablutions de brahmine avec son plus jeune fils, tous deux torse nu, le cordon des deux fois nés à l'épaule. « Vous êtes ici chez vous », dit Durga Prasad. Pourtant il me parut qu'il jetait sur moi un regard en biais tandis que j'escaladais le marchepied de la grande tonga punjabie au cheval à sonnailles qu'un domestique était allé appeler au coin de la rue.

Rasé, douché, botté. J'avais retenu deux chevaux du Polo Club et je tapais des balles sur le terrain au centre de l'ovale du champ de courses, en pleine forme après cette nuit remplie. J'étais aussi éveillé qu'on peut l'être et, bien assis dans la selle, chaussé très long, le pied à fond dans l'étrier, je jouissais intensément de ce changement de rythme auquel répugnent certains fumeurs pour lesquels l'action est vaine quand elle s'exerce hors de la cérébration. L'un des chevaux, un gris pommelé, était particulièrement agréable à travailler. Il suivait la balle sans excitation, sachant qu'on était à l'exercice, qu'il était seul sur le terrain et que derrière ni cheval ni cavalier au stick brandi n'allait le dépasser ou le bousculer. Il changeait de pied, rangeait l'arrière-main, pivotait sur les antérieurs, démarrait en flèche et s'arrêtait net, à s'asseoir, sur les postérieurs... Comme ma chère jument Stella, il couchait les oreilles et levait imperceptiblement la croupe quand le maillet de buis attrapait correctement la balle au milieu.

Un saïs pathan sur un cheval noir à tous crins me servait des balles, impassible. J'avais l'œil, ce matin, et je ne ratais pratiquement rien, drive et revers. Il y a des jours où le meilleur joueur hache l'herbe, fait voler la terre et les cailloux, frappe la balle trop haut ou trop bas, quelquefois la manque. Perte de face envers le cheval lancé qui ne sait quoi faire quand la boule blanche, par terre, quarante centimètres à côté de l'aplomb de son épaule droite, disparaît derrière lui, dépassée, au lieu de bondir en avant pour qu'il la suive... Courir ou s'arrêter pile? Le vrai cheval de polo marche au son autant qu'à l'œil. Quand le maillet fait *toc*, un beau *toc* sonore de bois sec sur bois sec, il fonce... Si le choc du stick sur la boule est foireux parce qu'il y a de l'humus et du gazon entre les deux, il freine pour ralentir. S'il n'y a rien que le sifflement du stick dans l'air ou son crissement dans l'herbe, le cheval s'arrête — stop — sur les antérieurs, et quand il est parfaitement « mis », opère un demi-tour sur place au pas de polka sur le mauvais pied, pour retrouver la balle dépassée... On ne pense à rien d'autre, au polo, qu'à la balle. Même quand le cheval connaît son métier, même quand le cavalier est un centaure. On ne pense à rien d'autre mais l'esprit marche, si bien que l'on a quelquefois des intuitions au moment où l'on met pied à terre. Cette fois, avec une bouffée de ma nuit, quand brûlé par la violence d'une heure d'exercice l'opium commença la désescalade, j'eus la certitude, la double certitude, que Shirley n'était pas agent soviétique à mes trousses et qu'elle ne rejoindrait pas son fiancé au Waldorf Astoria dans le délai prévu et calculé.

Scène de ménage, ou presque, quand j'arrivai chez Janet, trop tôt pour mon malheur, un peu avant John Earle retenu à Government House. Elle savait — tout se sait dans ces villes coloniales qui sont des villages pour la communauté blanche surveillée par les dizaines de milliers d'indigènes qui n'ont aucun autre sujet d'intérêt, à part manger, boire, dormir et gagner leur misère. Elle savait donc que je n'avais pas passé la nuit au Club, que j'avais été vu en tonga vers six heures trente du matin dans Kissa Kahani, la grand-rue, où je m'étais arrêté pour acheter, à défaut des *Black and White* que je fumais habituellement, un paquet d'affreuses cigarettes indiennes de la marque *Char Minar*. Où donc avais-je passé la nuit? Avec l'Américaine, bien sûr. J'étais un joli coco... Avoir la chance de retrouver l'homme de sa vie après huit ans de séparation et d'épreuves pour qu'il vous trompe à peine revue.

Que dire... Je pensais au colonel Chabert. Qu'il aurait été heureux, le pauvre vieux, d'être reçu ainsi par sa veuve remariée... Je pensais aussi que Janet n'avait pas entièrement tort, parce que la veille au soir, rien qu'à la voir, rien qu'à lui parler, je l'avais désirée et elle l'avait senti. Or ce matin, après la nuit blanche, deux fois blanche, insomnie et chasteté de l'opium, je ne la désirais plus du tout, trouvant même qu'elle se permettait dans ma vie particulière une intrusion à laquelle son comportement ne lui donnait aucun droit. Qu'elle se soit fait une raison en épousant la trentaine passée un brillant fonctionnaire, soit, mais en vérité, m'avait-elle attendu? Ou plutôt n'avait-elle attendu que moi? En l'écoutant débiter ses reproches (elle était particulièrement jolie dans l'indignation de sa mauvaise foi), je conçus l'idée ignoble (et là, je vis que je ne l'aimais vraiment plus) de demander à Jerry de faire établir, grâce à ses relations policières britanniques, un *curriculum vitae* détaillé de Janet, entre la déclaration de guerre et son mariage avec John Earle... avec qui avait-elle couché, et combien de fois!

Je la laissais parler, attendant John pour un retour à la normale (j'avais aperçu la table mise en passant devant la salle à manger : trois couverts seulement). Déjeuner sinistre. Janet avait une sorte de moue que je n'avais jamais remarquée, probablement parce qu'en huit ans les visages changent. Brillante comme

avant, dès qu'il était question de musique ou de peinture, mais pas ouverte malgré la guerre aux idées
générales. John Earle était fatigué. Il me dit avoir
travaillé jusqu'à trois heures du matin avec Son
Excellence, et que le bureau du chiffre l'avait appelé
à six, pour une dépêche importante de Londres. Une
histoire de trafic d'armes (clin d'œil) à la Frontière!
Plus tard il avait passé un moment avec sir Babhbhai
Topiwallah...

— A propos, dit-il, comment s'est finie la nuit chez
lui ?

Janet ouvrait de grands yeux. Je la regardai comme
pour lui dire : Tu vois bien... et je dis à son mari :

— Bon travail. Homme de classe.

— Je savais que vous iriez bien ensemble. Il m'a
laissé entendre que vous partiez après-demain pour
Jellalabad et Kaboul, afin de profiter de l'occasion
du station-wagon de l'ambassade des Etats-Unis en
Afghanistan...

— C'est vrai? demanda Janet.

J'étais plus surpris qu'elle, mais je ne le laissai
pas paraître. Le Parsi était maître de ma destinée,
et ma destinée du moment, service oblige, c'était
Shirley Hudson.

Je prétextai un rendez-vous pour laisser Janet et
partir avec John qui me déposa au Club où je m'écra-
sai de sommeil sur le lit dur, sans même entendre
le boy avec le thé de quatre heures et les biscuits au
gingembre. A la nuit tombée, émergeant du néant,
je bus le thé froid, pour faire passer la demi-boulette
qui devait me ressusciter et je me secouai d'une douche avant de m'habiller de frais, c'est-à-dire en smoking. Alors, j'ai pris des résolutions. Puisqu'il est
décidé que je partirai avec Shirley pour Kaboul (il
n'y avait qu'un seul station-wagon par semaine de
l'ambassade des Etats-Unis et des autres missions

diplomatiques), nous allons commencer à nous désintoxiquer ensemble. Telle est son intention, si je l'ai bien compris hier dans ses projets, telle est la mienne. La route de la vertu est plus facile à deux. Pour commencer, ce soir, pas de drogue. Si elle me relance, comme je l'espère car elle me plaît beaucoup, je l'invite à dîner au grill du Dean's. C'est vendredi, il y a danse, je l'amène au Club et si elle est d'accord on dort ensemble et on oublie d'être nième. Si elle se sent trop mal, je pourrai lui donner une demi boulette ou un quart avec du thé, et une leçon de morale...

Sept heures, téléphone. C'est elle. Je fais part de la première partie de mon projet, le dîner et la danse. « *O.K.*, dit-elle, je m'habille, je viens vous prendre au Club pour un verre ou deux. Retenez donc une table au Grill du Dean's. »

Elle était belle, très américaine, très habillée quoique vêtue de court (c'était juste avant le *New look* de Christian Dior) parmi les Anglaises fagotées en longs rideaux de cretonne traînant par terre et découvrant vers le haut des clavicules à salières et des bras grêles à taches de rousseur. Fille-fleur, je l'ai dit, longue et mince, avec des jambes de Blue Bell Girl (ô, Amérique, terre du bas de nylon divinement rempli!), presque ma taille en talons très hauts, si bien que je n'eus pas à me pencher lorsqu'elle entra dans le hall du Club pour un léger baiser sur la bouche. Elle me plaît, cette fille, terriblement. Pourquoi faut-il la mélanger avec l'opium?

D'après Albert, prêtre et théoricien, mélanger l'amour, même le simple désir, avec le divin Soma est un sacrilège puni des dieux. Pour lui, selon sa stricte observance et acceptation, le service de l'opium ne peut s'accompagner que d'amitié... A la rigueur quelques amusettes sexuelles. Son explication dogmatique : l'amour est une drogue et l'on ne mélange pas les drogues, pour la même raison qu'on ne peut servir à la fois Dieu et Mammon... Le drogué amoureux cesse de croire en la Drogue comme valeur universelle, et l'amoureux drogué cesse de croire en l'Amour comme fin en soi... Un fait certain, la suprême indifférence conférée par l'opium à tout ce qui n'est pas lui ! Constatation qui me remplit d'une certaine satisfaction : ce soir, je ne crois pas à l'opium. Assis dans un coin du bar en face de Shirley, chacun son dry martini presque assez sec, presque assez glacé, le Goanais de service au piano tapant presque bien des bostons et des slows (il a dû entendre au moins deux ou trois disques de Charlie Kunz), j'oublie l'opium avec une jolie fille intelligente qui l'a oublié, elle aussi. Le cadre, peut-être, surtout la nouveauté d'une aventure... Quand une fille rencontre un garçon, comme dit la vieille histoire. Et si elle me plaît, moi je lui plais. Par-dessus l'opium. Hors de l'opium. Nous ne sommes donc pas tellement intoxiqués, elle et moi, pour ne plus ensemble penser à lui. Nous sommes donc curables, guérissables.

Il est vrai, pourtant, que nous sommes « sous opium »... Dans quelques heures, quand la niènerie viendra nous rappeler son existence par le manque que nous aurons de lui, donc la servitude, l'assujettissement, nous aimerons-nous sans opium ?

Chère médiocre, comme toujours, plutôt ignoble, fabriquée avec dégoût pour les Européens par les cuisiniers qui mangent autre chose, vin gâté (suralcoolisé pour passer Suez et la mer Rouge, piqué après quelques moussons, mal bouché dans une mauvaise cave). Nous avons dansé. Bien. C'était les débuts de la samba et les débuts sont toujours amusants. Tango, valses lentes. Nos joues sont à la même hauteur, sa taille est souple, son dos et ses épaules, juste

ce qu'il faut de moiteur pour en rendre le grain plus
doux. Elle a bien compris ce que je... pensais... Et
elle ne s'efface pas, elle appuie, elle est heureuse,
me le dit; défaille à croire, une fois ou deux, qu'elle
jouit dans mes bras, debout.

Toutes les tables sont meublées et à chaque danse
la piste est pleine. Devant la grande cheminée au
feu de bois, une longue table, seize ou dix-huit personnes, *party* d'anniversaire. A minuit, l'orchestre
attaque un *Happy birthday to you* que le violoniste
vient grincer aux oreilles de la mémère empanachée
à la place d'honneur. A minuit aussi, très exactement, Shirley m'a regardé et moi je l'ai regardée,
et nous nous sommes compris et nous nous sommes
levés et nous avons demandé une tonga et dans la
tonga elle a dit : « Où allons-nous fumer? »

Une immense fatigue nous était tombée en même
temps sur les épaules, avec le dégoût pour la sottise
des trémoussements collectifs, de l'excitation vulgaire.
Le *Happy birthday* a tout déclenché... Nos résolutions
d'échapper à la drogue sont vaines, ce soir, pour nous
aimer encore avec intelligence nous devons fumer.
Fumer ensemble, fumer beaucoup pour idéaliser, spi-
ritualiser ce commencement dans lequel nous entrons
très consciemment. Rien que de penser à fumer, le
vide se fait en nous en même temps, sorte de désir
d'être délivrés de l'angoisse, de la panique qui nous
a chassés de l'hôtel Dean's...

Dans mon médiocre urdu j'explique au cocher qu'il
se débrouille pour trouver un Chinois ou n'importe
qui à donner du chandoo... « A manger, dit-il, moi. »
Et riant à grandes dents blanches, il sort sa boîte à
boulettes. Non, à fumer. Achcha... Et d'envelopper son
cheval d'un grand coup de fouet accompagné d'ap-
pels de langue et de sifflements de gorge, et la tonga
file comme le vent au grand trot puis au galop, jus-

qu'à un groupe de maisons branlantes, presque à la porte de Kaboul.

Il arrête le cheval qui glisse des quatre fers, saute à terre, toujours brandissant son fouet, nous aide à descendre (moi d'abord, tel est l'Orient) et à travers deux ou trois ruelles à escaliers où le clair de lune n'atteint pas, va toquer du manche du fouet, contre une porte basse encastrée dans le vieux rempart. Une vieille ouvre la porte, comme dans les contes, une vieille Anglo-Indienne mafflue, mamelue, les cheveux gris sale, l'œil globuleux, huîtreux, cataracteux. En savates, jupes pendouillantes. Elle tient une bougie et elle marmonne. Le cocher lui fait un discours assez long, en une langue (pushtu, probablement) dont je comprends des bribes, et le sens. Elle hoche la tête et, par un long couloir, un interminable couloir, nous la suivons vers une bâtisse assez moderne, du moderne miteux, parpaings crépis du seul côté du vent de pluie, à travers une cour qui ressemble dans la pénombre au préau d'une école (et qui est, en vérité, le préau d'une école). Le cocher avec son fouet nous accompagne, éclairant la nuit de ses dents blanches. Je lui demande s'il n'a pas peur que le cheval prenne le large. Il rit : « J'ai mon fils pour le garder. Vous ne l'avez pas vu, sous la banquette ? » La bâtisse en parpaings traversée, nous abordons une ancienne maison. Deux étages ou trois. Nous n'en montons que deux pour aboutir dans une pièce carrée, sordide mais propre, avec un bouddha en laque rouge et or, assez beau, trois baguettes d'encens sous le nez, qui fument.

Il n'y a pas qu'elles qui fument... Un couple, dans un coin, d'Eurasiens, Anglo-Indiens entre deux âges, tire sur le bambou à la chinoise, de part et d'autre d'une lampe au verre crasseux. A l'odeur, c'est du dross qu'ils s'envoient, pas du Bénarès. Et même du

vieux dross qui pue. En face du bouddha (que pen-
serait de celui-là sir Babhbhai Topiwallah!), sur un
bat-flanc de bois usé, un Anglais sans âge, parcheminé, lève le bras en guise de salut, sans s'arrêter de
tirer sur une boulette qui doit être énorme, d'après le
temps qu'il met à l'inhaler... Et s'il m'a reconnu, je le
reconnais, c'est le fonctionnaire de la Sûreté venu à
l'hôtel le lendemain de mon arrivée faire un brin
de conversation, histoire de savoir qui j'étais, où
j'allais, ce que je faisais... Fraternel. En face de lui,
sur le bat-flanc, roulant des pipes, un jeune homme
très beau, ni indien, ni chinois, ni européen, les trois
à la fois.

— Mon fils, dit la vieille. Il ne fume pas. Il m'aide
depuis que mon mari est mort. Mon mari, mon pauvre Liao Kwan, mon cher mari, le meilleur bottier
de la province du Nord-ouest, le meilleur homme
aussi. George, c'est le nom de mon fils. Il sera médecin. C'est un bon fils, il n'a honte ni de sa mère, ni
de son père.

Elle parle bien anglais, la vieille. Très bien. Elle
articule comme si elle avait enseigné ou fait du théâ-
tre classique... Shakespeare?...

— Voulez-vous fumer avec nous, ou préférez-vous
la chambre de derrière où vous serez seuls?

— Nous allons, dis-je à la vieille, fumer quelques
pipes en compagnie, avant d'aller dormir à côté pour
attendre le jour.

Elle a déroulé une natte propre et blanche qu'elle
a étendue sur le bat-flanc, de l'autre côté de son fils,
par rapport à l'Anglais parcheminé, elle a posé un
plateau, nous demandant s'il fallait préparer les boulettes ou bien nous laisser faire. Pour lui plaire, je l'ai
priée de travailler elle-même et d'offrir la première
pipe au cocher resté là, avec son fouet. Car une des
merveilles de l'opium qui exalte les sensibilités, c'est

de rendre courtois les plus rustres en créant l'égalité vraie des races et des sexes... Une femme qui fume n'est pas plus une femelle qu'un homme qui fume n'est un mâle... Un nègre, un Indien, un Blanc, un Chinois, un marchand, un prince, un ministre, un coolie, une prostituée ne sont plus, sur le bat-flanc, que des êtres humains égaux comme à la création.

Nous avons fumé avec le cocher, le cocher a fumé avec le flic anglais. Quelles alchimies étranges se produisaient dans des réceptacles aussi divers... Chez Shirley et chez moi, c'était l'épanouissement orgastique des facultés nobles; l'intelligence, la perception du bien et du mal, au-delà de toutes les morales fabriquées par les hommes, le sens du beau, du vrai beau, au-delà de tous les canons, de toutes les modes, de tous les engouements. Mais chez le cocher de la tonga, chez le petit flic anglais... je pense que nous avions, fumant ensemble, cette liberté de l'esprit détaché de la matière, la conscience de l'âme dégagée des lobes du cerveau.

Vers deux heures du matin, l'Anglais se leva pour rentrer chez lui, comme les autres fumeurs couchés ici ou là. Un seul restait : il n'avait pas d'autre coin où vivre et il payait son loyer en aidant la vieille à balayer, à nettoyer les plateaux et à secouer les nattes. Nous étions maintenant seuls dans la chambre derrière, à fumer, sans impatience dans la douceur de caresses si légères et si désincarnées qu'elles étaient la chasteté même. Car tel est l'opium... Nous étions nus tous les deux, peau contre peau, à nous pénétrer en esprit. En esprit seulement, car le reste, la grossièreté de l'acte charnel, la seule pensée de celui-ci, n'avait pas de sens dans l'état magique où nous nous trouvions...

Et c'est là que Shirley m'apprit qu'elle était vierge et qu'elle me fit part de son angoisse à la pensée d'avoir à retrouver Bob, son fiancé, dans quelques semaines ou dans quelques mois, car elle espérait, me dit-elle sans hésiter tant la confiance était entre nous, allonger un peu le délai qui la séparait du retour à la normale. Avant de nous quitter, me demandait-elle, c'est toi qui m'apprendras tout, qui fera de moi une vraie femme et nous nous exaltions en commun sur le sujet de notre prochaine et commune désintoxication, en fumant et en refumant, dans une extase cérébrale absolue...

Nous nous quittâmes au grand jour, plans faits pour le surlendemain en direction de Kaboul avec le station-wagon de l'ambassade des Etats-Unis. Plans faits aussi pour une désintoxication à deux jugée — intellectuellement et de loin — comme aussi exaltante avec l'amour pour mobile que l'enfoncement conjugal dans l'ivrognerie de l'opium. Car Amour il y avait, avec un grand A, opium ou pas, et c'était là l'événement.

Avant le départ, j'eus une longue conversation avec sir Babhbhai Topiwallah d'où je retirai diverses choses, l'information entre autres, que Jellalabad en Afghanistan, à mi-chemin de Kaboul environ, était le « point de grenouillage obligé » (tous ceux qui ont fait quelque guerre secrète me comprennent) où les émissaires indiens et russes se rencontraient. Jadis, au temps des Empires, tout se passait au nord du Cachemire, entre Leh, au Ladakh, et Gilgit; maintenant, par commodité, l'Afghanistan, Etat tampon, jouait son rôle de carrefour historique. Sir Babhbhai le Parsi était un peu pompeux et se complaisait lorsqu'il parlait du passé, mais il avait tant de sérieux, tant de charme et de bonté en fronçant ses énormes sourcils! Il avait compris quelque chose entre Shirley et moi mais il était loin d'avoir ma certitude quant à son innocence et son ignorance des affaires qui nous

préoccupaient... Il me parut un peu perdu, débordé :
— Nous étions bien informés jusqu'à il y a trois
ou quatre semaines... Depuis que lord Mountbatten
vient d'annoncer son plan, que le *Quit India* est fixé
pour le quinze août, le renseignement nous fuit comme l'eau entre les doigts... Nous n'avons plus le
contact. Que se passe-t-il entre Khorog et Urumtchi,
entre Tachkent et Termez? Les caravaniers ne nous
informent plus, et tous les agents que nous envoyons
au nord de l'Amou Darya ne répondent ni ne reviennent... Soyez prudent, cher Frédéric.
   Et puis :
— Savez-vous que votre ami Pyladov, le Russe de
l'agence Tass, a été repéré hier à Landi Khotal, sur
la route du Khyber, avec son collègue des Isvestia,
celui qui vient de rentrer de Moscou après six mois
de recyclage... Abramov, il s'appelle... Méfiez-vous de
lui, ils l'ont renvoyé en Inde sans sa famille qu'ils
gardent en otage à Moscou. Comme il a frôlé une
condamnation à vingt ans de mines du côté de Vor-
kouta, sur le cercle polaire, son zèle doit être acéré...
N'oubliez jamais que si je vous ai chargé d'identifier
Miss Hudson votre mission principale reste de jouer
le chacal de la chasse. Gardez bien à l'esprit cette
idée simple : la peau du chacal ne vaut pas cher
quand la meute est à ses trousses !...
   Certes, il avait raison, le vieux monsieur : entre
l'opium et l'amour avec un grand A, j'avais un peu
oublié la chasse !
   Le mercredi, à sept heures du matin, le station-
wagon de l'ambassade des Etats-Unis à Kaboul était
devant le Club où je finissais de me raser, tout juste
rentré pour faire ma valise après une nuit d'exalta-
tion contre Shirley, et je retrouvai celle-ci quelques
minutes plus tard sur le perron du bungalow de Ghor
Khatri, où le pandit Durga Prasad Sharma était pré-

sent avec sa famille et ses serviteurs pour le rituel des adieux. Des fleurs, beaucoup de fleurs pour Shirley, en colliers et en bouquets, avec un tout petit Shiva en bronze, d'un travail népalais très fin, dans la posture du yoghi. A moi, bien qu'il ne dût rien, le pandit remit une boîte d'argent ancienne, une petite boîte ronde à pilules (je compris l'allusion) sur laquelle je déchiffrai tout haut *Ram* et *Aum* gravés en caractères sanskrits usés sur le couvercle et sur le dos. Comme il s'agit d'invocations religieuses bénéfiques *(Ram* invoquant le Dieu unique et *Aum* la Trimurthi, la trinité hindoue) je remerciai le pandit de m'avoir honoré d'un charme, c'est-à-dire d'un talisman qui ne me quitterait plus désormais.

Durga Prasad remua imperceptiblement les épaules en grommelant quelque chose en anglais comme : « Vous n'êtes pas l'homme que j'aurais cru capable de lire le sanskrit ! C'est à miss Hudson que je pensais pour vous expliquer *Ram* et *Aum*... » Et puis levant les mains comme s'il les imposait à Shirley et à moi, il dit, cette fois en sanskrit et Shirley traduisit plus tard pour moi : « Le fils de l'Etoile et la fille de la Lumière sont faits pour vivre ensemble... » Ce qui est énigmatique, mais dans le contexte particulier pouvait presque passer pour une bénédiction de mariage.

Le chauffeur de l'ambassade des Etats-Unis à Kaboul n'était pas un Afghan, mais un Iranien aux traits très fins, en vérité né du métissage aberrant d'un Arménien et d'une Turque, sorti des environs de Tabriz, l'œil vif, trop vif, et l'intelligence agile. Il avait conduit pendant la guerre, pour les Alliés, les camions de la Route de Birmanie de Rangoon à Tchoungking, et il parlait l'anglais comme le turc, le « farsi » et l'urdu. Il avait des notions de russe, de japonais et il lisait le français facilement. Tout cela je l'appris plus tard.

Quand nous fûmes installés dans le station-wagon haut sur pattes, capot bleu acier et carrosserie boulangère en faux bois, Mamoulian — c'était le nom du chauffeur — prit un air et un ton navrés :

— J'ai reçu hier soir un message... Je dois ramener aussi à Kaboul, en plus du whisky, du gin, du champagne, du beurre, des œufs et des légumes frais, et de vous, un représentant de commerce américain arrivé avant-hier de Lahore. Ordre de mon ambassadeur (il disait « mon ambassadeur », comme s'il avait été chef d'Etat ou ministre des Affaires étrangères)...

— Que vend-il? demanda Shirley.

— Je crois des pneus... Firestone, Goodyear, Goodrich, Continental? Je n'en sais rien. Il est au Dean's.

Au Dean's, sous la galerie devant le porche, un gros Américain attendait près d'une valise d'aviateur, dite « sac de vol ». Pas vraiment gros, à la réflexion, mais grand, lourd et rougeaud. Quatre stylos ou crayons à agrafe dépassaient la poche pectorale gauche, boutonnières du veston tendues, une légère boiterie et l'air euphorique... à la bière, plutôt qu'au scotch ou au bourbon. Accent du Midwest assez marqué, mais pas excessif, l'œil bleu aigu (trop intelligent par rapport au reste), un peu jambonneux de la paupière. Il comprit qu'il avait affaire à un couple, s'excusa et se tint coi, non sans s'être nommé et présenté de trois cartes de visite bichromes (rouge et vert sur fond blanc), l'une pour Shirley, l'autre pour moi, la troisième au chauffeur. Il se nommait Budweiser, William P. Budweiser, et il était de Milwaukee dans l'Etat de Wisconsin, sur les bords du lac Michigan.

Quand je lui demandai (à l'agacement de Shirley) s'il était de la famille des brasseurs dont la bière avait rendu Milwaukee fameux, il répondit : « Oui, mais je n'appartiens pas à la branche qui a fait la fortune de la maison... » Après quelques échanges à ce niveau, il s'endormit ou feignit, assis à côté de Mamoulian.

Voyage sans histoire, plutôt touristique jusqu'à la Frontière, par le *Great Trunk Road*, route lisse et tournante, bordée de Pathans surgissant des cairns et des banquettes de pierre, brandissant des têtes gréco-bouddhiques en stuc ou en terre d'argile à dix roupies d'entrée pour les laisser à deux roupies huit annas. « Défense de s'écarter de la route, nous répétait Mamoulian chaque fois qu'il arrêtait la voiture pour un marchandage, les tribus ont le droit de tirer sur quiconque s'éloigne de quelques mètres du *Great Trunk Road*. » Nous le savions, Shirley et moi, tout le monde savait cela à l'époque, mais Bill Budweiser roulait de gros yeux et prenait des notes sur les feuilles d'un carnet à couverture jaune. Il admirait la culture, nous disait-il, et il aimait les voyages qui permettent de rencontrer des gens intéressants... « J'aurai plein de choses à raconter aux copains en rentrant, disait-il, mais j'ai bien peur qu'ils ne m'écoutent jamais... »

Ce vendeur de pneus était-il un naïf, vrai vendeur de Firestone, Goodyear, Goodrich ou Continental? Ou bien était-il un collègue en piste, peut-être sur la mienne?

Passage de la Frontière sans douleur, aimable interrogatoire d'un officier de police afghan habillé en feldgrau pas très net, assis sur un pliant devant une table d'école dehors, sous un arbre. Très détendu, malgré une énorme moustache en croc, visiblement ignorant les rudiments de l'alphabet romain, puisqu'il examinait les passeports à l'envers, jusqu'à la page de la photo... Les soldats du corps de garde vaquaient à l'importante opération de la soupe, et puaient l'ail à plein nez. Ils étaient rougeauds des pommettes sous des barbes de trois ou quatre jours, leurs longues capotes à l'allemande constellées de gras de mouton indélébile, les cols et les angles des revers suiffés de crasse... Plus d'un bouton manquait... Quel contraste avec les deux ou trois postes britanniques (peau brune et uniformes kaki repassés de frais) qui, depuis le départ de Peshawar, avaient examiné nos laissez-passer et nos passeports. Ces bougres d'Anglais, à coups d'officiers distingués joueurs de polo et de sergents-majors apoplectiques à grandes gueules, avaient vraiment réussi leur armée des Indes.

Passé la Frontière, le sauvage et poussiéreux bordel de la haute Asie commençait... D'abord la route... Le goudron lisse du *Great Trunk Road* finissait comme le chemin de fer et c'était, côté afghan, la piste. Quelle piste... J'étais prévenu, mais ni Shirley ni le marchand de pneus ne s'attendaient à une telle torture, à de tels bonds, à une telle souffrance de la mécanique. Le paysage, quand la poussière ne le cachait pas, était admirable, et nous nous arrêtâmes pour un pique-nique au bord d'un plateau mauve d'où l'on voyait vers le sud-ouest les crêtes des monts Soleiman sombres sur le ciel pur. Malgré les pipes de la nuit, à cause du grand air et surtout des secousses arrache-boyaux, je fus heureux d'une grosse boulette discrètement partagée avec Shirley. Pas si discrètement : j'ai surpris le coup d'œil et le sourire indéfinissable de Mamoulian dans le rétroviseur. L'homme de Milwaukee, sans complexe, sortait de la poche revolver de son pantalon une flasque de bourbon en métal argenté. Par politesse, je bus un coup avec lui, sur ma demi-boulette, comme le chauffeur qui avait, lui aussi, sa boîte à opium (me la montrant un peu plus tard, au moment de la panne, il dit : « J'ai quatre kilos de « brut » dans les caisses de beurre... Si vous êtes à court pendant le voyage, à votre disposition. Prix de Lahore. »).

L'Américain examinait les roues à chaque arrêt et comprenait pourquoi, faisait semblant de comprendre pourquoi le marché du pneumatique donnait si fort en Afghanistan... Il paraissait émerveillé devant les fentes de la gomme et les coupures de la toile... « Combien de kilomètres, ces pneus? — Mille, peut-être. Tenez, celui-là, neuf il y a deux jours en partant de Kaboul pour venir vous chercher... Foutu. Regardez... » Et Mamoulian de montrer l'avant droit déchiré jusqu'à la chambre à air, sur trente centimètres. » Je vais le changer. » Nous repartions, mais le moteur chauffait et vingt kilomètres avant Jallalabad, il fallut se rendre à l'évidence de la pompe à eau bloquée... Ou bien passer la nuit dans le défilé assez sinistre où nous étions engagés, ou bien demander la remorque à l'un des rares camions (des deux tonnes cinq) remontant dans notre direction, ou bien prendre le risque d'une ou deux bielles coulées, avec celui d'attendre quelques jours à Jallalabad, où l'on aurait la possibilité de faire du stop pour arriver plus vite à Kaboul. En bon Américain, Bill Budweiser était pressé. Pourtant, c'est avec beaucoup de calme qu'il fit remarquer au chauffeur que la pompe à eau serait restée intacte si l'on avait remplacé à temps la pale qui manquait au ventilateur (depuis quand?). « Vous comprenez (il parlait comme le shérif dans un western), trois pales au lieu de quatre, cela déséquilibre la rotation de l'axe qui entraîne la pompe à eau... — Ah, disais-je... — Ah, disait Shirley... — Ah, disait Mamoulian avec humilité... — Et, continuait le shérif, X heures de rotation en porte-à-faux à raison de quatre ou cinq mille tours par minute, enfin, vous voyez ce que je veux dire, ceci explique cela... — Ah, disions-nous, mais que faire? — Roulons doucement, dit Shirley. »

Ce que femme veut, Dieu le veut. Nous arrivâmes

à la nuit noire à Jellalabad, accrochés par un fil de fer trois ou quatre fois cassé dans les virages en épingle à cheveux, au derrière d'un camion afghan peinturluré de vert, retour à vide d'une exportation d'abricots secs et de peaux de caracul. Le conducteur du camion et ses deux acolytes avaient voulu violer Shirley, pour prix du service... Nous étions trois hommes, heureusement, et nous pûmes les contenir sans avoir à montrer d'armes. « Il faut les comprendre, disait Shirley (flattée comme toute femme normale quand un homme, même chauffeur afghan, la désire). Il faut les comprendre : leurs femmes à eux sont de telles chiennes en chaleur qu'ils sont obligés de les enfermer et de ne les sortir en ville que cachées sous des rideaux... Ils prennent simplement pour des putains les femmes sans voile sur la figure. »

A Jellalabad, au gîte d'étape, congé pris des violeurs frustrés, dédommagés en roupies et en afghanis, nous nous sommes enfermés dans une chambre, Shirley et moi, pour déballer notre attirail — enfin le sien — et fumer après une dure journée. Malgré les horribles cahots de la piste, rien n'avait souffert du matériel de fumerie, sauf le verre de cristal de la lampe à huile fendu, que je rafistolai au sparadrap dont elle avait une provision. Nous allions allumer la mèche quand l'Américain vint frapper à la porte :

— On peut avoir ici du riz et des boulettes de viande, dit-il. J'ai ouvert pour le dîner une paire de boîtes de pattes de crabes russes et deux grands *tins* de pêches au sirop... Si le cœur vous en dit?

Nous acceptâmes, politiquement. En attaquant le riz et les boulettes, assez mangeables :

— A propos, mauvaises nouvelles. Mamoulian prétend que le forgeron chargé de stocker ici les pièces Chevrolet n'a ni ventilateur ni pompe à eau. Il doit télégraphier demain matin à Kaboul à l'ouverture du

fil. Cela va durer au moins trois jours. Moi, je suis
pressé. Alors j'ai décidé de prendre l'autobus qui
passe très tôt demain, plutôt tout à l'heure, à quatre
heures du matin. Nous nous reverrons à Kaboul où
j'ai l'intention de rester une semaine et si cela n'est
pas trop difficile d'aller visiter Bamyan et les lacs
de Bandi Amir avant de rentrer à Karachi par Kan-
dahar et le col de Bolan.

A dix heures du soir, malgré nos belles résolutions,
nous étions, elle et moi, en pleine vape, et la date
du renoncement remise en question, avec celle de la
fin de la virginité de Shirley. La nuit était belle,
pleine d'étoiles, la lune tard levée, étincelante au
début de son dernier quartier. Nous avons tiré nos
lits de bois et de sangle à travers la baie ouverte.
Il faisait doux, il faisait frais et l'opium nous exal-
tait au point adorable où la communion des êtres
étant parfaite, les fumeurs s'intègrent à la nature
pour prendre conscience du tout cosmique auquel
l'homme appartient. Du tout cosmique et heureusement aussi du détail pratique, puisque soudain, tombant d'un monde où tout était pur et beau, j'eus la
vision d'une ombre enrobée glissant à pas de loup
sur les feuilles tombées, s'appuyant d'une épaule au
tronc d'un arbuste, oranger ou citronnier, armant
très doucement un pistolet — un Beretta, j'en jurerais
— prenant posément la ligne de mire pour braquer à
dix ou douze mètres d'entre mes deux sourcils le trou
noir d'un canon bref... J'eus en même temps la conscience très précise de la libération suave, huilée, de la
première bossette de la détente de cette arme parfaite, précédant d'une fraction de seconde celle de la
seconde bossette, l'irréfutable, quand le coup a porté.

Je n'ai pas agi. C'est l'opium en moi qui a fait,
à ma main droite, prendre le Mauser posé sur le
drap et tirer vers l'ombre. Un millième de seconde

peut-être avant elle, juste assez pour qu'elle me manque et que la lampe de cristal entre Shirley et moi éclate, au lieu de mon crâne.

Ce n'était pas l'Américain, puisqu'il s'est trouvé en trente secondes à mon côté, un gros 45 à la main et sans blessure. Au pied du citronnier d'où était parti le coup, un petit peu de sang se figeait avec des éclaboussures au tronc et sur les basses feuilles.

Aucun des serviteurs du gîte d'étape ne s'est montré. Ils doivent être sourds, ou complices, ou payés. A moins qu'ils n'aient eu peur. Le coup d'intoxe réussit donc, puisqu'on cherche à m'assassiner! Si j'étais superstitieux, je croirais en la vertu du talisman de Durga Prasad. Shirley n'a rien compris : « Pourquoi la lampe est-elle cassée? » demanda-t-elle.

Budweiser ayant rengainé son énorme feu dans le *holster* de gangster qu'il porte sous sa chemise très large (il n'est pas si gros que cela, c'est sa nuque germanique et son double menton qui donnent le change) nous a proposé un coup de bourbon tiré de la flasque en métal argenté qu'il vient juste de regarnir. J'accepte, malgré mes théories, parce que rien ne vaut l'alcool dans les cas d'émotions brutales comme celle de se faire flinguer à bout portant en pleine évasion spirituelle au côté de la femme qu'on aime...

— Les Soviets sont actifs par ici, dit-il... Cette zone n'est pas dans mon rayon d'action, mais je la connais un peu : j'ai fait des liaisons récemment depuis la Chine, par Urumtchi et le Cachemire, et j'ai eu l'occasion d'avoir sous la main les dossiers récents de cette partie du monde... Devant l'air étonné de Shirley : Je m'appelle bien Budweiser, Bill Budweiser, dit-il, mais je ne suis pas marchand de pneus... Oh, je vends aussi, pour la couverture... Mon job principal c'est d'être colonel dans les Marines...

Shirley n'en revenait pas, et ses yeux allaient de ceux de Budweiser aux miens, qui acquiesçaient.

— Alors, dit-elle, vous vous connaissiez?

— Pas tout à fait, dit Budweiser. Mais on savait un peu qui était qui... Nous avons des amis communs, ainsi Jerry Basset.

Budweiser nous raconta qu'il avait fait la guerre du Pacifique comme officier de troupe, qu'il avait été très gravement brûlé par un jet de lance-flammes lors de la conquête de l'île d'Iwoshima et qu'il avait passé des mois et des mois, presque une année à l'hôpital, dont une partie à Tokyo après la victoire, et qu'il avait mis ce temps à profit pour approfondir le chinois qu'il avait commencé d'étudier à l'université avant la guerre, parce qu'il aurait rêvé d'être missionnaire au pays dont parlait si bien Pearl Buck... La langue chinoise, plutôt les caractères chinois l'avaient aidé, chaque fois qu'on lui faisait des bouts de greffe de peau. Il faut tellement se concentrer que la douleur s'oublie... Il savait tout, ce diable d'homme, et pas seulement la Chine... Il avait des notions de sanskrit, et Shirley et lui se lancèrent dans une discussion sur l'influence dans le vocabulaire religieux du Céleste Empire des mots sanskrits et palis apportés en Chine par les convertisseurs bouddhistes d'il y a deux mille ans et davantage...

Je risquai une question :

— Alors Jerry Basset travaille aussi pour les Américains?

Réponse :

— Jerry a travaillé avec nous comme vous le faites en ce moment avec les Anglais. Nous aurions aimé l'employer tout à fait, mais c'est un garçon fidèle. Les hasards de la Résistance en France l'ont fait engager par l'Intelligence Service, il y est resté, il y restera, sauf s'il doit un jour agir contre son pays...

— Et le pandit Durga Prasad Sharma, à Peshawar, le connaissez-vous? Est-il un agent soviétique, comme prétendent les Anglais?

— Durga Prasad, c'est autre chose. Je ne le connais pas personnellement, mais je sais qui il est... C'est un patriote hindou — je dis hindou, pas seulement indien... Il est un fondateur du Mahasabha qui collabora avec les Japonais pendant la guerre mondiale. Il est foncièrement antibritannique, et toute son action contre la « partition » de l'Inde est dans la parfaite logique de ses idées. Je peux vous dire, ce n'est pas un grand secret, que s'il a des contacts avec les Soviétiques, il en a aussi avec nous. C'est très délicat... Nous le soutenons, dans la mesure où les Soviétiques l'assistent... Il faut garder l'équilibre. Nous n'allons tout de même pas aider la Grande-Bretagne à conserver l'Empire sous un faux nez d'indépendance. Les Britanniques jouent la carte du Pakistan, c'est leur affaire. Nous autres, nous restons assis sur la barrière : mais quand les Russes mettent un pion, nous en mettons un aussi...

Shirley écarquillait les yeux, autant que le permettait la contraction des pupilles par la drogue. Sa notion de l'espionnage et du renseignement s'arrêtait à celle d'un honteux, immoral et peu chevaleresque mélange de mouchardage, de cafardage, de trahison · et de gangstérisme. La présence dans cet univers d'un personnage aussi respectable qu'un colonel de Marines héros de la guerre du Pacifique, sinologue par surcroît, jouant les grotesques avec un 45 toujours prêt à tirer, était plus qu'une révélation, une illumination.

— Et toi? me dit-elle... Toi aussi... Je t'avais pris pour un play boy, à cause des chevaux, du polo et de ton anglais de Français bien élevé... Un play boy plein de culture, puisque tu connais l'hindouisme et tu lis le sanskrit... Comment imaginer? Angoissée ensuite : Tu dois être important pour qu'on cherche à te tuer? Ta vie possède un sens puisqu'on veut me la prendre...

Je n'ai rien répondu. J'ai serré Shirley dans mes bras, de toutes mes forces, et j'ai pleuré sur son épaule la foutaise de ma vie de faux play boy, besognée à coups de cachets et de notes de frais d'un service de renseignement, prêté par l'un, loué par l'autre, comme une voiture ou un appartement... Vie d'expédients, même quand c'est l'argent officiel qui paie, d'expédients aussi peu moraux, aussi blâmables que ceux d'Albert, pires même, parce que moins aléatoires... Un petit fonctionnaire de l'Aventure, voilà ce que je suis... Et qui console sa conscience, sa mauvaise conscience, laquelle n'en croit pas un mot, en prétextant le service du Pays, de la Patrie... La Patrie, qu'est-ce qu'il en reste, et qu'est-ce que ce reste peut avoir à foutre des Pathans, des Afghans, et des Hindous?...

Shirley s'était endormie, et je la contemplais. Qu'elle était belle ainsi, les paupières baissées faisaient son visage lisse du haut du front à la courbe du menton et son souffle était léger...

Je ne suis pas digne d'elle. Ce n'est pas pour une femme comme elle que de courir le monde en écoutant aux portes, en déroutant des lettres... A dénoncer des gens, à voler des papiers, à photocopier des documents, à relever des terrains d'aviation... A mentir, à tricher, abuser, enjôler, berner, duper, frauder, c'est-à-dire, en un mot, à trahir les autres et soi-même... Même à tuer...

Budweiser s'était retiré sur la pointe des pieds et j'étais retombé dans une sorte de kief. Le sens de la vie, ta vie possède un sens... Qu'est-ce qui compte dans la vie... Budweiser voulait être missionnaire, c'est la guerre qui l'a mis là... Moi j'avais rêvé d'être médecin, ou diplomate, et puis la guerre est venue, encore la guerre, et que faire, que faire après l'excitation, les risques, fous, les amitiés extrêmes, les paniques et les joies cruelles de la Résistance? La vie intense... Quoi d'autre? Se ruer à la politique, aux honneurs, aux fromages, c'était pour les impurs, je suis trop fier... Ou bien retourner dans son trou, comme les humbles, rentrer de déportation, reprendre le sillon... Je n'avais pas de sillon, à la Libération, ni de trou où rentrer, et je ne suis pas humble... Continuer le jeu, comme j'ai fait... Ai-je eu tort? Puéril, en vérité, pour m'amuser, continuer de jouer à la guerre, à la guerre secrète, sentir le frisson, s'exciter de danger... Le frisson, le danger payés tous les mois, avec comptes en règle, trois exemplaires envoyés au Département accompagnés du certificat bancaire authentifié, instructions itératives, codage et décodage...

A mon tour je sombrai dans l'inconscience totale. C'est le moment qu'aurait dû choisir l'assassin, cet imbécile. Le petit matin. Tout serait fini.

Le jour nous réveilla, Shirley et moi, le jour avec un boy sale, porteur d'une méchante théière en fer-blanc, brûlante et d'un paquet de biscuits brisés. Pas de plateau, pas même une assiette. Ce n'est plus l'Inde anglaise! Large sourire pourtant, à nous faire nous demander si le début de la nuit a bien été vécu... ou rêvé.

Mais la lampe à opium brisée témoigne, et Budweiser aussi qui, bourré de benzédrine, bonne vieille drogue de la dernière guerre pour factionnaires, a veillé sur notre sommeil comme l'ange Raphaël sur le jeune Tobie et sa nouvelle épouse au retour du pays d'Elam.

Pendant que Shirley se prépare, nous allons, l'ange Raphaël et moi, examiner le citronnier d'où la mort est partie sans arriver. A ma surprise il y a deux points d'impact sur l'arbuste, l'un à près de deux mètres de hauteur, l'autre presque au sol. Pourtant je n'ai tiré qu'un seul coup.

— Moi aussi j'ai tiré, dit Budweiser, s'excusant presque. En même temps que vous. J'ai vu par hasard un bonhomme penché et j'ai visé bas, pour l'empêcher de se sauver, histoire de savoir qui c'était. J'ai dû lui effleurer le mollet, ou la cheville, d'où les gouttes de sang. Il est tombé parce qu'une balle de .45, cela vous foutrait un éléphant par terre, mais il s'est relevé très vite. Il s'est relevé, ou *elle s'est relevée*. Malgré la robe afghane pour homme, cette espèce de *galabieh*, malgré le turban, j'ai eu l'impression qu'il s'agissait d'une femme. J'ai eu le réflexe contestable d'avoir été au secours plutôt que celui de tirer l'agresseur... Avec un sourire plein d'énigmes : D'abord parce que je vous aime bien, ensuite... Ensuite parce que dans notre «machin» on ne sait jamais. J'aurais pu commettre une très grosse gaffe, en descendant, par exemple, le tueur de Durga Das Sharma. Qui soupçonnez-vous, vous, Frédéric? Vite, répondez sans chercher, à l'arraché, à l'intuition pure...

— Je pense à Connie, autrement dit à la fille Leopardi. A l'intuition. Mais à la réflexion, c'est autre chose... Cette fille n'a aucune raison objective de me descendre en début de mission, au contraire. Son attitude logique serait de me suivre, pour repérer mes contacts, me doubler, me précéder aux points obligés.

— Il faut savoir, dit Budweiser gravement. Savoir à qui profite le crime. Mais il existe un autre adage : «Cherchez la femme»... Une femme peut agir en dehors de la logique, et dans certains cas, la tête la plus froide commet des erreurs graves, par simple haine, par seule vengeance.

Budweiser, dans son anglais américain du Mid-west, lourd mais articulé, dit « *Tchercheze le fème* » et cela me fait sourire, et Shirley se demande pour-quoi je souris...

— La Leopardi, ajoute Budweiser, je ne la connais pas, mais je sais des choses sur elle. C'est une pas-sionnée, paraît-il. Je crois qu'elle est fichée chez nous comme espionne tueuse. Assez exceptionnelle nota-tion pour un agent femelle. Tueuse et baiseuse!

Pressé d'être à Kaboul, Bill Budweiser n'attendit pas le ventilateur et la pompe à eau. Il s'embarqua le jour même sur un camion. Il nous laissait à nous-mêmes et à Mamoulian. A nous-mêmes, et ce furent quatre journées pendant lesquelles l'amour pur devint le pur amour.

— Que le français est une langue difficile, disait Shirley, désormais tout à fait ma femme, quand chaud d'elle, elle chaude de moi, je lui expli-quais l'immense différence entre amour pur et pur amour...

Maintenant je craignais pour elle et j'avais peur... Inconscient, égoïste, je n'avais pensé qu'à moi, le soir de l'attentat, à moi qu'on avait visé. L'image m'était venue, qui avait pris racine, qui me réveillait d'an-goisse dans ses bras, de la balle tuant Shirley au lieu de briser le cristal de la lampe à opium... Pen-dant que nous commencions d'oublier ensemble la drogue — finie la fumée qui nous aurait séparés, rien que d'infimes pilules pour nous aider à doubler le cap de la délivrance — la conscience me venait de plus en plus claire, de plus en plus forte, d'avoir à changer de vie, pour Shirley, pour notre amour, pour moi qui comprenais enfin ce que c'était que devenir adulte.

A Kaboul, atteint sans autre accroc, une fois guérie par Mamoulian la panne de Jellalabad, l'ange

Raphaël Budweiser nous attendait plein de sentences
et de morale.

Nous fûmes fêtés par toutes les ambassades, les
légations, les missions médicales, culturelles, archéologiques, économiques, techniques, dont les personnels s'entre-déchiraient, s'assassinaient à l'occasion
tout en se recevant affectueusement du lundi matin
au dimanche soir... L'ambassadeur des Etats-Unis, à
qui Bill Budweiser avait raconté que nous étions
mariés, donna une réception en notre honneur,
comme le ministre de France soucieux de n'être pas
en reste. L'Anglais suivit, et le Soviétique fit couler
des flots de vodka pour nous honorer dignement.
Pyladov était là, l'œil de Moscou à Delhi, comme par
hasard à Kaboul. Il me serra dans ses bras comme
un frère, le salaud et il se fit présenter à Shirley, à
laquelle il fit mon éloge en roulant les r... Etait-il
au courant de l'affaire de Jellalabad? En tout cas
il savait que nous avions eu des ennuis mécaniques en
route, et il nous congratula.

Le même soir, à la légation de France où nous
étions logés comme des rois, Bill Budweiser nous fit
ses adieux. Il retournait vers la frontière soviétique,
son terrain de chasse, du côté du Tibet et de la Chine.
Il nous dit les instructions qu'il avait trouvées en
arrivant à Kaboul et il amusa prodigieusement Shirley (et moi aussi) en mimant le missionnaire baptiste
ethnologue dont il avait choisi le personnage pour
aller traîner l'oreille dans l'Hindoukouch, le Pamir
et le désert de Gobi... Ses adieux et aussi quelques
recommandations quand, après s'être arrangé pour
être seul avec moi un moment, il revint en grand
frère sur cela même que je ressassais depuis la prise
de conscience de Jellalabad... A savoir que je n'étais
pas fait pour une action en laquelle je ne croyais
pas au fond, et qu'en vérité entraîner une femme

comme Shirley dans une entreprise sans la foi était
une légèreté pardonnable en temps de guerre, mais
inadmissible dans un moment du monde où le champ
était ouvert à de plus belles et plus nobles aventures.

Quand nous fûmes seuls, Shirley, pour la dernière
fois, sortit une lampe et une pipe de la cantine où
elles voyageaient, avec les aiguilles et les godets de
chandoo, le fourneau du Yunnan et le flacon d'huile
d'amandes douces-amères. Nous avons fumé un peu,
tous les deux, fumoté plutôt, en ultime bravade à
la drogue, pour bien nous pénétrer et nous convaincre
que ni le goût ni l'esprit n'étaient plus désormais entre
nous deux et elle seule. Que le Génie de la lampe
était mort, et bien mort, du coup de pistolet tiré
d'un citronnier par le destin dans l'oasis de Jellalabad.

Nous avons parlé d'Albert, qui devait se ronger,
anxieux comme il est, tout seul et probablement sans
nouvelles de moi. Shirley demanda quelle était cette
Vivian, la femme rencontrée par hasard qui l'avait
menée près de lui... Si dans la vie du Maître de
l'Opium elle jouait ou non le rôle de la *sakti*, l'énergie
créatrice toujours féminine qui anime les dieux mâles
hindous. Je n'en savais rien, je connaissais à peine
Vivian, mais au moment de la question, je rêvais
de Sushila et j'eus, quand parla Shirley, la vision
d'elle, maigre et brune en sari bleu et or, comme
du seul être au monde digne de tenter la rédemption
d'Albert.

Huit, dix jours plus tard nous sommes partis tous
les deux vers Balkh, Bamyan, Bandi Amir et Mazar-
i-Sharif où je devais être vu. La décision était certes
prise de renoncer au jeu, mais la mission n'était
pas terminée et il fallait aller jusqu'au bout, puisqu'elle était commencée. C'était la dernière...

Je suppliai Shirley de rester à Kaboul, chez ses amis

de l'ambassade américaine, ou bien de rejoindre
Delhi et de m'attendre auprès d'Albert. Elle fut
inflexible, j'en fus heureux, et nous prîmes ensemble
la route du Nord.

TROISIÈME PARTIE

VAUTOURS ET SERPENTS

Au 19, Prithviraj Road, les chacals gambadaient toujours à la nuit tombée sur la pelouse reverdie par la mousson enfin installée, quatre semaines avant le point final et solennel du chapitre britannique de l'Inde éternelle... Albert comme tout le monde, comme les Anglais, comme les Hindous, comme les Musulmans, comme Mountbatten là-haut à Viceroy's House, comme Nehru déjà campé en conquérant dans l'ancienne résidence du général en chef, comme les diplomates et les voyageurs de commerce des cinq continents accourus pour la curée, Albert comptait à rebours les heures d'avant la fin de l'Empire dont le jour J avait été fixé au 15 août. Et Albert broyait du noir.

Pas à cause de l'Empire et de sa chute... Il en avait vu d'autres et de plus graves, et de plus directes, depuis qu'un monde s'était écroulé, quand la voix tremblotante du vieux Pétain avait demandé l'armistice à la radio entre deux enregistrements du *Chant du départ* enroués comme le cocorico final d'Emil Jannings dans *l'Ange bleu*. Il était entre Orléans et Saumur, ce jour-là, 17 juin 1940, et il se battait, les yeux pleins des larmes de la conscience d'un monde perdu. Les fils sincères des vainqueurs de la Grande

Guerre passés par l'humiliation de 1940 se foutaient
bien de la chute de l'Empire britannique des Indes...
encore plus si c'est possible que de celle de l'Empire
romain d'Orient, en 1453. Les fils des vainqueurs de
1914-1918 devenus les vaincus de 1940, jamais réhabi-
lités, malgré de Gaulle, malgré de Lattre, malgré Juin
et malgré Leclerc, sont restés blindés aux catastrophes des autres. Les malheurs des peuples, blancs,
jaunes, noirs ou rouges, leur restent extérieurs, même
quand ils ont pitié! Vérifiez...

Albert broyait du noir parce qu'il était seul et se
sentait abandonné depuis le départ de Frédéric pour
le Nord, deux grands mois plus tôt. La dispersion du
groupe s'était faite en peu de jours, comme si le
départ de Frédéric avait produit un effet dissolvant.
Sushila avait quitté Delhi la première, sous le prétexte de sa mère mourant d'un cancer au doux pays
du Kérala. Malgré sa révolte, malgré l'anathème dont
sa famille l'avait frappée, malgré l'interdit solennel
prononcé contre elle, à la vieille mode, en conseil, par
le chef de la caste, elle était retournée près des siens
au bord de la mer, sous les palmes bruissantes de la
côte de Malabar... Elle avait refusé les cérémonies
de purification, sa mère avait pardonné. A Albert
elle écrivait des lettres qui n'arrïvaient jamais,
comme celle-ci :

    « Cher, détestable, adorable Albert,
  Tu es un monstre et un dieu, comme le soleil qui
dévore et illumine ceux qui l'adorent, et je suis heu-
reuse loin de toi parce qu'enfin je peux t'admirer
sans être aveuglée... Albert, pourquoi faut-il que tu
me détruises en faisant de moi, toi? Echapper à son
Moi, l'épreuve est trop forte à qui sort de générations
infinies de brahmines... Ma mère est morte après une
agonie douce, aux drogues mais lente, lente, lente...

Consciente, heureuse du retour de son esprit à l'Ame universelle. Sans angoisse, sans crainte de renaître ortie ou crapaud. Ici les remous de l'Inde qui craque arrivent étouffés... Nous ne savons rien ou presque, par les rumeurs, par les gens qui viennent de Bombay pour un refuge. Je vis avec ma sœur dans une hutte de palmes de cocotier... Je pense, bientôt, quand le temps du deuil sera épuisé, m'installer chez une tante dans les Etats du Dekkan...

J'ai des affaires à traiter tous les jours. Malgré mon exclusion de la caste, les pauvres gens viennent me voir et me consulter sur toutes sortes de choses. Ils ont besoin de moi. Je suis donc utile... Pourtant les anciens me regardent avec méfiance. Les femmes me consultent, quelquefois avec leurs maris... Leur grande préoccupation est de savoir comment s'y prendre pour n'avoir pas trop d'enfants. Aussi celle de savoir quel dieu prier. Pour eux, je suis la science, car je détiens la sagesse des brahmines et j'ai appris la sorcellerie des sahibs. L'autre jour, cela t'amusera et flattera ton orgueil national affreux, ils m'ont amené un missionnaire catholique, un nouveau venu, qui bredouillait le patois d'ici mais dont le pandit instruit ne comprenait pas l'anglais... J'ai parlé français au jeune père belge surpris et charmé... Les gens du village étaient stupéfaits, ils croyaient qu'il n'y avait qu'une langue au monde pour les sahibs! Je me nourris de fruits et de riz... Je bois l'eau des noix de coco et surtout du thé, maintenant ma seule drogue. Je suis bien. Jamais nième. Jamais anxieuse. Sauf hier soir à passer près d'une cabane où l'on devait fumer du chandoo. J'ai senti comme une nausée, et la nuit d'après j'ai eu des cauchemars, sur la natte, près de ma sœur. J'ai rêvé que j'étais arbre. Pas un palmier, un vrai arbre, comme en Europe... Un chêne, un cèdre, quelque chose comme cela. La brise me berçait et j'étais bien. Puis tu es sorti du fond de la mer de l'Ouest, grand, fort, mince, beau comme tu es... Tes yeux bleus lançaient des éclairs et je t'admirais. Mais le pauvre arbre — moi — était secoué par une tempête de plus en plus furieuse à mesure que tu approchais et les racines craquaient, toutes les racines, et quand tu fus près de m'étreindre, d'étreindre mon tronc, l'arbre — moi — s'est arraché du sol, l'arbre — moi — est tombé dans tes bras et j'étais rassurée, j'étais heureuse. Le vent dehors m'a réveillée tout à fait et tu n'étais pas là et je n'étais plus arbre.

J'ai secoué ma sœur et nous avons couru toutes les deux nous baigner dans la mer au soleil qui se levait tout rouge, comme Suryah, le dieu, comme toi... La mer était plate sous le vent levant, bleu et or, et elle m'habillait aux couleurs que tu aimes. Puis nous sommes allées au pèlerinage d'un petit temple de Shiva, avec d'autres femmes, des campagnardes qui enguirlandaient de fleurs un lingam beurré de ghee, tout noir de prières et de baisers... Nous avons fait comme elles, mon cher Shiva dévorant et ressuscitant... J'étais noyée de bonheur de ta visite en rêve, parce que tu me manques horriblement.

Pourtant je suis heureuse d'être loin de toi, d'être sans toi pour me détruire.

Quel bonheur de voir passer les nuages, d'entendre gronder les orages, de te voir en songe, de te prier comme Dieu, mais d'être loin de ton feu... »

Jerry, lui, avait décampé en quelques heures, expédié à Calcutta par le Service, d'où il avait suivi une piste en Birmanie où les choses craquaient aussi. Janine, après peu de jours, était partie le rejoindre, car elle avait peur à Delhi. Elle avait peur de Dinah Leopardi, ivre de vengeance après avoir été démas-

quée, ridiculisée d'une manière si publique, si éclatante, qu'elle rendait vaines les années et les efforts
perdus à jouer les Anglo-Indiennes... Ses collègues des
services secrets soviétiques l'avaient blâmée en rica-
nant si bien qu'avant d'aller se faire pendre ailleurs,
elle avait apparemment disparu de la circulation.

Pourtant Janine l'avait reconnue à deux reprises,
en costume hindou, à demi voilée... Une première
fois, alors qu'elle sortait de la maison d'un astro-
logue, dans la vieille ville, au fond d'une traverse
bourrée de monde, quand elle avait échappé de justesse à deux individus qui l'avaient coincée dans la
foule et tenté de la poignarder. Elle s'était débattue, la
lame avait dévié sur le cuir de son sac à main et elle
avait hurlé si fort que les meurtriers s'étaient enfuis
pour disparaître dans la confusion... Il lui était resté,
en plus de l'émotion, une estafilade au bras, sans danger, mais qui avait beaucoup saigné. Une autre fois,
passant de nuit en tonga à York Road, en route vers
le bungalow de Prithviraj, c'est une rafale de mitrail-
lette tirée d'une autre tonga lancée au galop qui avait
failli la descendre... Le cheval de sa voiture avait été
blessé aux oreilles et à l'encolure et la capote percée
en trois points au-dessus de sa tête à elle. Le cocher
musulman accusait les Hindous et il avait vu, comme
Janine, une femme assez grande en sari vert et rouge
agenouillée face à l'arrière sur la banquette avant de
la tonga au galop qui les avait dépassés... Du pan de
tissu rabattu sur l'épaule pointait le museau noir
qui avait craché la rafale.

L'époque était telle que les deux incidents n'avaient
rien d'extraordinaire en eux-mêmes... Sauf que si les
Hindous, les Sikhs et les Musulmans s'assassinaient
entre eux, les agressions contre les Occidentaux, tous
présumés britanniques, étaient très rares, exception-
nelles, surtout contre les Occidentales, et les méprises

étaient difficile à croire en raison de la différence des costumes.

Auprès d'Albert étaient seules restées les dernières recrues du « bataillon sacré », Vivian et Philippe. Les visiteurs, diplomates et voyageurs de commerce supérieurs, ne venaient guère au bungalow. Les événements dramatiques dont l'Indépendance par la partition s'entourait les retenaient chez eux le soir. Albert, à l'abri du besoin depuis le grand coup de poker, décourageait les visiteurs et les visiteuses, s'enfonçait tous les jours un peu plus dans la solitude des idées noires. Vivian vivait désormais tout à fait près de lui, consciente du besoin qu'il avait d'elle. Avait-elle l'espoir de le sauver, de le tirer du gouffre de mélancolie dans lequel il sombrait?

Il ne sortait pratiquement plus hors de chez lui. En revanche, le jeune Philippe était sur une bonne voie. Pas guéri, loin de là, mais avec l'espoir de l'être un jour car il avait enfin trouvé dans la vie un centre d'intérêt, un point de responsabilité. L'attaché commercial français l'avait appuyé, et c'était l'ancien enfant-résistant-déporté qui tenait le bureau plutôt vague d'import-export, couverture aux activités dites à tort parallèles de Frédéric. Il avait aussi rencontré une Finlandaise de son âge, grande fille blonde et décidée, « demoiselle » des enfants du ministre de Suisse, aussi avide de sauver les autres que pouvait l'être Vivian; et Vivian lui avait confié Philippe. Tenue par ses tâches d'aide familiale, Inga Alström (elle était d'origine suédoise) sortait rarement le soir. En revanche, tôt levée, elle était férue d'équitation, elle poussait Philippe à monter avec elle, dès l'aurore, les chevaux de Frédéric. Si bien que, pour être en forme le matin de bonne heure et travailler dans la journée, ou du moins rester éveillé, Philippe avait réduit ses doses... Il avait presque abandonné l'héroïne, difficile à trouver, et l'opium lui suffisait, modérément, avec un peu de cocaïne à renifler le matin pour se mettre en train. Sa mine avait changé depuis qu'il n'abusait plus, si bien qu'avec le grand air et la jeunesse, il était physiquement méconnaissable à qui l'avait vu arriver de Madras deux mois plus tôt. Le jour où, sur le conseil d'Albert, il prit de la benzédrine (les pharmacies étaient pleines d'anciens stocks de cette drogue militaire) au lieu de cocaïne, il comprit qu'il n'était pas perdu...

Enfin, comme pour compléter la solitude d'Albert, Rama, le domestique fidèle, était loin, lui aussi. Parti dans son village, en pleine jungle entre Bharatpur et Jaipur, visiter sa famille et régler des problèmes. La valetaille d'avant la ruine était revenue une fois connue dans le quartier la nouvelle fortune du sahib. Revenue la valetaille, mais nerveuse. Surtout les anciens serviteurs musulmans.

On assassinait partout. Même à la Nouvelle-Delhi, ainsi que l'attentat contre Janine l'avait montré. Mais dans la vieille ville, aux confins de la nouvelle, dans les zones pas très définies et très mal éclairées, ou pas du tout, près des *ghats* où l'on brûle les Hindous morts, le long des rives sablonneuses de la Jumna où l'on équarrit les vaches et les chevaux crevés, vers les cimetières où on enterre les mahométans, les assassinats se comptaient par dizaines et par vingtaines, la nuit et aussi le jour. Contre les remparts, dans cette plaine qui s'appelait Ram Lilah, où les hommes politiques, Nehru, Patel et les autres, rassemblaient des meetings d'un demi-million, dans la grande rue commerçante de Chandni Chawk, sur la place derrière la mosquée géante Jumna Masjid, les poignardages étaient fréquents, et pas seulement entre gens de religions différentes... On se débarrassait de ses ennemis, de ses créanciers, de ses parents trop vieux, de son

mari, de sa femme, de ses rivaux, de ses enfants... La
loi et l'ordre étaient foulés aux pieds, comme toujours
quand l'impunité est acquise... Mais tout cela n'était
rien à côté de ce qui allait bientôt venir, avec les
nouvelles terrifiantes, propagées de bouche à oreille,
des villes toutes proches du Punjab et là-bas, vers
l'Est, du lointain Bengale... Tous les jours des réfugiés
arrivaient par dizaines de milliers, avec des histoires
à faire frémir, avec des épidémies et des haines. Ils
racontaient que les Musulmans du tronçon de Punjab
dévolu au Pakistan, selon une logique moyenâgeuse
(qui ne les choquait pas du tout) massacraient ceux
qui, Hindous et Sikhs, n'avaient plus rien à faire là où
ils étaient devenus des étrangers.

Les plus visés étaient évidemment les riches, ou
les riches relatifs, les prêteurs petits et gros... Depuis
plus d'un siècle, la *Pax Britannica* avait bouleversé
l'ordre ancien en empêchant les massacres périodi-
ques à l'occasion desquels s'apuraient les comptes
par l'assassinat des riches par les pauvres... L'ordre
britannique partant, les anciens temps revenaient
et les usuriers payaient enfin pour eux-mêmes, leurs
pères et leurs grands-pères. Quelle occasion aussi
de se faire la main, d'apprendre sans danger que la
vie humaine est facile à supprimer, que le meurtre
est agréable à qui ne risque rien... On comprend
l'ampleur des égorgements quand la majorité désormais chez elle fut sûre de l'impunité.

Lorsqu'au Punjab le sauve-qui-peut fut devenu général, Delhi, Nouvelle comme Ancienne, fut envahie
par les réfugiés, Hindous et Sikhs, minorités persé-
cutées brusquement promues majorité persécutante.
Alors, un beau jour, pendant qu'on éteignait les lam-
pions des fêtes de l'Indépendance, que la foule défilait
encore pour voir flotter le drapeau tout neuf (vert
blanc safran avec la roue du destin au milieu du

blanc) hissé par le pandit Nehru sur la porte à bre-
tesses du Fort-Rouge, ce fut le grand massacre, la
Saint-Barthélemy des deux cent mille Musulmans de
toutes les Delhis. Avec la complicité des autorités nouvelles, tandis que les Britanniques restaient à compter
les morts !

Les troupes de Sa Majesté consignées, pour éviter
les incidents, la police se débandait et ses membres
s'entr'égorgeaient, parce que l'ancien maître avait
pris soin depuis longtemps d'amalgamer dans les
forces de l'ordre les trois communautés principales
afin d'annuler leurs énergies particulières... Le résultat de la dissociation était étonnant.

Lorsque les remous commencèrent d'atteindre le
quartier paisible du bout de Prithviraj Road, Albert
et Vivian chargèrent de bagages et de provisions la
grande Buick noire, sans oublier les ustensiles de la
drogue, firent le plein d'essence, emportant quelques
jerricans remplis au marché noir, et prirent la route
d'Agra où l'on commençait déjà aussi à massacrer.
Ils poussèrent vers l'ouest, sur une idée de Vivian,
par Fatehpur Sikri et Bharatpur, se souvenant du
nom du « Gaon », le village de la famille de Rama,
où celui-ci devait encore se trouver.

Par un très mauvais chemin où la voiture souffrit
beaucoup, ils atteignirent, aux abords du village de
Rama, un *Dak Bungalow* dont le secrétaire du maharajah de Bharatpur leur avait autorisé l'habitat.
C'était une maison très simple, en briques crues, les
murs sommairement enduits de chaux, bien située
au bord d'une clairière assez vaste, pas très loin d'une
rivière au courant rapide, d'eau très claire. Les chau-
mines, un peu plus loin, des gardiens d'un troupeau
de buffles d'eau.

Une partie de la population de l'agglomération vivait en plein air, à ciel ouvert, car c'était une commu-

nauté de charmeurs et d'éleveurs de serpents à qui ses lois tribales interdisent de dormir autrement qu'à la belle étoile. La famille de Rama élevait des buffles, mais Rama, enchanté que son maître ait choisi le coin perdu auquel il était attaché, l'introduisit auprès des hommes du serpent.

Ceux-ci vivaient des reptiles comme d'autres des moutons ou des oies ou des chevaux de course. Ils les accouplaient, aidaient la ponte, nourrissaient les femelles, soignaient les petits et les dressaient, avant de les confier à ceux des leurs qui parcourent les foires et les marchés pour amuser les badauds en faisant danser les cobras au son de la flûte. Ils vendaient les plus beaux produits aux temples, ces merveilleux najas lovés dans les arbres creux aux croisées des chemins, ou dans les niches de pierre comme des saints agenouillés... tous ces serpents sacrés qu'on trouve dans la campagne indienne auxquels on vient faire *puja,* offrande de lait sucré, de petites galettes de miel, de fleurs des champs et d'un peu d'huile dans des lampes d'argile... Ces merveilleux najas qui se dandinent en gonflant de vanité divine la voilure de leur col, tout blancs quand ils deviennent vieux, qui savent siffler pour effrayer les meurt-de-faim tentés par le contenu des petits bols. Dressés aussi, quelques-uns, à bondir au commandement, projetés par le fouet formidable de leur queue à la poitrine de l'homme désigné, et crocheter leurs canines pleines de venin mortel, pour tuer, de faux accidents... Ces najas tueurs à gages qui peuvent valoir des fortunes, mais qu'il n'est pas prudent d'employer sans leur maître.

Albert reprenait du goût à la vie dans la nature, la large véranda du bungalow ouverte presque de plain-pied sur une pelouse où toutes les bêtes du monde venaient à la nuit, attirées par la douce lumière de la petite lampe, la seule qui brillait, au ras

du sol, dans cet îlot humain désincarné en pleine
jungle boisée... Il n'y avait pas seulement des serpents, mais des animaux de toutes sortes, des singes,
des vrais, pas les affreux rhésus verts, mais des langoors vêtus de gris, au visage noir à barbe blanche
en collier, des antilopes, des gazelles de toutes les
familles qui venaient prendre le sel dans la main sur
les marches du bungalow mais qui restaient invisi-
bles les soirs où l'on entendait les feulements du tigre
ou les grognements miaulés des léopards qui pros-
péraient depuis la fin des sahibs et celle des grandes
chasses. Les chacals étaient là toutes les nuits, après
le coucher des gazelles et des antilopes, et Albert pensait à Frédéric là-haut dans le Nord, chacal de la
chasse, dont il n'avait aucune nouvelle depuis un mot
assez bref reçu de Kaboul (avec plus d'un mois de
retard), qui ne disait pas grand-chose mais dont il
sentit, avec cette espèce d'intuition développée par
la fumée noire qu'il voulait dire qu'il était très loin
de lui. Amoureux, pensa-t-il.

Et toi, Albert, es-tu amoureux? Cette Vivian qui
t'apporte tant... qui donne sans cesse tout de son
cœur et de son âme, qu'est-elle pour toi? Tu penses
à Sushila... Pourquoi ne revient-elle pas? Sa mère
doit être morte maintenant... Albert se faisait le cœur
sec, se voulait cynique, mais il avait pris l'habitude
et Vivian lui manquait quand elle s'absentait. Il
ressentait cela comme une faiblesse et il s'en voulait
d'être dépendant, lui dont naguère la solitude était
superbe avec pour seul dieu, l'opium. Il n'aimait pas
se poser à lui-même des questions propres à troubler
la sérénité de la fumée, et sa politique (dont il se
reprochait durement la lâcheté) était de s'écarter, de
s'éloigner, de fuir... sous prétexte de rechercher son
Moi.

Ce qu'il appelait naguère, concernant les autres,

« l'autrucherie », avec horreur et mépris... Et la cruelle lucidité de l'opium lui montrait qu'il s'enfonçait dans le refus du monde extérieur par le refuge dans la drogue, avec cette anomalie, qui ne manquait pas de le frapper, du besoin d'être entouré, de faire des adeptes, qui était peut-être la nécessité sécurisante de n'être pas seul à descendre aux enfers ou à monter au ciel. Car sa vie devenait une alternance de sommets et de dépressions. Avec les dépressions de plus en plus nombreuses et les sommets de plus en plus rares.

Ainsi, au moment où se jouait dans l'Inde un drame à l'échelle du monde, dont les acteurs se nommaient Gandhi, Nehru, Mountbatten, Jinnah, l'Empire, la non-violence, l'Islam... La fin d'une ère, enfin visible, il passait ses jours et ses nuits au fond d'une jungle à fumer pipe après pipe et à se prétendre à soi-même qu'il se foutait de tout, sauf de son Moi...

Vivian ne comprenait pas bien les angoisses d'Albert, elle était marquée par des années d'hindouisme, le détachement du monde extérieur professé par le nouvel ermite passait dans son esprit pour un accomplissement spirituel, pour une étape vers la finalité de la philosophie... Lui Albert, en revanche, savait trop bien que ce n'était pas la volonté et la force de la pensée qui le conduisaient à la Liberté... C'était en vaincu de la drogue qu'il parvenait au détachement, pas en glorieux conquérant du Moi. Paradoxe, c'était la drogue qui l'avait éveillé au monde, et c'était elle maintenant qui le retirait du monde! Ainsi consciemment, il vivait une libération dont il ne pouvait se libérer!

Vivian était allée aux nouvelles à Delhi pour quelques jours et Albert s'inquiétait en l'attendant. Une nouvelle forme d'angoisse lui serrait le cœur, lui étreignait la poitrine et des images aussi fortes que des

hallucinations lui montraient cette femme, dont
l'image ne le quittait plus quand elle était loin, en
morte toute blanche au fond d'un cercueil, puis en
vampire géant l'endormant de grandes ailes sombres
comme du crêpe de deuil, puis en corbillard tiré par
un attelage à quatre chevaux noirs et caparaçon em-
panaché d'autruche... Et des escaliers où la foule
priait, hommes, femmes, couverts de voiles funèbres,
et c'était lui qui était mort, mais mort conscient, mort
lucide... Heureux soudain de voir au fronton du cata-
falque les armoiries de sa famille, les siennes à lui,
car des siens il était chef de nom et d'armes, correctement peintes, couronnées et lambrequinées...
D'argent aux trois pointes accostées d'azur, à la
champagne de gueules... Et c'était au tombeau qu'on
le descendait maintenant... Un puits sur un plateau
au bord d'une falaise de craie blanche avec des
traînées d'herbe caillouteuse où paissaient des moutons sales... Une odeur abominable de charogne en
putréfaction et la Voix qui disait : On a ouvert le
tombeau des Berghaus, sous l'écu d'argent aux trois
pointes accostées d'azur à la champagne de gueules,
et c'est la puanteur de la mort qui monte jusqu'à toi,
Albert, la puanteur de ton grand-père et celle de
ta grand-mère, celle de ton père, celle de ta mère...
tu vas les retrouver, tes parents, pourris, liquéfiés.
Et Vivian lui épongeait le front et lui disait de se
calmer, et Vivian était morte et elle était vivante et
elle n'était pas là... Il savait bien qu'elle n'était pas
là, qu'elle était partie pour Delhi, et la main tremblante il buvait une tasse de thé, fumait une cigarette et roulait une boulette, pour conjurer l'angoisse.
    Une boulette, deux boulettes... Je serais sauvé si
Vivian était auprès de moi. Elle parlerait. Elle tien-
drait ma main. Je regarderais ses cheveux d'or et
de flamme, je fumerais encore et encore et je serais

roi, sur un nuage d'argent dans un ciel de beau temps.

Mais il était seul, et il se renversait sur l'oreiller chinois de cuir dur et la vision de mort revenait.

Cette fois il était au fin fond d'une mine, au bas vertigineux d'une galerie verticale toute noire, levant les yeux vers une étoile blanche minuscule et lointaine qui était le jour. Alors il revivait son angoisse d'enfant endormi sur un livre rouge et or de contes scandinaves sinistres, et il étouffait en resubissant dix fois plus fort ses cauchemars de petit garçon...

Rama le tira de l'angoisse, quelqu'un demandait à lui parler. Un aide de camp du maharajah pour l'inviter à dîner le lendemain... J'irai... Je dois en sortir. Je suis au fond du trou. Et il retomba dans l'hallucination, sans avoir refumé.

Ce fut moins lugubre... Il était en turban, descendu par des cordes et des poulies au fond d'un gouffre, assis dans un cercueil à côté cette fois de Sushila en sari couchée morte dans un autre cercueil... C'était la mémoire d'un autre livre d'enfant qui racontait en images les aventures de Sindbad le Marin. La puanteur affreuse montait à mesure que la palanquée approchait du sol couvert de morts, jonché d'ossements, mais Albert savait que cette fois il serait sauvé par une bête sortie de la mer qu'il suivrait vers la lumière... Et il savait que la bête qui viendrait le chercher était un beau chacal doré au poil mêlé de gris.

Vivian revint après quelques jours, et elle n'était pas seule, Philippe l'avait accompagnée pour se changer les idées après l'horreur qu'il venait de vivre à Delhi, qu'il raconta par bribes, presque sans fumer. Il avait abandonné Prithviraj pour camper dans le bureau de faux import-export afin d'être plus près des événements dont il avait à rendre compte. Le bureau situé au deuxième étage d'un immeuble peint en ocre, sur une des voies rayonnant de Connaught Place, vers le cirque extérieur, en plein centre commercial, naguère assez propre, presque luxueux pour l'Inde crasseuse, avec les magasins britanniques fournisseurs de toutes les Excellences... Les tailleurs, les bottiers, les selliers, les libraires, les joailliers, les pharmacies anglaises, les deux banques — Lloyd's et Grindley's — les marchands d'automobiles, le Grec spécialiste en bons cigares, enfin tout ce qui touchait à la vie des anciens sahibs. Depuis les événements, le Circus s'était couvert d'échoppes plus ou moins minables où des réfugiés du Punjab s'efforçaient de survivre en fourguant n'importe quoi, bretelles, préservatifs, cigarettes américaines jaunies en cartouches déteintes par plusieurs moussons, livres obscènes et adresses de bordels... Quelques-uns volaient les enfants, d'autres faisaient leur cuisine, enfumant les galeries de la fausse rue de Rivoli, souillant de graisse le carrelage haché de grandes giclées de salive rouge de bétel, car depuis le *Quit India,* si l'on crachait par terre autant qu'avant, il n'y avait personne pour nettoyer.

Un matin, raconta Philippe, le planton du bureau l'éveilla vers six heures avec la tasse de thé rituelle et les petits biscuits, affolé, désemparé, parce qu'il venait d'entendre dire que plusieurs de ses coreligionnaires avaient été massacrés en se rendant à la gare pour fuir vers la terre promise du Pakistan né depuis quinze jours... Il faut dire que ce planton, Muhamad Ghaffar Khan, était musulman d'un district de la Province frontière du Nord-Ouest, et portait en sa qualité de Pathan, en guise de couvre-chef, un cône de paille enturbanné de mousseline blanche et bleue. En bon Pathan aussi, il était de haute taille, les yeux brun-gris, et sa figure était barrée d'une énorme moustache. Autrement dit, il était voyant

dans une ville et à une époque où il était crime de
n'être pas hindou.

Philippe avait décidé de se rendre à la gare pour
voir ce qu'il en était au juste et il avait ordonné au
Pathan de s'enfermer à double tour dans le bureau
où la secrétaire et les deux autres employés n'avaient
pas mis les pieds depuis deux jours. Il restait de l'eau
potable, pas très fraîche, dans un jerrican (l'eau de
la ville coupée) et une boîte de biscottes ramollies
par le temps humide. Le placard était fermé à clef,
avec une petite provision de gin et de whisky, den-
rées qu'il vaut mieux, dans un bureau, ne pas laisser
traîner à la tentation des employés, même quand ils
sont de stricte obédience mahométane.

Au moment où Philippe allait quitter son planton,
un peu avant sept heures du matin — il faisait très
chaud et la pluie n'était pas tombée depuis plusieurs
jours — quelqu'un cogna comme un fou à la porte.
C'était un autre Pathan, Mussafar Khan, au service
du voisin Chowdury, marchand de chaussures, musulman lui aussi, originaire du Bengale, qui habitait
avec sa famille à l'étage au-dessous.

— Fermez vite, hurlait Mussafar. ILS sont dans
l'escalier... Ils viennent de tuer toute la famille Chowdury, les parents et les trois enfants. Chowdury Sahib
est dans l'escalier, Chowdury Begum et les trois
enfants sont sur le toit. Moi, je me suis caché derrière
la grande cheminée, ILS ne m'ont pas vu... Je suis
descendu derrière eux. J'ai peur, sauvez-moi, cachez-
moi.

— Qui a tué les Chowdury?

— Vous les connaissez... Frédéric Sahib les connaissait très bien, ce sont des garçons du quartier. L'un
travaille au garage où l'on s'occupe de la voiture du
bureau... L'autre est le fils du vieux Sikh qui travaillait trois jours par semaine chez les Chowdury

pour coudre les robes et les culottes des enfants...
A ce point, Philippe demanda une pipe à Albert.
Sa voix s'étranglait et Vivian, qui avait déjà entendu
l'histoire dans la voiture tout au long de la mauvaise
route, lui fit boire une tasse de thé.

Philippe avait descendu l'escalier en voltige, comme
d'habitude, mais en sautant trois ou quatre marches
pour ne pas tomber les pieds joints sur le cadavre
étalé en travers du demi-palier entre le second étage
et le premier... Il avait glissé dans le sang frais. Celui
de Chowdury qu'on venait d'égorger, ainsi que Mussafar l'avait raconté. Il était encore chaud, le cadavre,
les yeux, exorbités par la terreur, grands ouverts.
Philippe avait essayé de les fermer : l'un s'était trouvé
clos du premier coup, l'autre se rouvrait sans cesse
pour jeter un regard de reproche : Pourquoi nous
avez-vous abandonnés...

— Encore une grosse pipe, disait Philippe à Albert.
Toute cette horreur fait remonter en moi celles de
Bergen-Belsen... Je croyais que tout ça était fini, et
pour toujours. Qu'il n'y avait que les nazis pour tuer,
tuer, tuer... Et je me traîne avec Vivian dans les
ashrams et je vois des swamis, et des gurus, et des
« mères », des saints hommes et des saintes femmes
qui prêchent la non-violence et la douceur, mais qui
devant tous ces meurtres ferment les yeux, tournent
la tête et au fond d'eux-mêmes approuvent. Comment, devant cette hypocrisie, peut-on croire à autre
chose qu'en la défonce et l'anéantissement?

Et le pauvre garçon pleurait de grosses larmes.
Vivian le poussait :

— Tu dois te libérer, raconte, Philippe, soulage-
toi... Souviens-toi du jour où tu m'as raconté le drame
de tes deux camarades de camp de concentration
assommés et accrochés par la gorge tout vivants aux
crocs du boucher devant les autres déportés au garde-

à-vous... Tu n'en rêves plus jamais, maintenant, n'est-ce pas?

Et Philippe d'une voix blanche, comme s'il récitait dans un état second :

— Sur le dernier palier, au bas de l'escalier, deux jambes d'enfant brun clair sortaient toutes droites d'un tas de chiffons rouges et verts... C'était le corps de Leila, la fille du docteur Abdul Azad qui soignait l'immeuble et les pauvres pour rien. Et puis... J'ai pris la voiture de service, la vieille petite Austin bleu foncé dont Frédéric ne se sert pas parce qu'il la trouve trop moche pour lui. J'ai sauté dedans pour aller à la gare... Les rues étaient vides, sauf des morts, par-ci, par-là... J'allais vite, et en silence, et c'était étrange. Parce qu'en temps normal, tu sais bien, la route circulaire, Delhi Gate, Faaiz Bazaar, Elgin Road, sont noires de monde et l'on n'y roule, en voiture, qu'avec l'avertisseur coincé. J'atteignis Chandni Chawk, qui était déserte, complètement déserte, si tu peux imaginer. Sauf pour quelques vaches sacrées, grises et rousses, échappées des deux temples, qui meuglaient devant les volets à cadenas des marchands de légumes et de fruits. Pas d'autre bruit. Des corbeaux en train de becqueter quelque chose d'informe au pied de la statue de la reine Victoria et des chiens silencieux attablés avec des chacals... Tu te rends compte, des chacals en ville, en plein jour? Au fond l'horloge, comme d'habitude. Pas un humain vivant, sauf une paire de policiers en kaki, honteux comme des pillards.

« Puis je suis allé à la gare. Tu la connais, cette gare, Delhi Junction, toujours pleine de dormeurs, une vraie cité du refuge pour tous les sexes, avec les bicyclettes accrochées par des ficelles aux poignets des abrutis de chaleur... Cette fois, quelque chose me frappa, dès l'entrée, côté départ : les abords étaient nets de dormeurs et presque propres, sauf pour trois grands chariots de fer à mettre les malles, les cantines et les matelas roulés. Sais-tu ce qu'il y avait, sur les chariots en fer ? Des morts. Oui, des morts rangés tête-bêche, raide comme ceux des camps nazis, même plutôt plus maigres. Ils étaient si bien rangés qu'on devinait une tête anglo-saxonne derrière tant d'ordre... Personne en Inde n'aurait l'idée de ranger les morts...

« Sur les corps, quelqu'un avait jeté des brassées de kas-kas, l'herbe aromatique qui chasse les mouches des appartements. Je regardais les visages, au cas où j'aurais reconnu quelqu'un : Ghaffar était inquiet pour son jeune frère. Il y avait des hommes et des femmes, surtout des hommes, douze ou quinze par chariot, quarante en tout, ou à peu près. Je remarquai un vieux squelettique dont le tarbouche gris rouge était resté enfoncé sur la tête. Il était raide comme un bâton au milieu de la pile, mais il était très long, sa tête dépassait, renversée en arrière, et sa barbiche pointait vers le ciel. J'entrai à l'intérieur de la gare, pour tomber sur une Américaine que j'ai vue chez toi... Une grande, brune, hommasse, qui travaillait pour les quakers...

— Peggy ?

— Oui, Peggy Winter qui dit en me voyant, en voyant un Blanc : « Il faut faire quelque chose... Nous devons faire quelque chose... Mais quoi ? » C'est elle qui depuis la veille au soir avait entrepris avec l'aide d'un sous-chef de gare à casquette, Anglo-Indien minuscule et rondouillard qu'elle subjuguait, de faire ranger les morts sur les chariots... Au fur et à mesure qu'elle les triait d'avec les vivants dans les salles d'attente, sous les bancs du quai et le long de la voie ferrée. Elle était exténuée, cette gaillarde, tremblante d'émotion et de fatigue, au bord des larmes. Pourtant, ce n'est pas le genre de femme à pleurnicher dans un mouchoir...

Elle avait raconté à Philippe une histoire assez embrouillée, celle d'un gang de jeunes Sikhs réfugiés de Lahore, qui faisait régner dans toute la gare une terreur meurtrière : « Il paraît qu'ils ont massacré tout un train de réfugiés en partance pour le Pakistan... Là-bas, au bout du quai n° 1. »

Ils ont couru, Philippe et Peggy, Peggy qui insulte si fort le sous-chef de gare à casquette qu'il n'ose pas rester en arrière.

— Nous courons sur le quai, puis sur le ballast, parce que le train est parti et que les assassins l'ont arrêté au sortir de la gare en sautant entre la locomotive et le tender pour égorger le mécanicien et le chauffeur musulmans, renverser la vapeur et bloquer les freins. Quelques morts sur la voie ferrée, tombés du train. Un vivant, mal en point, puisqu'il est passé sous une roue, ou plusieurs... Ses deux jambes coupées net entre genou et cuisse sont entre les rails alors que le tronc est resté assis sur le ballast extérieur, du côté droit en allant vers le nord. Quand nous passons devant lui, l'homme-tronc se dresse sur son cul-de-jatte pour trois saluts réflexes de plus en plus courts avant de s'écraser de travers comme un sac de son mouillé, la tête en arrière. Peggy toujours courant a hurlé au chef de gare : « Faites-le porter sur les chariots... N'oubliez pas les jambes ! » Et nous grimpons dans le dernier wagon. Quatrième classe en bois peint de rouge délavé, brunâtre, couleur vieux sang. Les deux banquettes pour très pauvres longent à l'intérieur les parois parallèlement à la marche, les vitres opaques de vieille fumée quand elles ne sont pas cassées. Les assassins sortent du wagon, le sang est frais, tout frais.

Et Philippe de rire tristement : Par chance, j'avais

mes *desert boots* à grosses semelles. Elles sont foutues
et je les ai jetées... Trois centimètres de liquide, le
sang de dix morts dont deux ne le sont pas tout à fait.
Une femme s'est débattue, une jeune femme assez
jolie, dont les yeux ont dû être beaux, tout fardés de
kohl... Elle sent le jasmin par-dessus la mort et son
kamiz punjabi est d'une soie coûteuse. Ses bras sont
hachés de coups de sabre et le bébé qu'elle serre
contre elle a la tête écrasée. Un gamin de trois ou
quatre ans est par terre, en boule, comme noyé dans
le sang de sa mère... Cinq ou six autres morts ou mourants sans espoir... Un, de tout son long sur la banquette, déculotté, un grand caillot rouge en place de
sexe et le zob dans la bouche, avec les testicules.
Les autres égorgés sans originalité. Sauf un vieux,
un tout vieux à barbe de Hadji teinte au henné.
Résigné, il s'est agenouillé pour mourir, son chapelet
à gros grains d'ambre jaune entre les mains jointes,
comme un saint de vitrail. Il a posé son cou de vieux
poulet maigre sur le ballot noué où il avait serré ses
hardes et le bourreau l'a décapité proprement, d'un
seul coup de. *kirpan,* le sabre mystique des Sikhs,
courbe et bref...

— Une chose est curieuse, dit Philippe qui a retrouvé son calme, un peu de peau tient encore au
corps la tête dont la calotte verte brodée d'or n'est
pas tombée. Et le choc est si frais, à moins que ce ne
soient nos pas qui remuent l'affreux wagon sur ses
essieux, que la tête du vieux oscille et tressaute,
comme un yoyo au bout de sa ficelle...

— Mauvais goût, dit Albert.

— Quelle horreur, dit Vivian. Continue...

— C'était pareil dans les autres wagons. Nous
avons remonté tout le train... Même en seconde et
en première où quelques-uns des morts avaient déjà
déployé leur matelas et leur couette pour faire la

sieste. Il y avait un mort très digne, en *achkan* noir et col blanc comme un pasteur en redingote, accroupi sur la banquette devant un bol en laiton plein de riz... Il était resté droit parce que le sabre qui l'avait traversé s'était planté dans le bois du dossier et on l'avait laissé. Il était à peine mort et des bulles rouges crevaient sur ses lèvres. Partout des yeux révulsés, des plaies en sillons béants comme en font les coups de sabre, les coups de taille, et du sang, du sang qui se fige, dans lequel on glisse. Peggy a éclaté en sanglots et moi j'ai dégueulé de la bile, je n'avais rien d'autre. Et le chef de gare écarquillait des yeux bêtes en regardant son pantalon blanc, rouge jusqu'à mi-mollet... Alors Peggy, la quakeresse charitable, la Société des Amis, s'est trouvée prise d'un fou rire nerveux : « Regardez-le, cet imbécile... Il n'a même pas eu l'idée de retrousser son pantalon ! »

— Et toi, Philippe, avais-tu pensé à retrousser ton pantalon ?

— Oui, mais inconsciemment... C'étaient mes chaussettes blanches qui avaient rougi. Peggy, hystérique ou presque, répétait : « Ce n'est pas possible, ce n'est pas possible, ce n'est pas possible... » J'ai essayé de la calmer, comment lui expliquer, à elle qui vient des Etats-Unis, qui n'a connu ni la guerre ni les camps, que tout est possible, tant les hommes sont bêtes et cruels...

Il se fit un long silence entre les trois, autour de la lampe, pendant lequel Philippe dormit un peu, pendant lequel Albert se détendit sans cauchemar, la main de Vivian dans la sienne.

— Je n'ai pas fini l'histoire de la gare, murmura Philippe, après un moment de sommeil et une nouvelle pipe... Sur la plate-forme bordant la voie n° 1, une vingtaine de jeunes Sikhs étaient accroupis sur les talons, les doigts croisés derrière la nuque. Leurs sabres et leurs poignards posés à terre, devant eux. Les pagnes, les chemises, même les barbes folles et hirsutes ensanglantés, comme les turbans jaunes ou bleus, comme les visages. Ce sont les assassins attrapés les mains rouges par les soldats népalais qui les gardent, l'arme au bras, baïonnettes fixées, aux ordres d'un lieutenant-colonel britannique... Atkinson, tu connais?

— Un peu, dit Albert, par Frédéric dont il est une relation, grâce aux chevaux... Je me demande même si ce n'est pas à lui qu'il a acheté Red Rock. Très vieille armée des Indes. Très *Jolly good fellow.*

— Il venait de négocier un *bandobast,* un arrangement avec les assassins, du genre « paix des braves » : Je vous arrête, mais je ne vous désarme pas... Soudain Peggy hurle : « Regardez! » De dessous le wagon où il était caché, un Punjabi à moustaches et en turban de musulman marche vers nous sur le ballast. Il vient se mettre sous la protection de l'homme blanc. Il est verdâtre, ses mains sont jointes en prière, ses yeux sont au ciel... Alors un des barbus accroupis a bondi hors des mains des Gurkhas, le sabre à la main, pour le plonger d'estoc dans la poitrine du rescapé du train de la mort. Mais les Gurkhas sont des tigres, et les tigres ont la détente rapide... Ils sont trois à tirer en même temps, criblant de trois rafales le sabreur et le sabré qui sont tombés dans les bras l'un de l'autre, étayés l'un par l'autre pendant plusieurs secondes avant de s'effondrer, chacun mort plusieurs fois. Et puis...

« Et puis on est retourné aux chariots à bagages, et Peggy m'a dit qu'elle avait du whisky dans sa voiture, un grand station-wagon vert bouteille avec la caisse de luxe en vrai bois deux tons, et nous nous sommes cachés au fond, avec la foule autour de la voiture qui s'écrasait le nez aux vitres pour nous regarder boire et qui ne prêtait pas attention aux morts entassés. Les curieuses manières des hommes blancs sont évidemment plus distrayantes que la contemplation répugnante et polluante de morts musulmans.

« J'ai bu, avec Peggy, plutôt nous avons bu, trois bonnes rasades de bourbon raide... Pouah, je n'aime pas ça, surtout quand il fait chaud à crever et qu'il est huit heures du matin. Mais après ce que je venais de vivre, je me sentais bien, même gai, plutôt soûl. Peggy aussi, et on s'est demandé si c'était l'alcool qui nous faisait entendre le bruit d'une espèce de respiration râlante au milieu du quatrième chariot en partant de la chaussée... Nous tendons l'oreille, nous regardons attentivement. C'est le vieux en tarbouche gris rouge, celui à la barbiche pointée vers la voûte... Il était raide comme un bâton (rangé comme une bûche dans un stère préparé pour l'hiver) mais il respirait, on ne pouvait se tromper... Alors avec l'Américaine, la quakeresse, la gaillarde, on s'est regardés, on s'est compris. Elle a pris par les pieds, aux chevilles, les vrais morts, que moi j'attrapais aux épaules, comme j'ai appris à la faire à Bergen-Belsen, afin de dégager le vieux. Quand il s'est trouvé allongé sur le pavé, nous avons remis les autres en place, un par un. Le tout en présence d'une foule de plus en plus nombreuse... Trente ou quarante personnes émerveillées par le spectacle inimaginable de deux Blancs dont une memsahib géante jouant aux Intouchables avec les cadavres de sales Musulmans.

« Pas une seule de ces brutes, dit Peggy, n'aurait l'idée de nous donner un coup de main... Puis, véhémente (l'effet du soleil sur le whisky, du whisky sur l'émotion, de l'émotion sur le dégoût et du dégoût sur l'horreur) : N'y aurait-il pas un chrétien parmi vous, assassins, salauds, merdes humaines, pour aller chercher un peu d'eau à donner à boire à ce pauvre homme?» Incroyable, quelqu'un est sorti du rang, poussé par les autres, parce qu'il avait épinglé sur sa blouse blanche un bout de chiffon rouge en forme de croix romaine... C'est pour montrer qu'il n'est ni Hindou, ni Musulman, ni Sikh, qu'il est neutre... Etait-il vraiment chrétien? Il nous a fait comprendre dans une espèce d'anglais chantonnant de la côte de Malabar qu'il cesserait d'être neutre s'il portait secours à un Musulman et que les Musulmans étaient les ennemis des chrétiens, et qu'il avait peur pour sa vie... Alors Peggy, folle de rage, lui a arraché sa croix rouge et elle l'a giflé à toute volée... Il devait être vraiment chrétien, parce qu'après avoir encaissé la gifle, sans rien dire il est allé chercher de l'eau qu'il a fait boire lui-même, gorgée par gorgée, au vieux Musulman à barbiché. Et c'est pendant cet acte de charité, alors que nous inspections un autre wagonnet, qu'un Sikh échevelé, sorti de la foule, poignarda au cœur le bon samaritain...

— Quelle horreur! dit Vivian. C'est presque comme si Peggy l'avait tué...

— A la guerre, dit Albert... Puis, j'espère que vous avez prié pour lui...

— Nous l'avons posé sur le tas, pas fiers, et nous avons chargé le vieux dans la boulangère de la Société des Amis et nous l'avons porté à l'hôpital Lady-Irwin, où il s'est fait massacrer à coups de pied de châlit, comme les autres blessés musulmans.

Soudain Albert :

— Et les chevaux de Frédéric? As-tu seulement pensé à t'en occuper? Depuis le départ de Sushila j'ai des remords... Les as-tu travaillés ces derniers temps?

— Pas trop, mais Inga la Finlandaise qui monte avec moi le matin les aime beaucoup. Stella est aux écuries de Viceroy House, qu'ils appellent maintenant Government House... Son saïs, Babu Lal, est hindou, donc pour elle, il n'y a pas de problèmes de nourriture ou de soins... Les autres, Red Rock et le gris, sont toujours aux écuries de Lodi Road, vers le tombeau d'Hamayun...

— Pardon, dit Vivian, j'ai oublié de dire, il y en a un quatrième, un beau noir, Meenah, dans le garage du 19, Prithviraj... C'est mon protégé parce que Feroseshah Faruddin, ton ami pakistanais, voulait l'abattre avant de partir pour Karachi... C'était un de ses chevaux de course... Je lui ai sauvé la vie... Frédéric sera heureux de le trouver quand il reviendra.

— S'il revient, dit Albert. Alors, Philippe, qu'as-tu fait pour nourrir cette cavalerie? Les stocks étaient justes, ils ne doivent plus rien avoir à bouffer... Il est vrai qu'on doit pouvoir les faire pâturer sans danger sur le golf... Qui donc s'occupe des greens?

— Je suis allé à la Vieille-Delhi, là où Sushila m'avait déjà traîné. chez les marchands de grains. C'était le jour des *goondas*... Les goondas... Des brigands sortis des bas-fonds, des ghats où l'on brûle les morts, des villages d'Intouchables... C'était horrible, ils rasaient les murs, comme des fantômes crasseux, serrant dans les bras les chaussures, les boîtes de lait en poudre, les coupons de tissu qu'ils venaient de voler, se faisaient tuer par les Gurkhas en patrouille, plutôt que de lâcher leurs trésors.

— Ces pauvres gens sont si pauvres, soupira Vivian. Mais ils sont si sales, si laids, si abrutis...

— Je suis passé par la porte d'Ajmer dans Quta Road, près de la gare de la Nouvelle-Delhi, là où il y a un passage sous la voie ferrée, qui fait lac quand il pleut fort... Un troupeau de Musulmans en fuite s'était fait massacrer... Une quarantaine, tous

frais saignés sur la chaussée, grotesques... Pour ne
pas rouler dessus, je suis descendu faire une sorte
de chenal où mettre mes pneus... Après, la route était
libre, jusqu'à Pahar Ganj, sauf pour un troupeau de
villageois cornaqués par un bourgeois, avec des faux
emmanchées droit, des haches et des sabres, qui m'ont
fait des signes de complicité... Ils descendaient en ville
à la curée. Les pauvres cons... A Pahar Ganj, je
retrouvai sans peine l'enclos de Mahmoud Khan, le
négociant en grains et fourrages, entre ceux des autres
Musulmans maquignons, charrons et charretiers. La
boutique et l'entrepôt de Mahmoud Khan étaient
l'image du pillage. Le marchand de grains et sa
famille, enfuis la veille, s'étaient fait massacrer à
cent pas de chez eux et tous les cochers, palefreniers
et grainetiers du quartier gisaient comme eux morts,
égorgés ou étripés par les Hindous et les Intouchables,
leurs anciens serviteurs.

Quand j'arrivai, les assassins commençaient à se
battre entre eux pour le partage des charrettes et des
chevaux, des bicyclettes et des casseroles... sans
ramasser les morts, ni même songer à les brûler
ou à les entasser dans un coin... Indifférence et rapa-
cité. A la place de Mahmoud Khan, trônant parmi les
sacs d'orge, d'avoine, de dahl, un Banya huileux qui
s'empressa de me vendre tout ce que je pouvais charger dans la petite voiture. Pas grand-chose, quelques
sacs... J'ai vu rouge, quand cet ignoble individu me
demanda dix, quinze fois le prix payé quand j'étais
venu avec Sushila... et mes nerfs ont craqué et j'ai
hurlé contre le Banya, je lui ai craché à la gueule
et je l'ai battu et je lui ai botté le cul à me donner
une entorse. Il essayait de parer les coups sans oser
les rendre et il tendait la main, ce salaud, en récla-
mant de l'argent, en répétant qu'il était un pauvre
homme...

— J'espère que tu es parti sans casquer ... on ne vole pas un voleur, surtout pas un assassin.

— Ce n'est même pas lui qui a tué, les Banyas sont trop lâches, il a monté la tête des pauvres bougres d'Intouchables pour prendre l'affaire en main. Il va maintenant les exploiter, pire que Mahmoud avant lui. J'ai payé, c'est-à-dire que j'ai jeté par terre les roupies et les annas, et l'autre ramassait les billets et les pièces parmi les sacs d'avoine et les balles de fourrage pleines de sang... Je suis repassé au carrefour des quarante morts, qui n'étaient plus seuls... La scène avait changé. Parmi eux, accroupis, des balayeurs coupaient les doigts des femmes pour leurs bagues de quatre sous, arrachaient des narines les cailloux brillants et fendaient les lobes des oreilles pour récupérer les anneaux. Ils dévêtaient les pauvres morts de leurs cotonnades ensanglantées... C'était abominable.

— Quelle horreur, répétait Vivian.

— Continue, disait Albert.

— Deux ou trois balayeurs seulement travaillaient, deux ou trois autres les protégeaient... Parce que les vautours, les grands vautours noirs et blancs à col rouge étaient là, en masse, rois de la charogne, avec les fausses grosses mouettes blanc sale à bec jaune, qu'on appelle charognards... Les énormes chiens de village, mangés de gale, sans couleur, muets...

Albert venait de fumer à nouveau, et il était entre le songe éveillé et l'image vécue, et sa rêverie, pendant que Philippe racontait, s'articulait, précise, autour des vautours, ces géants à la fois royaux et ignobles qui vivent en républiques disciplinées, comme les chacals, comme les loups, comme les corbeaux et les rats qui ne sont, à côté d'eux, que du fretin... Il rêvait aux rites immuables de la nécrophagie du vautour, observés lors de ses promenades à cheval... Du temps

où il avait encore la force et le courage de se lever
de grand matin, d'aller galoper avec son chien dix
ou douze *miles* dans la jungle, de flâner une heure
ou deux et de rentrer aux allures vives... Dès qu'une
bête crève, dans cette jungle, des quatre coins du ciel
fondent les grands oiseaux silencieux, voiliers aussi
fiers que les aigles à regarder le soleil en face... De
points noirs qu'ils sont dans l'air lumineux, ils tombent sans bruit, sur les arbres, sur les rochers,
ils se perchent en cercle, en amphithéâtre autour
du cadavre à disséquer, pour tenir une veillée
funèbre, la tête penchée, rengorgés dans le plus grand
silence... Dans un silence... Dans un silence plus profond que celui de la mort, le silence de la mort ber-
cée par leurs grandes ailes... Un ancien parmi eux
donne le signal. Un signal muet. Peut-être un son
inaudible à nos oreilles. C'est le plus haut perché qui
commande, ou le plus près de terre, on ne sait pas.
Ce qu'on voit, c'est cinq ou dix vautours à la fois
plonger en virant, atterrissant dans un froufrou sinistre de plumes avant d'exécuter une danse macabre
autour de la proie, d'un pied sur l'autre, leur vol à
demi éployé, lançant comme des éclairs leurs longs
cous rouges et nus à travers la collerette à plumetis
blanc qui couronne leur manteau noir. A chaque
éclair un lambeau de chair arraché tremblote au bout
des becs crochus. Ils mâchent à peine, déglutissent
(on voit la boule passer, parce que pour avaler ils
érigent col, tête et bec) puis ils remontent digérer
sur leur perchoir et cinq, dix autres vautours atten-
tifs plongent en virant pour remplacer ceux qui viennent de se servir. Aucun affolement, aucune panique,
aucune gloutonnerie... La certitude de gens bien élevés d'être servis à leur tour d'honneur autour d'une
table ou devant un buffet... Les grosses fausses
mouettes blanc sale à bec jaune gardent leurs dis-

tances. Elles savent qu'elles passeront avant les corbeaux, mais qu'elles devront attendre les chiens et
les chacals qui assistent assis, babines froncées, muets,
impassibles, à la danse de mort et au repas des vautours. Ceux-ci aristocrates, ne mangent que les meilleurs morceaux... « Il y en aura pour tout le monde,
mais nous d'abord ! » Ce n'est pas le monde des
hommes où chacun veut tout prendre vite, sans partager, plutôt détruire, salir que d'en laisser aux autres...
Quelle image, quel exemple, songe Albert que ce rituel
de la charogne indienne selon la loi de la jungle, avec
son harmonie et sa vérité, le ballet des vautours, le
cercle des chacals et des chiens patients, des charognards et des corbeaux qui attendent, tandis que les
fourmis blanches, noires et rouges organisent leurs
colonnes pour gratter ce qui restera sur les os.
    Soudain conscient :
    — Dis-moi, Philippe, comment les vautours, les
chacals et les chiens se sont-ils comportés, à Quta
Road ? Je suis sûr et certain qu'ils ont rompu l'ordre
des choses.
    Et Albert se répond à lui-même, poursuit son rêve
et sa pensée...
    — Je vois la scène comme si c'était du théâtre
vivant... Cette fois, cette horrible fois, les détrous-
seurs ont détruit l'ordre des choses... Une fois de plus
l'homme a saccagé le rituel de la nature et les vautours héraldiques férus de liturgie et de symbolisme
n'ont pas compris que des ilotes à deux jambes viennent déranger et troubler une cérémonie vieille comme
le monde... Je les vois, ces oiseaux énormes, bien plus
haut piétés que les hommes accroupis, donnant du
bec et battant des ailes, des ailes de quatre mètres
d'envergure contre les sous-hommes, squelettes à bâ-
tons... Et le cercle des chacals et des chiens affamés
se resserre, s'agite, proteste, claque des mâchoires,

couche les oreilles, gronde, enfin conteste à cause de
l'homme l'ordre éternel... Ils sautent à la gorge des
vautours, ils osent, et les fausses mouettes blanc sale
à bec jaune et les corbeaux gros comme des poulets
noirs à manteau gris sautent aux yeux des oiseaux
géants, osent happer des bribes de chair rouge au
bec même des seigneurs. Et les vautours sont indi-
gnés, ils se concertent, mal à l'aise, ils se dandinent,
ils se pavanent, pour cacher leur gêne, leur colère
et leur honte, puis ils abandonnent le terrain, d'un
vol lâche et collectif, comme un nuage... La faute
à l'homme, qui a encouragé la révolte et la rébellion...
Les choses, Philippe, ne se sont-elles pas passées
comme cela ?

Philippe avait regagné Delhi en tumulte, le matin
du jour où un télégramme apparemment daté de
Kaboul, vieux de quinze jours, parvint enfin à Albert,
à Bharatpur. Les mots en étaient mêlés et les lettres
brouillées, si bien que pour déchiffrer le message il
fallait résoudre un puzzle et un bout de temps fut
nécessaire pour trouver, à deux, un sens plausible au
texte. Il était signé de Frédéric, dont c'étaient les
premières nouvelles directes depuis la lettre d'Afghanistan, deux mois plus tôt... Certes, par Jerry Basset
quelques indications étaient parvenues sur l'accomplissement de la mission « chacal » dans le nord de
l'Inde et chez les Afghans, mais sans détails. L'incident de Jellalabad et l'attentat manqué avaient in-
quiété, à Delhi, même sans la connaissance des circonstances exactes. Depuis le départ de Jerry pour le
Bengale et la Birmanie, pas de nouvelles.

Albert était de nature anxieuse et il se rongeait.
L'opium ne l'apaisait pas, au contraire, et ses idées
noires maintenant tournaient autour de Frédéric.
Loin d'être tranquillisé, euphorisé, pacifié par la drogue, il s'angoissait au point d'appeler Vivian au se-

cours. D'abord, qu'elle lui tînt la main suffisait, mais bientôt il réclama le contact de tout le corps de Vivian contre le sien, pour qu'il se rassurât, pour qu'il cessât de suer d'angoisse.

Redressé, le télégramme auquel il manquait des mots se lisait ainsi :

SHIRLEY TUEE. MOI REVIENS DES QUE POSSIBLE. FREDERIC.

— Qui est Shirley ? Un homme ? Une femme ?

— C'est une femme, dit Vivian, je suis sûre. C'est cette Américaine si belle, cette Miss Hudson qui est passée par Delhi. Je l'avais rencontrée près de Madras, dans je ne sais plus quel ashram, et nous nous étions retrouvées par hasard au Connaught Circus... Je te l'ai amenée, Albert, tu perds la mémoire, juste après le départ de Frédéric. Fais donc un effort ! Elle a même fumé quelques pipes Prithviraj Road.

— Je ne me rappelle rien ni personne. Que peut vouloir dire ce télégramme : SHIRLEY TUEE ?

— Essaye, Albert. Fais marcher ton esprit. Souviens-toi d'elle : je lui ai demandé, à cette Miss Hudson, devant toi, sur le bat-flanc, si ses parents l'avaient nommée Shirley en souvenir de l'héroïne de Charlotte Brontë... Elle avait ri et répondu qu'elle n'était pas très sûre parce qu'il existait dans l'histoire des Etats-Unis un certain général Shirley, gouverneur des Massachusetts au temps de la colonie, bien plus connu à Boston (où elle était née) que les romans de Miss Brontë... Elle était merveilleuse de grâce et de charme, cette Américaine, et ma première pensée en la retrouvant à Delhi avait été de regretter que Frédéric fût déjà parti. Quel couple ils auraient fait... Albert, je suis sûre, sûre et certaine maintenant... Elle devait partir pour le Nord, elle est partie, ils se sont rencontrés, ils se sont trouvés... Je suis sûre, je suis sûre, ils étaient destinés à se connaître,

à s'aimer... Que je redoute de comprendre le vrai
sens de ce maudit télégramme! Quel drame je pres-
sens, mon Albert. Quel drame, quel malheur, quelle
tristesse...

Albert sur son bat-flanc ronchonnait en s'enfonçant
dans l'angoisse, parce qu'il revoyait peu à peu, sortant de la fumée, la fille-fleur aux yeux mauves et
l'association qu'il avait faite aussi, d'elle et de Frédéric sur de mêmes images.

Que faire d'autre qu'attendre? Ils attendirent, dans
une anxiété qui les étreignait tous les deux, la venue
de nouvelles, ou le retour annoncé de Frédéric. Et
c'est pendant cette attente qu'Albert s'avoua à lui-
même qu'il ne pouvait pas davantage pour le moment se passer de Vivian que de la drogue, que Vivian
l'agaçait et que la drogue le tuait. Qu'il était loin,
maintenant, l'homme seul, le Dieu, le Maître de
l'Opium. Parfois Vivian partait à Bharatpur faire
des courses, poussant jusqu'à Agra où arrivait le
courrier à la poste restante, pour changer d'air, voir
autre chose qu'une pièce obscure dans la journée où
seule brillait la petite lampe dans l'odeur lourde
qu'elle n'aimait guère, qu'elle subissait pour Albert
en espérant toujours le sauver... Elle se questionnait
sur la vraie nature de ses sentiments pour ce personnage qui lui faisait horreur à cause de son égoïsme
et de son orgueil, mais qui lui inspirait tant de pitié
à cause de la servitude dont il se croyait le maître,
et tant d'admiration pour cette force et cette gran-
deur dégagées par lui, même quand il était niène
« comme une vache », même quand il paraissait tombé
au plus profond de sa déchéance.

Elle n'avait jamais aimé personne, Vivian. Enfin
d'amour qui fût autre chose que de dévouement, que
de charité. Elle était mère jusqu'au profond d'elle-
même, peut-être parce qu'elle savait qu'elle ne pour-

rait jamais l'être. Elle était un peu plus âgée qu'Albert, la quarantaine, et elle avait été mariée avec un officier de la Royal Air Force tué en mission au début de la guerre, père de l'enfant dont elle accoucha prématurément quelques mois après la mort de l'aviateur, et dans des circonstances telles que l'espoir de devenir mère lui était interdit. Alors, elle avait entrepris de se dévouer et quand elle était partie pour l'Inde, en 1942, son intention, si bizarre ou étrange que cela pût paraître en pleine guerre, où les hommes mouraient par millions, était de se consacrer aux vaches malheureuses... Son expérience indienne avait été guidée par celle d'une lointaine parente, Miss Slade, fille d'amiral très britannique, laquelle avait, au scandale du monde occidental, rompu avec sa famille et son milieu pour suivre Gandhi... Et Gandhi, pour diverses raisons, avait affecté Mira Ben — tel était le nom de religion de Miss Slade — à la direction d'une maison de refuge pour vaches abandonnées... En arrivant à Bombay, Vivian Raleigh, un peu perdue dans cette Inde passée de la paix à la guerre (pendant la traversée, Pearl Harbour avait fini de mettre l'Asie en flammes), Vivian avait écrit à Mira Ben qui l'avait appelée près d'elle à Dehra Dun, au pied de l'Himalaya pour l'aider à s'occuper de centaines de vaches et de taureaux, amenés de partout, au bout de la misère, qu'il s'agissait, avec des soins et de la nourriture, de remettre en état, avant de les répartir comme bétail utile entre les paysans des environs. C'était une des inventions du Mahatma, pour aider l'Inde à sortir de la misère par les moyens indiens. L'ashram pour vaches existe depuis toujours dans la coutume hindoue, mais sous la forme la plus bestialement mercantile... Les riches, marchands, banyas, Marwaris, depuis des temps immémoriaux lèguent des biens aux vaches abandonnées, comme

chez nous naguère les grands pécheurs distribuaient
en mourant leur fortune aux pauvres, dans l'espoir
d'échapper à l'enfer. Ainsi, quand un banya meurt,
une part de son héritage est destinée à entretenir jusqu'à leur mort naturelle un certain nombre de
vaches... Par la famille, la somme est donnée en rechi-
gnant à un entrepreneur spécialisé, qui groupant les
legs, emparque un grand nombre de bêtes sur un petit
espace, sans nourriture et sans eau. Les pauvres
vaches ainsi recueillies crèvent en peu de jours d'une
mort évidemment naturelle. Les ossements reviennent
à l'entrepreneur qui les vend à son profit, une fois
la chair dévorée par les bêtes et les oiseaux, grattés
par les insectes, lavés par les eaux du ciel, séchés par
le soleil, pour en faire une des principales exporta-
tions de l'Inde. Gandhi luttait contre les exploiteurs
et Mira Ben l'aidait dans ce domaine.

Après des mois de service auprès des vaches, Vivian
avait suivi l'enseignement d'un guru — ils sont nombreux à Dehra Dun — apprenant un peu de hindi, elle
avait poursuivi, d'ashram en ashram, l'étude de la
pensée et de la philosophie. Elle était loin d'admettre
celle-ci en entier, et sa robuste foi chrétienne asso-
ciée avec une largeur d'esprit étonnante, lui permettait de se livrer aux synthèses théologiques de bon
sens mais de peu de science qui, lorsqu'elle les expri-
mait, faisaient frémir d'horreur les saints hommes,
lesquels, sous des dehors de grande tolérance, se mon-
trent aussi bigots que les chrétiens de toutes les dénominations, que les juifs orthodoxes, sans parler des
pire, les musulmans. Mais elle aimait cette recherche,
dans la vie simple et dans la nature. Même les niai-
series incroyables de la vie d'ashram lui plaisaient.
Elle avait rencontré Philippe, Français de mère anglaise, à Madras, et l'intelligence de ce garçon, la
sensibilité à fleur de peau qui le rendait vulnérable

à tout, sans parler de sa situation de victime des
camps de concentration, l'avaient entraînée avec lui...
Elle avait senti que Philippe se tuerait, livré à lui-
même. D'un coup de pistolet ou d'une sur-dose de
drogue. Et ce voyage à Delhi, qu'elle avait tenté en
désespoir, s'était montré bénéfique depuis que Philippe, plein d'admiration pour Albert mais conseillé
par Jerry, avait compris que l'aventure devait être
vécue pour une cause, bonne si possible, mais jamais
seulement pour elle-même, et qu'Albert, prétendant
en faire une fin en soi, ne trouvait plus en elle
qu'amertume et déception depuis qu'il la limitait à
l'expérience totale de la drogue et aux angoisses mal-
saines du jeu.

Philippe étant sur la bonne voie, Vivian avait senti
qu'il devait rester seul, responsable de lui-même, que
sa présence constante et maternelle auprès de lui,
le traînant comme une épave et le portant à bout
de bras, l'empêchait de devenir adulte et responsable.

Vivian était heureuse avec Albert. Pas d'un bonheur
sans mélange, parce que le prêtre de l'opium traver-
sait une phase dépressive abominable. Elle ne le quittait guère, comme un grand malade et comme auparavant avec Philippe elle avait peur de le retrouver
mort chaque fois qu'elle le laissait seul. Albert aimait
les armes, possédait des pistolets et des revolvers qu'il
entretenait. Les graisser et les huiler, quelquefois les
essayer sur une cible, était un de ses amusements. Il
ne lisait plus, ou guère, et quand elle lui faisait la
lecture des philosophes, de Shri Aurobindo qu'elle af-
fectionnait, ou des vieux textes hindous, dont il aimait
quelques-uns comme l'hymne à la création du *Rig
Veda*. Il l'arrêtait... Laisse-moi méditer... Et il restait
des heures immobile, fumant finalement peu, sauf
la nuit. Je devrais me secouer, mais je ne peux pas.
Vivian, ne me laisse pas. Lis-moi. Parle-moi, sois

présente. Et elle reprenait le *Rig Veda*, qu'il aimait avant les autres textes... Il écoutait un des hymnes, les hymnes au divin Soma... Qu'était-il ce Soma, ce divin breuvage exhalé de la lune, que seuls boivent les dieux... C'était l'opium, le jus du pavot... Ne l'appelle-t-on pas *Soma-Pavamâna*, « *celui qui se purifie par lui-même* », dont notre mot « pavot » est sorti. Tous les effets décrits du Soma sont ceux de l'opium, jusqu'à la recette pour le purifier par capillarité, à travers la laine utilisée comme filtre...

Il se levait de temps en temps de sa couche dure, pour manger un peu. Ses rares sorties, il les passait à marcher avec Vivian, appuyé sur elle et sur une canne, comme un convalescent, jusqu'aux huttes sans toit des éleveurs de serpents avec lesquels il causait, Rama l'aidant pour traduire. Le vocabulaire hindi de ces braves gens était limité à l'essentiel. En revanche dès qu'il s'agissait de leur profession, particulière et insolite, même en Inde où l'insolite ne manque pas, les mots sortaient très vite et très nombreux et Rama, pourtant né près de cette caste particulière, ne comprenait pas tout, était surtout incapable de rendre tous les mots et tous les sons.

Vivian pensait que les charmeurs de serpents possédaient un dialecte très ancien, perdu pour tous les jours, vivant comme langage technique. Les ophioculteurs parlaient comme tout le monde, mais quand il s'agissait des serpents, c'était une langue venue du fond des âges, peut-être celle des reptiles eux-mêmes, car elle était pleine de sifflements et de râles et les serpents la comprenaient... Qu'ils étaient beaux, ces serpents... Surtout les cobras royaux, les najas, tous mortels. Il n'arrivait jamais d'accident quand on avait la précaution de leur faire mordre une planchette le matin pour que jaillisse le venin. Et les bêtes dressées allaient planter leurs crocs dans le bois blanc avant de jouer avec les hommes et les enfants, les mordiller aux bras ou au visage, comme des chiens d'appartement.

D'abord horrifiée comme toutes les femmes par la vue des bêtes rampantes et grouillantes, Vivian se passionna, tandis qu'Albert interrogeait, prenait des notes et s'instruisait.

Bientôt il osa prendre un cobra dans ses bras, le flatter, lui parler, le mettre dans sa chemise, entre toile et peau, comme les charmeurs... Ceux-ci ne faisaient pas mystère de leurs secrets d'élevage et de dressage, ils étaient flattés qu'un sahib s'intéressât à leur étrange profession. Les autres hommes, Hindous, Sikhs ou Musulmans, les fuyaient, les insultaient, les méprisaient comme des êtres impurs, des magiciens, alors qu'ils menaient une existence très propre, mangeaient peu de viande en respectant le *Dharma* très spécial de leur caste...

Une longue lettre enfin parvint à la poste restante d'Agra, antérieure au télégramme de Frédéric, mais elle ne portait aucun cachet, sauf celui d'arrivée, écrasé et brouillé. Elle avait traîné sur les trottoirs de Delhi ou dans un train où des drames s'étaient passés car elle était sale et sinistre, avec des taches brunes qui ressemblaient à du sang séché. Elle était de Frédéric, longue et détaillée, sur quatre pages grand format. Une feuille ajoutée portait une écriture haute et ferme à l'encre verte, celle de Shirley. Les deux disaient la même chose, à travers les péripéties de leur rencontre et de leur découverte réciproque : nous nous sommes trouvés, rien d'autre n'existe...

La rencontre foudroyante de Frédéric et de Shirley était donc confirmée. Si elle permettait de comprendre le télégramme, elle rendait celui-ci dramatique, plus angoissant encore le retour de Frédéric. Si Fré-

déric revenait. Car il racontait l'attentat de Jellalabad, avec un humour dans lequel perçait, sous un
immense espoir pour l'avenir, une sourde crainte
quant à l'immédiat... Il se comparait toujours au chacal de la chasse à courre... Son projet, depuis que
leur vie était décidée avec Shirley, était d'achever la
mission en Afghanistan, de pousser jusqu'en Iran,
puis de revenir à Delhi régler ses affaires et présenter sa femme à ses amis avant de commencer une
nouvelle vie. Tous deux pensaient à la Chine, ou au
Japon, ou à la côte ouest des Etats-Unis. Que feraient-
ils ? A chaque jour suffit sa peine, disait dans sa lettre
Frédéric... Une seule chose compte... Saint Paul a
rencontré Dieu sur le chemin de Damas... Nous nous
sommes trouvés, Shirley et moi, sur la route de Kaboul. Le reste est de peu d'importance. « *Nous sommes
suivis, nous le savons, nous le sentons... J'ai reconnu,
je suis sûr, Dinah Leopardi sous un purdah bleu
sombre à grillage de fil brodé, comme ceux des
femmes afghanes. Une fausse Afghane nous observe,
une fausse Afghane nous suit partout. C'est Dinah,
elle veut notre mort. Dieu veuille que ce soit* notre
mort. *Notre mort parce que, si la mort d'un de nous
serait un drame, la mort de nous deux serait un
accomplissement.* »

Et puis une autre lettre datée de Téhéran, écrite à
Meshed, en Iran, juste passé la frontière de l'Afghanistan : « *C'est à Bamyan, au carrefour de la route
du Turkestan, qu'ils nous ont eus... Enfin qu'elle a
tué Shirley. Nous étions là, au-dessus de la rivière
à truites qui passe au pied du gîte d'étape, carré, en
boue sèche avec des tapis entassés, et nous étions
dans l'extase du paysage émouvant de la falaise aux
bouddhas, à rêver aux pèlerins chinois de la Route
de la soie, et nous ne fumions pas... Parce que nous
ne fumions plus depuis le jour où l'amour en écla-*

*tant avait tout emporté, pipes et boulettes. Tu as
raison, Albert, l'opium et l'amour, le vrai opium et
le vrai amour sont deux absolus inconciliables. Elle
a tué Shirley, comment te dire, dans mes bras, et je
n'ai rien pu empêcher et je suis coupable et je n'ai
pas la force, encore moins le goût de la venger. Je
reviendrai quand je reviendrai, j'ai encore à faire et
je me tue de travail... Tu sauras tout un jour.»* Il
donnait une adresse, une boîte aux lettres, à Téhéran.

Et Albert se rongeait, maudissait ciel et terre, d'être
dans un état qui empêchât toute décision. Il ne savait
que faire, déchiré qu'il était par l'angoisse et l'inca-
pacité de joindre deux idées d'action bout à bout,
face à face, même en croix... Sa pensée s'effilochait
en rêveries et, à son horreur, il se voyait devenir
comme tant d'Indiens qu'il connaissait, incapable de
fixer son esprit, obligé comme eux à des détours
extravagants pour parvenir à concentrer l'intelligence
sur un seul point. Vivian ne comprenait pas cette
impuissance, la trouvait normale puisque, chez elle
comme chez beaucoup de femmes, le cœur et le cerveau marchaient à la manière des vases communi-
cants : quand le cœur était gros, le cerveau était
mince... Pour Albert le drame était de ne plus dominer son intelligence et il s'exaspérait... Il poussait la
lâcheté, lui, l'homme de l'immense orgueil, jusqu'à
prier le Dieu de son enfance, auquel il ne croyait
plus croire, de l'aider à se retrouver comme avant, et
il fumait, éperdu, et il fumait, à la poursuite d'une
force qui le fuyait. Plus il fumait, plus il s'abrutissait.
Il était conscient, horriblement conscient, et chaque
fois que Vivian, la pauvre, murmurait : «Fume
moins », il l'accablait de hargne, il la battait, l'insul-
tait, sachant pourtant qu'elle avait raison... Quand
Vivian lui reprochait — avec prudence, en choisissant

les moments — de trop forcer sur la pipe et de ne
point agir :

— Il faut attendre, attendre, disait-il...

— Attendre quoi? Agis, agis, écris à Frédéric.

— Où, quand, comment? Comment veux-tu que
j'écrive? Avec quoi? Je n'ai pas de papier, je n'ai
pas de stylo... Donne-moi du papier, un stylo. Et puis
merde! Je ne peux pas, je ne veux pas écrire. Il faut
attendre qu'il revienne.

Et Albert devenait volubile. Il ne savait plus rien
d'autre que parler, parler, parler, après un certain
nombre de pipes. Et Vivian écoutait, ou n'écoutait
pas. Que faire pour lui?

— Je suis verbomoteur... Verbomoteur...

Il avait trouvé ce mot, et il s'en contentait. Et il
s'entraînait à parler, merveilleux. Puis il sombrait,
somnolait, dormait, et des rêves se formaient de plus
en plus colorés, de plus en plus lumineux, de plus en
plus sonores. Des récurrences... Une surtout quand
son cerveau détraqué marchait sur des images de
polo, avec des couleurs de beauté et de vigueur, telle
que la nature n'en a jamais faites. Des rouges impé-
riaux, des jaunes profonds, des blancs étincelants et
des bleus, surtout des bleus de tous les bleus... Alors
que cette jungle autour du terrain de polo à Delhi
était dans les gris vert jaune mal définis, mal contras-
tés, vagues comme l'âme de l'Inde, des couleurs en
« âtre ». Grisâtre, verdâtre, jaunâtre, merdâtre, caca-
âtre et pissâtre... Il la colorait prodigieuse. Et dans
cette jungle de couleur et de silence, il galopait sur
un cheval moelleux comme une Rolls Royce juste
huilée graissée à point par le roi du tournevis et de
la clef anglaise. Des roulement à billes dans les rotules et la selle posée sur un fantôme de souplesse...
Alors la balle blanche, étincelante comme un soleil
de printemps, juste à la bonne distance à la droite

de l'épaule droite du cheval et du bras droit... Et le maillet en travers devenait vertical, balançait en avant, pour ajuster et trois fois tournait en arrière dans la lumière et se rabattait et parfait était le drive et le coup partait, choc du buis sur la racine de bambou pressé et c'était une délivrance que de réussir ce coup merveilleux, la balle en l'air, au ciel, comme une étoile, dans le bleu de l'immensité... Mais le choc du buis sur la racine faisait bombe et Albert se réveillait en sursaut, hagard, comme si le canon venait de tonner à son oreille... Où suis-je, qu'y a-t-il? Son cœur battait la chamade, il transpirait, transpirait à changer de chemise s'il en avait porté dans cette saison où l'on vivait nu sous la bourbouille et les plaques de champignons qui tapissaient l'épiderme des pauvres fous voués à ces climats immondes. Et Vivian l'essuyait. « Laisse-moi fumer », disait Albert. Et il retombait dans la torpeur lumineuse, un temps tranquille, à jouir des rouges et des ors, des verts et des cuivres qu'on ne voit jamais sauf certains soirs et certains matins dans les ciels de mousson. Et Albert revivait d'anciennes vies... Il était sûr et certain d'avoir navigué sur un boutre sans boussole de Bombay à Zanzibar... Et de revoir les ciels qu'il avait scrutés pour y guetter le vent, la pluie ou le beau temps... Et de revoir la fois où il avait été mangé par un caïman, dans l'île de Nossi Bé, où il n'avait jamais mis les pieds, mais dont parlait Frédéric qui prétendait avoir connu là-bas une femme de gendarme dont un crocodile n'avait laissé que l'alliance... Et le polo revenait, avec un chacal d'or dans la brume au fond du terrain où galopaient les chevaux et le toc du buis sur la racine et le... Vivian, où suis-je... Et Vivian essuyait la sueur et le laissait fumer encore et il retombait dans son délire dormi.

Un jour vint où il se trouva mieux, où après des

semaines et des semaines il parvint à sommeiller, toujours plein de rêves en couleur mais sans être secoué en sursaut par le choc du maillet sur la balle... Il se sentit guéri. Ou se crut guéri. Et il retourna au camp des charmeurs de serpents, car une idée lui était venue et avec l'idée, la force de mettre quelque chose en mouvement. Ce quelque chose était une vengeance, ou une idée de vengeance. Notre Frédéric, mon Frédéric, est mort-vivant tué, pire que mort, tué dans son affection par une criminelle... Il faut le venger noblement... Le cobra, à condition que la chose soit préparée, méditée, rêvée, pensée, qu'elle puisse être revécue mille et mille fois par ceux qui l'auront organisée. Il expliqua son idée à Vivian, assez soucieuse de le tirer du grand dérangement dans lequel elle le voyait pour acquiescer et l'aider. Qu'il ait au moins un but dans l'obsession !

— Tu comprends, disait-il, l'éternité, c'est la mémoire que les hommes gardent de quelque chose... On se souvient seulement de ce qui vous a frappé... Les fessées restent au souvenir des enfants. Une vie banale, qui se la rappelle ? Une mort quelconque, qui ne l'oublie ? Le soldat, cavalier au 12ᵉ dragons, à moins que ce soit au 14ᵉ, au 16ᵉ ou au 32ᵉ, la cavalerie entière en France se souvient de lui, parce que sa citation fut rédigée par un grand poète inconnu : « Cavalier Untel, mort à cheval au galop. » On a oublié le nom de l'homme et le numéro du régiment, mais il reste quelque chose d'immortel. Une sorte de vers, un petit poème. Comme ceux des Japonais, *haï kaï*, tu sais, introduites en anglais par Lafcadio Hearn... — Qui est Lafcadio Hearn ? — Et en français par Paul Claudel : « La prune salée recrée le riz »... — Que viennent faire Paul Claudel et le *haï kaï* ? — Parce que « Mort à cheval au galop », c'est un poème qui reste dans la mémoire. Pour se souvenir de la mort de la salope, de l'ordure qui a tué l'amour de Frédéric, il faut être plusieurs à la voir mourir d'une mort cruelle et insolite... Faire un *haï kaï* sur sa mort... Une épitaphe. Pour cela, je dois travailler, c'est moi, maître de l'opium, qui commanderai le serpent. Mais pour commander le serpent, je dois apprendre et dès demain je me fais charmeur de serpents. Et je serai le Maître du serpent!

Et Albert devint charmeur de serpents, en commençant par le jeu de la flûte à cinq trous dont on pourrait très bien se passer car le serpent quasiment sourd ne marche qu'à la vue et au balancement du charmeur. Il apprit à le nourrir, le serpent, avec du lait, avec du miel, à l'énerver, à le calmer, à lui parler, à le diriger. La chose était si passionnante qu'il en oubliait de fumer... pas longtemps, mais c'était mieux que rien, pensait Vivian.

Cette expérience dura des mois, jusqu'à la fin de l'hiver, jusqu'au début de mars, à la grosse chaleur tueuse d'énergie.

La guerre avait eu lieu au Cachemire entre l'Inde nouvelle née et le Pakistan nouveau-né... Gandhi avait entrepris un jeûne à mort et Gandhi avait été assassiné, brûlé et par beaucoup oublié.

Philippe de loin en loin venait de Delhi pour donner des nouvelles et Vivian pouvait enfin s'éloigner quelques heures, Albert désormais possédé par la passion du cobra (il s'était procuré plusieurs ouvrages savants sur les serpents de l'Inde, particulièrement consacrés à ceux avec lesquels il vivait désormais. A quel point, s'était-il rendu compte, étaient livresques les observations consignées par des professeurs, dont la serpentologie savante ne dépassait la description que pour l'accompagner de ragots de seconde main).

Un jour vint où Albert parvint à diriger le serpent

de son choix sur une proie déterminée par lui, et ce jour-là fut une grande fête au camp des charmeurs. Le chef du peuple des serpents fit un discours et rassembla dans une clairière plus de vingt cobras qu'il fit évoluer en bon ordre, comme jadis avec les rats, Hans le joueur de flûte de Hameln au Hanovre. Et Albert était si heureux du résultat de ses efforts qu'il en oubliait l'objet, lequel lui fut rappelé par l'arrivée de Frédéric.

En quelques mois Frédéric avait physiquement changé. Il était pourtant homme fait avant de partir, près de trente-cinq ans, mais les traits de son visage n'étaient plus les mêmes. Sans barbe pourtant, ni moustache. Il n'avait pas maigri de corps, mais l'espèce d'arrondi bien élevé de sa physionomie avait disparu. Moins de rondeurs, plus de méplats. La bouche encore tendre était sèche, pas amère cependant, ni triste. Et les yeux gris-bleu, si profonds et si gais, avaient des reflets durs.

— Je ne fume plus, dit-il, embrassant Albert comme après chaque retrouvaille. Je ne fume plus et je ne fumerai jamais plus. Nous t'avons trahi, Shirley et moi, quand nous avons renoncé à la magie noire... Mais nous ne reniions pas davantage celle-ci que nous la regrettions. Je sais que je serais repris si je recommençais, mais je sais aussi que je ne trouverais plus jamais la force d'échapper tout seul. Parce que je veux, moi, rester libre et surtout demeurer fidèle à l'amour.

Albert hocha la tête et dit, sans y croire, pour être aimable comme pour se rassurer :

— J'ai toujours soutenu qu'il était possible de se désintoxiquer... Tu es la preuve, mon Frédéric. Moi-même, j'ai l'intention de le faire un jour ou l'autre. Pour le moment à quoi bon. Je suis heureux d'être malheureux comme je suis. Raconte, Frédéric,

qu'on puisse te venger. J'ai des idées terrifiantes.
— A quoi bon... Ce qui est passé est passé. Il faut
laisser tomber. Ce n'est pas que je pardonne... Il n'y
a pas de pardon. C'est une notion trop simple que le
pardon... Il y a la justice de Dieu... Tu sais que je
recrois en Dieu, que tous les brameurs de psaumes
mes ancêtres se mettent à revivre en moi et que le
jour viendra, peut-être, où je prêcherai l'Ancienne
et la Nouvelle Alliance. Je songe quelquefois à me
faire moine bénédictin. A Saint-Wandrille, au pays
de Caux... J'ai fait une retraite là-bas dans le temps
avec un brave type, un pédéraste qui avait des vues
sur moi. Que c'était beau, Saint-Wandrille, avec les
dix ou douze moines en noir qui chantaient si bien...
Et le père supérieur, un philologue avec des vues
révolutionnaires sur la formation du langage... Je
rêve d'être bénédictin. Peut-être à Saint-Benoît à
cause du porche roman, peut-être à Solesmes à cause
du grégorien... Chez moi, n'oublie pas, quatre siècles
de huguenoterie sont greffés sur six ou sept cents ans
de civilisation bénédictine. Sans saint Benoît d'Aniane,
sa règle et ses moines défricheurs, la moitié
de la France serait encore plus bêtement païenne.
Pauvre Shirley. Nous avons tout compris ensemble...
Pour tout comprendre, nous devons à l'opium, Albert,
quand même !
  Vivian voulait savoir les détails de la rencontre
avec Shirley, ceux de leur découverte réciproque,
ceux de leur séparation par la mort. Pas seulement
par curiosité féminine, mais parce qu'elle avait été
entraînée dans les théories du Réarmement moral
d'avant-guerre, puis dans les rencontres ashramiques
depuis sa vie en Inde. Elle ne connaissait Freud que
de nom, et encore, mais certains aspects de la découverte
par la psychanalyse lui étaient naturels, comme
à tous ceux qui ont compris la vie dans l'esprit, au-

delà des bigoteries de la lettre. « Parle, disait-elle, raconte, tu souffriras moins après. » La confession publique, le déballage de ce qui fait mal...

Albert grognait. Albert n'aimait pas la confession charismatique, encore moins la confession auriculaire des cercueils verticaux et grillagés au flanc des chapelles de collège où les aumôniers lui demandaient, entre la sixième et math'élem, combien de fois il s'était branlé depuis la dernière communion, encore moins le déballage public des groupes d'Oxford où le hasard l'avait entraîné dans les salons second empire des magnats de la banque protestante, l'année d'avant 1939.

Albert voulait garder ses soucis et ses angoisses, ses drames et ses malheurs... Qui pouvait les comprendre ? L'amitié lui suffisait, l'amitié où l'on sent, où l'on est senti, pas celle où l'on s'explique à longueur de phrases, de confidences. Il savait trop bien toute la littérature de ceux et de celles qui racontent leur vie, l'invention, le roman, le blabla. Lui était pour garder tout pour soi, chacun pour soi, puisqu'on est incommunicable, sauf de très rares fois avec de très rares êtres dans de très rares moments. Et il sentait bien, il savait, il était sûr que la rencontre de Frédéric avec Shirley était du domaine de l'incommunicable donc de l'inracontable, et que la tristesse de la fin était aussi incommunicable et inracontable, et que Frédéric, avec ce drame immense, resterait tout seul avec lui-même quoi qu'il puisse être dit avec des larmes dans les embrassades.

Vivian croyait au défoulement par l'expression. Peut-être venait-elle d'une race différente. En Scandinavie, les trolls ont besoin de tout raconter... nains vifs et farfelus. Les *Jarls*, grands blonds, gardent le profond silence, perdus dans le rêve intérieur de leur prétendue indifférence. Pour qui sont les confessions ?

Pour les seigneurs ou pour les serfs? Pour les hommes
ou pour les femmes? Ce sont les petits qui se racontent. Mais au-delà de ses principes, Albert admirait
Vivian qui donnait tant qu'elle ne pouvait se tromper,
même quand elle avait tort.

Frédéric était huguenot de tradition et de caté-
chisme, qu'on appelle chez les protestants Ecole du
dimanche et instruction religieuse, où l'on essaie de
faire comprendre aux enfants la religion par la tête
avec très peu de succès. Comme beaucoup de hugue-
nots, il avait besoin d'une certaine émotion pour for-
tifier sa foi et la nostalgie le prenait, peut-être à
cause des voûtes romanes ou des ogives gothiques,
à cause de l'encens brûlé et du *Dies irae* des jours
d'enterrement, des mystères de l'autel où des
silhouettes hiératiques en lourds tissus brodés d'or
et d'argent, tournant le dos aux foules agenouillées,
se livraient à des gestes incompréhensibles. Pour lui,
le moyen âge revivait derrière les dalmatiques, derrière le latin de messe, quand la clochette impérieuse
faisait se baisser les fronts pendant que s'élevait
l'hostie. Comme s'il avait été catholique, il esquissait
des signes de croix pour faire comme tout le monde,
dont il se repentait après coup comme d'un péché
devant sa conscience huguenote. Il aimait les églises,
les vieilles églises avec des prières accrochées aux
murs, et il aimait les messes... Pas celles du dimanche
à dix, onze heures ou midi, qui lui rappelaient, à
cause de la sortie, le culte de dix heures et quart
au temple de l'Etoile, avenue de la Grande-Armée,
ou celui de Passy rue Cortambert et celui de l'Ora-
toire du Louvre et de Pentemont et de la rue Roqué-
pine, où il n'allait que pour rencontrer les petites
jeunes filles avec lesquelles il avait dansé la veille
au soir au Trotting Club chez Mme Schweitzer ou
avenue Raphaël au rallye de la baronne Talabot...

Il aimait les messes de sept heures du matin, alors celles des cuisinières bretonnes, des nurses irlandaises et des marquises dévotes... Comme il habitait chez sa mère au bas de l'avenue Marceau, c'était surtout à Saint-Pierre-de-Chaillot, église pleine de chaleur quoique alors assez neuve, qu'il allait, à moitié réveillé, à dix-huit ou vingt ans, se poser la question, la grande question sans jamais y répondre, la tournant et la retournant dans son esprit sans en parler à personne, père, mère, pasteur, prêtre, encore moins ami ou amie : devait-il ou non, pour croire en Dieu, abjurer la foi de la tradition familiale et se faire catholique? Sorti de l'encens, du plain-chant et de la dalmatique, les saintes vierges en plâtre bleu, les Bernadettes peintes en brun, la sainte Thérèse de cire du bocal en verre à Lisieux le remettaient dans le droit-fil de la Réforme. Mais passant par Notre-Dame de Chartres pour peu qu'il y ait du soleil dans les vitraux, ou par Saint-Eustache quand les grandes orgues tonnaient, tout était remis en question... Il aurait aimé participer, vraiment, pas en fraude, à ces cultes somptueux. Il se rassurait un peu dans les églises exotiques... La cathédrale Saint-Alexandre-Newsky, sous les coupoles bulbeuses de la rue Daru... Il l'avait découverte à l'occasion des funérailles d'un camarade russe blanc et les cierges, l'encens, l'or, les icônes, les basses profondes et les faussets imprévus des voix russes, l'hiératisme des popes barbus lui avaient, un temps, donné l'envie, plutôt que l'idée, de se faire orthodoxe. Et la trahison aurait été moindre, envers l'Eglise de ses pères. Mais voilà... se faire orthodoxe, c'était comme se faire russe. Et se faire russe, Frédéric n'en avait aucune envie pas plus que de se faire grec. Pourtant il aimait bien Saint-Julien-le-Pauvre, et le petit jardin derrière, avant que le mur abattu l'ait ouvert sur le square Viviani...

C'était étrange, ce rite grec catholique, cet iconostase, cette messe derrière un mur d'or, à pieuses images bleu sombre, rouge sang et vert acide, cela touchait le cœur à tirer des larmes, mais cela était étranger et il ne sentait rien auprès du prêtre en haute toque noire amidonnée, barbe sale et ongles en deuil qui manipulait en sifflotant les burettes et les ostensoirs.

Frédéric, un jour, avait osé approcher le père Athanase pour parler avec lui de ses problèmes après de longues hésitations et des tentatives infinies contre sa timidité. Mais de près, le père Athanase puait l'ail et l'oignon et le vin aigre, sur un fond de bouc mal lavé, et Frédéric s'était sauvé sans rien dire, avait traversé la rue, était entré (c'était l'après-midi) dans un salon de thé à portes bien cirées, un peu rustique, qui sentait bon le thé de Ceylan, le toast beurré, le *bun* et le *muffin,* en un mot l'Angleterre, donc le protestant rassurant. Il s'était senti chez lui, au *Tea Caddy* — c'était, c'est toujours, le nom de l'établissement — où désormais il emmenait goûter les filles de son monde qu'il aimait bien, même s'il n'avait à leur égard aucune idée d'aller plus loin. C'était un refuge. Comme plus tard, aventurier bourgeois aux quatre coins de la terre, c'était dans les clubs anglais qu'il se sentait chez lui, pas dans les bistrots grecs, chez les kahouadjis arabes et les marchands de téquila de l'Amérique du Sud ou les chai-khanas de l'Inde. C'était au *Tea Caddy* qu'il avait donné rendez-vous à Janet quand elle était venue le rejoindre à Paris, c'est au *Tea Caddy* qu'il avait rêvé de vois Shirley assise en face de lui, entre Saint-Séverin, Saint-Julien-le-Pauvre et Notre-Dame, dans l'odeur de beurre parcimonieux sur le pain brûlé, qui se mélange si parfaitement au mouillé des manteaux et des parapluies en automne à Paris.

— Alors, disait Vivian... A-t-elle souffert?

— A peine, répondait Frédéric... Une balle près du cervelet, une autre à côté du cœur. Je crois, j'espère, qu'elle était consciente puisqu'elle a dit mon nom quand je me suis penché sur elle.

— Pourquoi a-t-elle fait cela?.. Cette femme...

— Trois explications... Je tourne et je ressasse cela si fort et si souvent que je préférerais qu'on n'en parle pas... La première, à laquelle je ne crois guère, c'est l'erreur de tir. A Jellalabad, j'ai toujours pensé que c'était moi que l'on visait. C'est la lampe qui a éclaté. Ç'aurait du être ma tête, mais à la réflexion, ç'aurait pu être celle de Shirley... La seconde, c'est le malentendu, nos adversaires ayant confondu Shirley avec un agent à supprimer. La troisième, c'est la méchanceté féminine pure et simple, celle de Connie Leopardi qui de première intuition devient hypothèse plausible depuis qu'il est patent que Janine a failli être descendue... Pourtant, je n'ai rien fait à cette Connie, sauf d'être l'ami d'Albert et son complice, à propos d'une histoire d'armes qui avait déjà perdu son sens...

Vivian, trop bonne, toujours, penchait pour le malentendu, ou pour l'erreur de tir. Albert croyait ou voulait croire à la troisième explication, celle de la méchanceté.

— De toute façon, disait-il, et quoi qu'il en soit, c'est la Leopardi qui est à punir... Si c'est toi qu'elle visait, elle est criminelle. Si c'est un agent qu'elle cherchait à abattre, elle est criminelle aussi, puisqu'elle travaille pour tes ennemis. Si elle visait Shirley pour te faire du mal, elle est doublement, triplement, décuplement criminelle. Elle n'a plus d'excuse de travail ou de prétexte politique... Elle mérite la mort, et pas la mort de tout le monde!

Et Albert délirait — il était seul allongé sur le

bat-flanc, les autres à ses pieds à boire, Vivian du
thé, Frédéric du whisky :

— Par Philippe, qui a écrit hier, nous savons le
prochain retour, pour un temps, de Jerry et de
Janine... Jerry est un homme fort. Nous nous cha-
maillons, lui et moi, mais nous nous comprenons.
C'est un ami. Pas comme toi, Frédéric, comprends-
moi, nous qui avons tant de beauté en commun, et
tant de drames, à commencer par la patrie morte en
juin 1940... J'ai confiance en lui, il a confiance en
moi, malgré ma veulerie dans l'opium... Il nous la
rabattra, la Leopardi, la Connie, la Dinah, la Mac-
Gregor... Et devant nous tous, elle sera jugée et c'est
moi qui présiderai le tribunal. Et c'est moi qui la
tuerai, les mains propres, par le serpent... J'en rêve,
dans mes kiefs, et je vis d'avance la scène, et cela me
sauve de la mort et de l'angoisse. Je serai libéré
le jour, la minute, l'instant où le serpent aura mordu
la coupable, où la coupable morte de peur avant
de l'être de venin claquera des dents, deviendra verte
et renversera les yeux après la morsure du roi des
najas...

Et de leur raconter, horrifiés, l'expérience faite à
sa demande par le chef des charmeurs sur un vieil
Intouchable volontaire pour en finir tout de suite
avec sa vie de misère. Le mot et le signe au serpent
qui se déroule de la position du repos pour se nouer
en silence en posture d'attaque... Puis le mot et le
signe au serpent qui siffle comme un fouet, à ne
savoir si c'est la langue qui vibre ou si c'est la queue
qui claque, et l'Intouchable accroupi renversé par le
choc, mordu sous le sein gauche dans le parchemin
de la peau gaufrée par la vieillesse... Un moment de
stupeur à la force de l'impact, à la douleur de la
morsure et des crochets refermés... Et les dents gâtées
qui claquent à en tomber, entre les deux mâchoires,

sous l'effet du poison, et la mort sur les traits qui
deviennent couleur de cendre, et les yeux brusquement injectés qui louchent sur la tête si fine du roi
des serpents entre les voiles de son capuchon avant
de rouler vers le ciel pour ne plus montrer que du
blanc... Et le serpent, discipliné, au geste du maître,
qui rentre dans son panier, boit son lait, se laisse
caresser le ventre comme un chien sur le dos, inoffensif jusqu'à la recharge demain matin par les
glandes à poison des utricules de ses crochets. « Le
vieux avait appelé la mort, comme le bûcheron de
La Fontaine, la mort était venue... Pas la mort douce
qu'il espérait, que nous espérons, celle où tout se
passe en un orgasme de quelques secondes. Il a eu
la mort aiguë à laquelle rien n'a manqué des deux
actes du grand drame. La conscience de l'inéluctable
et la douleur atroce. Voilà ce qu'il faut à celle qui a
tué sans autre but et sans autre intention que de
faire du mal... du mal à quelqu'un que j'aime. »

Albert n'est pas méchant. Bien loin. La bonté universelle et la générosité. Pourtant il est né pour tuer.

ALBERT RACONTE...

J'ai eu l'autre nuit un cauchemar... Je n'arrivais pas à parler. Au réveil, j'ai constaté que commençait une crise comme j'en subis parfois. D'abord une angoisse indéfinissable, de tout le corps, qui se concentre autour du cœur lequel se met à battre à toute vitesse. Puis le corps qui tremble d'un peu partout, d'abord légèrement et de plus en plus fort, tandis que l'être extérieur devient d'une sensibilité douloureuse. Comme si chaque nerf ou morceau de nerf devenait perceptible sous la peau. Et la peau ne peut plus supporter aucun contact. Le plus souvent cette sensation d'écorchement me jette hors du lit, et la moindre infime contrariété menace de me donner une crise de nerfs.

Cette fois, j'ai essayé de me contrôler et surtout de contrôler ma crise, de l'analyser et de me la décrire. Pour moi. Pas de calmants. La valériane est bonne, quelquefois, prise à temps. J'ai mangé de l'aspirine et j'ai cherché, pour rester calme, sur le dos, détendu de toute ma longueur et de toute ma largeur et de toute mon épaisseur, à étudier objectivement ce qui m'arrivait. A contrôler mes soubresauts.

Effet de l'aspirine et de ce contrôle, j'avais l'impression (trois ou quatre fois en deux heures seulement)

que tout mon réseau nerveux à vif se nouait en plusieurs points. Comme si l'abominable sensation éta-
lée sous toute la peau (et sur) prenait une dimen-
sion différente, de plane et diffuse devenait boule
précise au creux de l'estomac, sur la cuisse droite,
sous l'aisselle gauche... La boule une fois formée drai-
nait la sensation d'énervement pour devenir un point
douloureux intense... Jusqu'au moment où je sentais
la boule s'échapper de moi comme une bête qui se
sauve. J'ai eu ainsi l'impression très moyenâgeuse
d'avoir chassé successivement trois démons... Au troisième et dernier, j'étais presque bien, quoique épuisé
et en sueur glacée... J'ai pu m'assoupir une demi-
heure environ. Au réveil j'étais fatigué, mais assez
à l'aise dans ma peau... Et je me suis souvenu de ma
petite enfance, surtout de mon adolescence quand
j'étais, par périodes, sujet à des accès de colère totale,
brutale, folle, aveugle, rouge, comme disent les bonnes gens... Terrifiants pour les autres, pour moi épuisants, vidants. Des colères où j'avais envie de tuer,
de tuer n'importe qui, n'importe quoi, ce que j'aimais
comme ce que je haïssais... On m'appelait Albert-casse-
tout... Après ces colères, il fallait des heures, même
des jours pour me retrouver. Malade après, pas seulement de honte. Ma mère, les bonnes, la gouvernante
savaient un peu me calmer en me jetant de l'eau,
après une heure ou deux passées à me regarder sans
oser rien dire ni faire, me rouler par terre, à essayer
de m'empêcher de briser les meubles, à se défendre
contre mes coups... Mon père, partisan de la cravache
(à laquelle il avait été élevé), n'avait jamais réussi
qu'à me rendre plus fou et plus furieux, et il renonça
le jour où — j'avais six ou sept ans — je l'eus à moitié
assommé avec le manche, cassé dans l'affaire, en
corne de cerf, d'une cravache nerf de bœuf, c'est-à-
dire verge de taureau tordue, gainée de cuir blanc

piqué à la main, celle avec laquelle il me corrigeait
quand je lui manquais. Depuis ce parricide raté (le
premier de ma carrière), il fuyait la maison quand il
sentait la rage me prendre... aux mots qui se télesco-
paient dans ma gorge sans pouvoir en sortir autrement qu'en aboiements...

C'était le moment où moi, pire que la mort, je
souffrais de tout mon corps, plein de petits démons
douloureux qui pour sortir taraudaient ma peau par-
dessous pour passer à travers elle, qui n'y parvenaient
pas et qui remontaient au cœur, aux tripes, partout,
pour faire mal, qui essayaient d'échapper et finissaient par me rendre enragé.

Quelle horreur de repenser à cette chose quand je
sens que cette chose renaît en moi à cause de l'Inde,
à cause de ces idées de vengeance... Toute cette horrible chose que je croyais avoir surmontée, guérie, cor-
rigée, domptée et même asservie...

A cause de l'Inde qui m'exaspère, de la chaleur
qui me tue... Pas de l'opium qui, de ce côté-là, m'a
fait longtemps du bien. Qui m'en faisait plutôt, car
depuis un certain temps, depuis tous ces drames et
tous ces meurtres, les démons se réveillent, quand
viennent les angoisses, et me mordent le cœur...

Pourtant j'avais réussi à me débarrasser de ma
colère. Plus même à la canaliser et à l'utiliser... à
force de douches froides quand j'étais petit, de volonté quand j'étais plus grand, conscient par bonne
éducation du ridicule de se mettre en de tels états.
Je fus conseillé par le membre de l'Institut qui soignait ma mère, elle même psychopathe, peut-être
droguée, en tout cas toxicomane. Je sais de qui je
tiens... Le membre de l'Institut avait expliqué les
accès de folie meurtrière comme un héritage de mes
ancêtres les dolichocéphales vite chauves aux cheveux d'or quand ils sont jeunes, aux yeux de mer

d'hiver, à la peau de lait panthérée de roux... Les
guerriers, les anciens Germains, les vieux Saxons,
comme les Prussiens de 1870 et les boches de 1914...
— Mais je ne suis ni boche ni prussien, ni ancien
Germain... Je suis latin. — Latin si tu veux, de langue, et encore, surtout de pape. Mais les vieux Ro-
mains n'étaient que des Prussiens... Il n'y a qu'à lire
leurs lois et leur droit...

— Tu es — c'est toujours le membre de l'Institut
qui parle — tu es latin par les versions et par les
thèmes, pauvre petit, tu es romain par la religion,
ainsi soit-il, mais par la peau, le sang, les os et la
viande, tu es pur prussien, germain, enfin boche. (A
l'époque, l'environnement n'avait pas plus cours que
la mésologie et l'écologie, Karl Marx n'avait pas voix
au chapitre, Freud balbutiait, et Lyssenko n'était pas
né à la science.) Pur prussien de morphologie, il est
normal que tu agisses comme un Prussien. Sais-tu ce
que c'est qu'un *Berserkt?* Non? Eh bien je vais te
donner de la lecture. Et il m'a fait lire les sagas scandinaves et les *Niebelungen* et toutes les histoires mer-
veilleuses des vieux Burgondes et des vieux Goths,
bêtes de proie, frères en férocité des anciens d'Israël
et de Judas sans complexes de bon Jésus et de douceur mariale, de joue tendue et de pardon des offen-
ses.

Cela ne m'a pas rendu proallemand, prohitlérien ni
même prosémite... D'autant plus que ma mère, la
psychopathe, était un peu juive, un quart seulement.
Par son père, mon grand-père, dolichocéphale roux
avec les yeux clairs, plein de taches de son. Plus tard,
pendant l'Occupation, mais il était déjà mort, j'ai
pensé qu'il aurait fait un beau SS, même avec un
tarin signé Lévi qui était le nom de jeune fille de
sa mère, petite-fille d'un illustre banquier de Francfort au temps de Napoléon. Si bien que j'écoutais

le membre de l'Institut me parler des *Berserkt,* des guerriers qui, au combat, étaient pris de la sainte rage, de la colère meurtrière qui les rendait si forts et si puissants, si aveuglément courageux qu'un seul comptait pour dix sur le champ de bataille, terrorisaient l'ennemi, ne sentaient ni coups ni blessures et continuaient de vivre, même blessés à mort, ce qui leur arrivait rarement car la fureur les déchaînait si bien que personne ne les touchait au combat...

J'ai eu peu d'occasions jusqu'à la guerre, autant dire pas du tout, de faire des essais sur l'art de devenir *berserkt* parce que je n'ai jamais aimé les bagarres de bistrot ou de bobinard, mais quand la guerre vint enfin, après toutes les fausses alertes de l'époque, tous les six mois, printemps automne depuis 1936 affaire de la Rhénanie, j'ai repensé aux histoires de *Berserkt* du membre de l'Institut. Ma mère était morte entre-temps de ses soins. Lui aussi.

A la première patrouille où je tombai sur l'ennemi avec deux escouades, la distance fut suffisante pour que le sang-froid ne m'abandonnât pas. Mais au deuxième engagement je devins *berserkt,* je fus pris de la folie meurtrière avec le symptôme atroce (cette fois assez jouissif puisqu'il était plus qu'autorisé, recommandé) des petites bêtes, de toutes les petites bêtes méchantes, qui veulent sortir de dessous la peau et ne peuvent, à moins qu'on tue, pour les tuer. Peut-être devrais-je raconter cette histoire revenue sur le bat-flanc à moi qui l'avais enterrée... Opium, opium, es-tu un bon psychiatre en faisant retrouver au fond de moi-même ce qui ne sert plus qu'à faire du mal?

Cette histoire est bizarre. Je ne l'ai jamais mise au point vraiment, car elle s'est passée comme quelque chose de déjà vécu par moi, ou rêvé. Mais je n'en suis pas sûr. J'ai agi de son début à la fin, constamment

*en double de moi-même. Déjà même avant l'action,
quand j'ai su qu'elle allait se produire. Frédéric était
avec moi, nos deux pelotons ayant fourni les volon-
taires... Nous venions, après une promenade de quatre
ou cinq heures en forêt, de constater que le* land *était
no man's, sauf pour un coupeur de bois en calot
rond feldgrau et sans veste, en bretelles pour tenir
son pantalon de territorial enfoncé dans de vieilles
bottes, sur qui nous avions tiré sans conviction et sans
l'atteindre. Il courait en zigzags comme un grand cerf
à travers les hêtres qui commençaient à rougeoyer.
Sur le chemin du retour, brusquement j'ai dit à Frédéric :*

*— Te souviens-tu, en passant tout à l'heure, de ce
que j'ai remarqué à propos d'un petit chemin creux
en cul-de-sac? Qu'il ferait une bonne planque pour
nos chevaux si demain, comme il en est question, nous
reprenions l'avance vers l'est? Frédéric, crois-moi si
tu veux, je viens de rêver éveillé (à moins que je ne
dorme en marchant) de ce petit chemin creux, mais
il était plein de motocyclettes allemandes, BMW à
carreaux bleus et blancs, autour d'une automitrailleuse naine peinte camouflage, comme en mai dernier à Epernay on nous a dit qu'ils en avaient...*

*— Albert, ce n'est pas possible... Nous venons de
patrouiller tout ce grand morceau de forêt... Elle est
vide, sauf pour les lièvres à l'orée et les chevreuils
planqués dans les fourrés...*

Et moi :

*— Allons voir. J'ai comme une certitude, une vi-
sion intérieure. Quelque chose comme la foi... Allons
voir.*

*— Mais elle est vide, Albert, cette forêt. Il n'y a
personne. Tu es fatigué! Tu dérailles. Tu rêves. D'ailleurs tu viens de dire toi-même que tu rêvais éveillé...*

— Je rêve, mais je suis sûr. Allons-y, je t'en prie.

*Je vois des grenades... Au bord du trou où les imbé-
ciles vont remonter sur leurs motos... Je les rêve, je
les vois comme je te vois : des françaises, ces grenades, sept ou huit caissettes rectangulaires, grises
les unes, vertes les autres, avec des OF et des DF,
des offensives lisses et des défensives quadrillées...
Je sais même qu'elles sont là depuis l'avance de septembre, qu'on les a laissées au moment du retrait.
On y va?*

*— Tu connais l'endroit? Tu les as vues. Ou alors
tu me fais marcher.*

*— Je ne connais rien. Je sais simplement qu'elles
sont là, comme les motos et l'automitrailleuse, un
peu plus loin.*

*Frédéric a haussé les épaules : « Le détour n'est pas
grand. Si les hommes sont d'accord, allons voir. » Les
hommes sont d'accord, on va voir.*

*Frédéric a vu en même temps que moi... Un reste
d'ouvrage, vague à cause de la pluie tombée, creu-
saillé par les fainéants d'un régiment bricolé de la
drôle de guerre, qui ont écorché un peu de terre à
bruyère à la pelle-pioche le jour de l'entrée en Sarre
il y a deux mois. L'automne a déboulé le commencement de trou collectif... Ils ont déquillé le jour de
l'ordre de retraite, ou la veille, si ça se trouve l'avant-
veille, et pour ne pas les porter, pour décamper plus
vite, ils ont laissé les grenades. Abandon d'armes. Naguère Biribi. Les bat'd'af. Le petit chemin de fer de
Tataouine. Les grenades, juste le nombre de caissettes OF et DF dont j'ai rêvé en marchant, plus
seize ou dix-huit caisses de cartouches de FM, en chargeurs... Dont je n'ai pas rêvé. La bouffe, les conser-
ves, ça ils n'ont pas oublié. Ils n'ont laissé que les
munitions. Les munitions et un mousqueton. A peine
rouillé, il peut servir, au moins pour un échange.*

— Tu vois, dit Frédéric... L'ignoble ne montre ni

surprise ni admiration à la découverte étonnante, à mon don de divination! Tu vois bien que la forêt, du moins ce bout-là, est no man's land... *Si les frisés l'avaient patrouillée, ils auraient ramassé les grenades, les chargeurs et le mousqueton. Cela faisait la croix de fer pour le lieutenant et les félicitations du capitaine pour l'obergefreiter qui serait tombé dessus...*

— *Vos gueules, j'ai hurlé... Ecoutez plutôt... Ça me reprend. J'ai entendu dans ma tête à cinquante mètres sur la droite, après la dernière ligne d'arbres au-dessus du chemin creux, la pétarade d'une moto après un coup de kick... 350 cc, au plus, soupapes en tête. Je m'y connais en moto, j'ai couru. La course de côte de Saint-Cergue, en Suisse, dans le Jura, canton de Vaud. Puis deux, puis trois autres coups de kick, puis une autre demi-douzaine, et la pétarade* collective *d'un peloton moto devenant peu à peu ronron grandiose à mesure que les moteurs chauffent... Ecoutez-donc, bandes de cons...*

Je gueule comme un âne, puisque je sais que les autres, les Fritz, avec les cylindres feuilletés qui grondent entre les jambes, ne peuvent rien entendre.

— *Tu es fou, dit Frédéric. Cinglé.*

Il gueule plus fort que moi et il vrille de l'index droit, à hauteur de la tempe, le bord de son casque (lequel, pour quelle raison? n'est pas kaki comme les autres, mais bleu marine, reste sans doute des chasseurs à pied de l'Hartmanswillerkopf, à la guerre d'avant).

Les huit autres bonshommes de notre patrouille ont commencé à fourrer les grenades dans leurs poches pour en ramener le plus possible. Ils font silence aussi et le silence est total sauf pour un peu de vent qui passe dans les hautes branches et pour un picvert qui se croit au printemps et qui tape, tactactactac, l'écorce d'un frêne ou d'un bouleau... Une minute. Deux minutes. Trois minutes. C'est long. Mes motos, enfin mes bruits de motos, ont disparu.

Je suis fou, vraiment, ou bien j'ai des bourdonnements d'oreilles. Je dis à Frédéric : « Pardon. Allons voir quand même au bord du trou, enfin du chemin creux. » Et Frédéric de me prendre paternellement par l'épaule comme un médecin aliéniste ou comme un infirmier d'asile.

Au bord du trou, que voyons-nous? Que voyons-nous? Onze motocyclettes BMW toutes seules sur leurs béquilles, avec des paquetages genre toile huilée verte, sur le tansad, plus un side-car avec le conducteur en selle, l'air endormi sous son casque vert foncé. Une drôle de petite voiture camouflée vert-rouge-noir, avec un chauffeur au volant et, assis derrière, un zigomar, feldgrau comme les autres, l'épaule droite à la crosse en gros fil de fer d'une sorte de mitrailleuse à chargeur horizontal rond, genre gâteau de Savoie. Il regarde en l'air, c'est le guetteur. Il a les yeux bleus, des yeux vagues de vache blanche qui rêve : Qu'est-ce que je fous ici, pendant que ma petite femme est à Duisbourg, à Cannstadt ou à Oberwiller?

Nous restons bouche bée. Même moi qui savais mais qui venais de douter... « Chapeau », murmure Frédéric. Personne n'a plus rien dit. Nous nous sommes tous compris. Les deux FM se sont d'eux-mêmes mis là où ils devaient, les autres ont fait de petits tas avec les grenades. Nous n'avons plus qu'à attendre le retour du gros de la patrouille adverse et taper dans la confusion quand ils mettront les moteurs en route et ils s'empastrouilleront les uns dans les autres comme dans mon rêve.

On les voit. Ah, pour ça, on les voit. Ils reviennent deux par deux, trois par trois... Douze, treize, qua-

*torze. Le compte y est. Le lieutenant, épaulette d'ar-
gent plein, parle avec un sous-officier (épaulette bordée seulement)... Ils rient. Et côte à côte — la guerre,
ce n'est pas la caserne — ils pissent un coup contre
le talus. Le sous-off va vers sa moto, l'officier allume
une cigarette avant de s'asseoir dans le side-car dont
le conducteur, par zèle, lance le moteur en premier.
Deux des trouffions montent s'asseoir dans la torpédo, un devant au volant, l'autre derrière, avec le
guetteur aux yeux de vache blanche. Les autres, les
motards, comme des chasseurs après la battue, ils ont
posément enfilé leurs flingues en bandoulière, avant
de chausser leurs gants à crispins (il y en a même
un, le bon soldat, qui a inspecté son arme avant de
dégager le chargeur). Un par un, lourdement à cause
de l'équipement, capote, cartouchières, sacoches et
tout le fourniment, ils ont kické les starters...*

Nous aussi on kicke. Mais pas du starter.

*J'ai balancé la première grenade, une DF quadril-
lée. Intelligemment, très intelligemment, en plein dans
la cuvette de la torpédo à mitrailleuse, puisque c'est
elle qui visiblement fait la couverture. Et c'est en
voyant ma grenade (lancée de sang-froid cinq secondes après dégoupillage et lâchage de la cuiller pour
qu'elle éclate en tombant) péter juste entre les jambes
de la vache blanche qui n'a pas fait ouf, mais qui
saigne, le pauvre, que je suis devenu berserkt.*

*J'ai piqué une énorme colère, d'un coup, aussi forte
que celle du jour où, à la campagne, j'ai presque
étranglé une cousine qui se payait ma tête... Je me
suis régalé. Toutes les petites bêtes qui voulaient sortir, qui n'arrivaient pas à percer ma peau et qui couraient d'habitude me mordre au cœur, au foie et partout, je les ai chassées à coups de grenades sur ces
pauvres bougres à moto et quand j'ai vu, à travers
ma folie, que deux ou trois d'entre eux, dont l'officier,*

*pas touchés, cherchaient à se défiler en grimpant la
pente de terre éboulée du côté où nous n'étions pas,
j'ai bondi comme un fou dans la souricière au milieu
de nos grenades qui éclataient dans tous les sens,
en travers des rafales de nos deux fusils-mitrailleurs
qui se régalaient à bouffer les dizaines de chargeurs
trouvés sur le terrain, j'ai sauté pour tuer de ma main,
de ma main nue...*

J'étais si berserkt *que je ne pensais ni à mon pistolet, ni aux grenades de mon ceinturon. J'ai attrapé
le* leutnant *par une botte et je me suis colleté avec
lui, qui devint aussi* berserkt *que moi, puisqu'il a
lâché son gros mauser à étui-crosse pour m'affron-
ter avec les poings. C'est Frédéric qui nous a séparés, en assommant à moitié l'Allemand dont j'ai vu
la bave aux coins de la bouche et les yeux presque
blancs — mon frère, mon portrait des jours de colère
où je me regardais dans la glace pour me faire honte,
m'apprendre à me contrôler... C'est Frédéric qui a
fait aligner les morts fridolins dégagés de la ferraille
de leurs belles motos, six, auxquels il a fait présenter
les armes (c'était encore une guerre de soldats)...
C'est Frédéric qui a fait couper des branches en ci-
vières pour ramener trois des prisonniers blessés. Deux
autres, dont le lieutenant, pouvaient marcher. Trois
feldgrau sur les quatorze avaient réussi à grimper le
talus pour aller, aux leurs, raconter la surprise.*

Pourquoi ce souvenir me revient-il, ce soir où je
suis seul, en même temps que celui où pour la première fois depuis ma retraite indienne j'ai pris la
colère et tué un homme... Ce qui n'a aucune importance, un Indien de plus ou de moins, qu'est-ce que
ça peut faire à ma conscience... Ce qui importe, c'est
ma rechute, avec tous les symptômes plus ou moins
oubliés, leur brutalité, la rapidité de leur retour, ma

souffrance aiguë et cette joie orgastique de voir l'homme tomber dans la poussière, du sang plein la gueule... J'ai dû lui fracturer le crâne... Et les autres en fuite éperdue sous mes coups de fouet. J'ai dételé le cheval pour lui donner la liberté qu'il n'a pas prise, restant sans bouger, tremblant sur ses pauvres jambes, d'une claque sur les plaies de sa croupe de misère. C'est bizarre, quand j'ai aidé Jerry à étrangler la fille qui nous avait trahis à Maradi, pendant l'affaire des Haoussas, je suis resté d'un calme absolu mais ce n'était pas comme ici, quand on attend la mousson, quand souffle le vent du désert, qu'on appelle le vent rouge, pas tant parce qu'il met de la poussière rougeâtre dans les yeux et dans le nez, mais parce qu'il incite à la colère et au meurtre les Européens et les Américains, s'il abrutit les Indiens, assommés, liquéfiés, fondus, figés... Les Blancs sont des pelotes de nerfs douloureuses, auxquelles même l'opium ne fait plus de bien... Moi, pendant le vent rouge, je suis sûr de perdre mon sang-froid et d'être malade à hurler des petites bêtes qui veulent sortir de moi-même et me donnent la colère...

Liao Shia luen, de l'ambassade de Chine, m'a raconté sur le bat-flanc, un soir de vent rouge, qu'il venait de se farcir deux Indiens d'un coup avec la Cadillac de son ambassadeur qu'il conduisait pour l'essayer. Grâce au drapeau national et à la plaque CD, il s'en était tiré avec les excuses des autorités et vingt-cinq roupies de *verguelt* par famille en deuil. Il aurait payé le double ou le triple, comme simple particulier. Ce qui n'aurait quand même pas été très cher... Impossible de nier, avec de la cervelle plein les phares et un mètre cinquante de boyaux coincés dans l'enjoliveur avant gauche. Il ne l'avait pas vraiment fait exprès mais il n'avait rien empêché quand deux ahuris s'étaient jetés sous ses roues... Cela avait été plus fort que sa volonté : il n'avait pas freiné, ni accéléré, ni visé, en restant très conscient du soulagement qu'il éprouverait après... Depuis que soufflait le vent rouge, deux jours, trois jours de suite, il souffrait de l'envie qui prend les étrangers après un long séjour avec plusieurs étés, de massacrer un Indien ou une paire d'Indiens... Quarante-cinq degrés de température des mois et des mois sans discontinuer, jour et nuit, à l'ombre, l'homme n'est pas fait pour cela.

Ce jour-là, enfin le jour où j'ai tué un Indien, j'avais pris l'affreuse route, plutôt le chemin impraticable après la pluie qui suivait alors le vieux rempart extra-muros du côté de la Jumna. Le long du Rajghat où l'on allait plus tard brûler la carcasse du pauvre Gandhi victime de l'intolérance et de la sottise religieuse. Un. des plus grands cerveaux de tous les temps... Devant moi, dans la pierraille et le sable, une tonga arrêtée.

Une vieille, minable tonga, attelée d'une pauvre bique d'un mètre dix au garrot, peut-être moins, maigre comme un tas d'os, pleine de plaies, de croûtes et de pus. Dans la tonga délabrée, sept ou huit, peut-être dix personnes entassées autour d'un gros marchand en dhotti et calotte noire de banya, d'énormes bonnes femmes en saris blancs, des enfants en bonnets brodés. Tout ça gras, luisant, bouches rouges de noix de bétel, marques de prière à la pâte de santal sur le front... Des riches, en tout cas des « à l'aise », revenant tout joyeux de la crémation du grand-père ou de la grand-mère... Tout ça hindou, peut-être même Jaïn et végétarien à ne pas tuer un morpion, encourageait le cocher à assassiner à coups de manche de fouet la pauvre bique qui ne pouvait plus tirer la charge monstrueuse qu'on lui avait accrochée au derrière, qui n'avait plus d'autre réaction que de rai-

dir ses quatre jambes arc-boutées, qui se laissait tuer
sur place, l'œil indigné par tant de méchanceté et de
bêtise... Pas un seul de ces imbéciles n'aurait eu l'idée
de descendre pour alléger la charrette et le crétin
de cocher ne savait que taper, taper à mort. La rage
m'a pris. D'abord la colère du vent rouge, celle que
je voulais éviter, transformée presque aussitôt en ma
colère personnelle à petites bêtes sous la peau. J'ai
brusquement arrêté la voiture, j'ai sauté à terre, j'ai
hurlé je ne sais quoi et j'ai lancé un coup de pied à
lui briser les reins dans le dos du cocher qui s'est
effondré sur le cheval, cramponné des deux bras,
comme cassé, en faisant « ouille » et en lâchant son
fouet que j'ai empoigné pour bâtonner l'homme
comme il faisait à la bête. Puis je l'ai piétiné quand
il est tombé par terre... Le sang au coin des lèvres
et les yeux retournés... Les autres n'ont compris, ne
sont sortis de la tonga qu'aux grands coups de fouet
dont je les enveloppais en hurlant... Et je hurlais
« *Murdabad, Murdabad* », comme eux, quand Hindous
ils massacrent les Musulmans, comme eux quand,
Musulmans ils massacrent les Hindous... Ils, et elles,
n'ont pas été longs à disparaître, courant comme des
merdes, floc floc, à pieds plats, abandonnant leurs
savates... Le gros, je me souviens, se tenait les couilles
à deux mains pour ne pas les gâter dans les soubresauts de la fuite... Et les bonnes femmes s'empêtraient
dans les saris, les gosses roulaient des yeux blancs...
  Moi, dans ma colère en train de s'écluser, je riais,
je riais et je faisais claquer le fouet. Puis j'ai déshar-
naché le cheval, plutôt la pauvre bique, avec tendresse et j'ai embrassé son nez resté doux et propre,
malgré les plaies et la vermine, en pensant à Jésus
devant le chien mort : « Quelles perles sont plus blanches que ses dents »... Je n'ai pas pris la peine de voir
si le cocher était mort ou vivant... Je l'ai fait rouler

au fossé sous l'herbe sale, de la pointe de ma botte,
sans me baisser. Il n'était pas lourd et il avait des
mouches à la commissure des lèvres. Puis je suis
parti, bien dans ma peau comme après chacune de
mes grandes colères assouvies. Je le répète, ce n'est
pas le regret que je puis éprouver d'avoir supprimé
une existence sans plus de sens cosmique que celle
d'un moucheron, que celle du cheval en train de
mourir sous les coups. Ça, c'est de la morale pour Occidentaux, et encore pas pour tous... Ce n'est pas l'émotion... L'homme que j'ai tué... Conneries inventées,
fausses émotions sensiblardes et chrétiennes... Moi, ça
ne m'a jamais rien fait de tuer quand c'est pour
quelque chose qui possède un sens... Ni à Jerry ni à
Frédéric (encore que pour lui je mettrais des réser-
ves)... Je n'ai jamais posé la question à cette frappe
de Puri Nayer... Ça ne devrait pas le gêner beaucoup,
lui non plus! Côté maternel, doges, poignards, capes,
spadassins, poison, Pont des soupirs et Plombs de
Venise... C'est connu. C'est naturel. Pas de problème.
Côté marwari et paternel? On ne tue pas les mouches,
on se met un mouchoir sur la trombine pour ne pas
avaler de vie, pour ne pas détruire de vie... quoiqu'en
avalant n'importe quoi, c'est toujours de la merde
qu'on finit par faire, donc de l'engrais, donc de la
vie. Lavoisier n'était pas hindou, mais quand il a
promulgué rien ne se perd, rien ne se crée, il hindoui-
sait sans le savoir. Comme Paul Valéry, quand il faisait passer dans les fleurs le don de vivre des pères
profonds aux têtes inhabitées qui sous le poids de
tant de pelletées se laissent boire, blanche espèce, par
la rouge argile!... Quand on est Marwari de Marwari, Banya de Banya, essence, quintessence de Banya
à peser les poils de zizi pour faire de la monnaie,
on ne tue ni mouche, ni pou, ni puce, ni morpion
aux yeux bleus aux yeux noirs ou aux yeux verts,

mais on affame des villes entières en spéculant sur
le blé, sur le riz, sur n'importe quoi... On suicide les
gens en leur fourrant sous le nez des intérêts à crever, des vingt, trente, cinquante pour.cent par mois,
si bien qu'ils se tuent... Pourquoi donc, serait-ce crime
dans cette terre bénie de Mata Bharat, de massacrer une paire de minables, par inadvertance encore,
comme mon Chinois de Liao Shia luen... Pourquoi
donc serait-ce crime pour lui d'avoir fait d'un coup
sanglant beaucoup de bonheur... Bonheur double...
d'abord celui du gain de quelques années de roue du
destin pour deux pauvres bougres, ensuite d'avoir
amené à deux familles plus d'argent qu'elles n'en
avaient jamais vu, qui bénissent maintenant le nom
de Liao Shia luen, grâce auquel elles ont pu rem-
bourser l'usurier...

Pourquoi ne pas tuer les bourreaux, même un bourreau aussi inconscient qu'un imbécile de cocher en
train d'assassiner par bêtise son gagne-pain... Ce qui
m'embête, ce que je regrette, c'est d'avoir été pris
d'une crise de colère. Mon regret — pas mon remords,
ça, c'est de la morale pour communiants — mon
regret c'est de constater que je ne suis pas vraiment
guéri de la colère. Même d'une sainte, morale et légi-
time colère. Moi qui croyais en être sauvé par l'opium.
A quand la prochaine colère? Qui tuerai-je... Quand?
Pourquoi? Comment? Combien de fois? Je peux, je
dois tuer, mais pas en colère. Cela dit, pourtant, plus
je fume, plus je comprends toutes choses... Quelle
merveille que ce pavot changé en fumée noire qui
éclaire ma vie, ma conscience, ma sagesse... Pourquoi cette contradiction entre ma bonté pour le cheval et ma haine de l'homme... Quel est cet instinct
qui me pousse malgré toute mon éducation morale
tournée vers l'homme à plaindre les bêtes et à mépri-
ser cruellement les hommes? Le contraire, tout le

contraire de ce qu'on a essayé de m'inculquer. Qu'est-ce que ça peut me foutre de voir crever un Indien le long de la route, au fossé ou pas... Qu'est-ce que ça peut me foutre de savoir qu'un Chinois clamse toutes les secondes... Ce qui me touche, c'est ce qui me touche, quand ça me touche, au moment où ça me touche... Le reste, c'est de la littérature, de la morale. Du réflexe conditionné... On a pitié des hommes... On plaint les pauvres. On fait la charité. Qu'est-ce que ça veut dire, tout ça? J'ai compris par l'opium la charité vraie, la bonté vraie. Par l'opium j'ai découvert tout le fonds de bonté véritable, de charité non conditionnelle dont mon être était capable... Je suis bon. Je le sais depuis aujourd'hui. J'en ai la certitude absolue, du plus profond tréfonds de moi-même. Quand on est capable de tuer un homme indifférent, mais méchant, ou bête (ce qui est pareil) pour ne pas même sauver un animal qui ne sait pas même qu'on le sauve, ni où se sauver. C'est de la bonté vraie... La recherche du désintéressement. Quel bonheur cet opium qui fait comprendre tout ce qu'on ne saura jamais, tant qu'on n'a pas perçu... perçu par illumination. Je suis bon... Je suis bon... Je suis bon... En tuant cet imbécile de cocher de tonga, de *tongawallah,* c'est le mal que j'ai tué, comme Durga la déesse quand elle a détruit après le Grand Combat le démon Mahesha, dont elle fut appelée après Maheswari, comme Germanicus ainsi nommé pour avoir battu les Germains... Et cela me fait remonter à cette soirée du temple de Durga, ou de Kali à Amber, près de Jaipur, quand j'ai vu sacrifier le buffle du Dusserah, le buffle qui symbolise le mal... J'ai tué tantôt le cocher de la tonga et comme la bonne déesse Kali ou Durga, ou Parvati, ou Uma, ou Kandi ou Gauri, ou Annapurna, que nous transformons parce qu'elle tue en déesse de la mort, alors qu'elle est la Bénéfique, notre

mère, celle qui donne, j'ai symboliquement exalté la
victoire de l'esprit sur la matière. Et l'esprit, c'était
un petit cheval pelé, galeux, plein d'escarres et de
plaies... La matière, c'était une famille de porcs de
marchands, gros, gras, suiffards, qui venaient d'en-
terrer un mort dont ils héritaient sûrement.

L'ennui, s'il y en a un, c'est l'intermédiaire. *L'homme
que j'ai tué,* comme écrivait, quand j'étais jeune,
Maurice Rostand qui donnait dans la sensiblerie des
anciens combattants de 14-18, lesquels, perdus de misère au fond de leurs tranchées, s'identifiaient avec
les biffins allemands dans leurs trous gadouilleux...
D'accord, pour Maurice Rostand. L'homme qu'il a tué,
c'était lui-même... Quand un soldat en tue un autre,
dans une guerre classique, c'est lui-même qu'il tue...
Moi, ça m'est arrivé, et l'homme que j'ai tué, dans
une patrouille, le premier de ma vie d'assassin, c'était
un soldat comme moi, sauf qu'il était en vert et moi
en kaki. J'ai eu mal, en ramenant son cadavre à la
division. Pas de l'avoir flingué à bout portant, mais
parce que par lui c'était moi que j'avais tué. Je le
voyais comme si c'était moi dans sa grande capote
feldgrau, mort, mort, mort pour toujours, alors que la
vie est si belle, si bonne, si merveilleuse. Mais les
autres, tous les autres... Surtout cet Indien intermédiaire dans ma lutte du bien contre le mal... Lui, pauvre bougre n'était pas le mal... Le mal, c'est ceux qui
le payaient, les Banyas crémateurs de l'oncle ou du
grand-père cramé sur le bûcher des ghats de la Jumna.
Lui, le cocher, c'était l'agent du mal. Le courtier en
mal. Il tapait sur le petit cheval... J'ai tapé sur lui '
parce qu'il tapait sur le petit cheval. Il n'a pas tué
le petit cheval. Moi, je l'ai tué, lui. Du moins je le
crois et j'en suis même sûr. A cause des mouches vertes sur le sang rouge. Quelle surprise s'il revenait
vivant me dire que je ne l'ai pas tué? Pas de fantôme

en Inde. Les morts on les brûle, pour qu'ils ne reviennent pas. C'est connu... Les fantômes n'existent que dans les pays où on enterre les morts... Là où on les brûle, ils ne reviennent jamais, c'est plus sûr. Ça veut dire, mais oui, que les pays où l'on brûle les morts sont ceux où l'on a peur des revenants. Un peu de cendres dispersées dans une rivière aux quatre vents ou dans l'océan, et le mort, le pauvre mort, est mort, mort de mort. Mettez-le dans un trou, comme nous, en croyant à la résurrection de la chair, et il soulèvera sa pierre, il démantèlera le béton le mieux contraint, le marbre le plus écrasant pour venir vous tirer la nuit par les pieds ou faire du ramdam dans la maison. Brûlez-le, aux ghats de Bénarès ou au crématoire du Père-Lachaise, quelle paix merveilleuse il vous foutera, ce con de mort. Surtout quand on l'a assassiné.

Alors, l'inconnu de la tonga... Il faut aller voir si on l'a ramassé et si on l'a brûlé. Il y a les confréries hindoues pour brûler les morts qu'on trouve sur la voirie comme chez nous au moyen âge les enterreurs de pestiférés et de cholérateux. Faut-il encore prouver, si on le trouve, qu'il soit hindou ou musulman. Que je suis bête. Au zob, ça se démontre, ici, pays de religion. Les circoncis, c'est les muslims. Les autres, les à prépuce (il y en a de longs à ne jamais décalotter), ce sont les hindous. Mais il faut le retrouver, mon mort. J'ai fait une erreur en ne le laissant pas sur la voie. Il va revenir dans la fumée noire, après les kiefs cafardeux...

Et je m'envoie en l'air, divinement d'abord et tristement ensuite, parce que mon mort vient me visiter, tout noir et triste et pauvre. Jamais. Jamais on ne le brûlera parce que jamais les Banyas de la tonga n'iront chercher à retrouver sa famille... Ils auraient trop peur d'avoir à payer la course. J'y songe... Après mon démarrage en trombe, cadavre au frais, ils ont dû aller fouiller le mort au cas où il aurait quelques roupies dans un repli de son dhoti sale.

J'ai raconté tout ça à Frédéric quand il est venu fumer sur le tard, avec Sushila. C'était juste avant la mission de Frédéric au Nord, avant le grand départ des autres... Aussi avant les grands massacres.

— Il faut le brûler, a dit Sushila. Le plus vite possible pour qu'il te foute la paix...

Qu'elle est bonne Sushila... Qu'elle est belle et qu'elle est bonne... Elle sait ce qui m'étreint et Frédéric aussi, qui l'approuve.

— Où l'as-tu planqué, ton cocher de tonga? Dis-nous exactement...

— Je viens avec vous...

— Non, Albert. Il ne faut pas que tu voies ton mort.

Elle a raison. Bête comme je suis, occidental comme je suis, le mort tué par ma colère, je m'imagine déjà que c'est moi qui l'ai tué et je vais plaindre ce mort, et pleurer sur lui, dont je me fous comme de l'an quarante, qui me donne déjà des cauchemars, peut-être des hallucinations... Je ne dois pas le revoir.

Ils y sont allés, d'après mes indications. Il était bien mort, dans le fossé, et ils l'ont trouvé. Très vite, parce que Sushila avait pensé à mon chien qui, la voiture arrêtée au bon endroit, a pris le vent, nez en l'air, pour foncer en frétillant de son tronçon de queue sur le coin de fossé herbu où, chose curieuse, inattendue, les fourmis (les grosses, les blanches) avaient commencé de travailler avant les vautours, avant les chacals, avant les charognards, avant les corbeaux, avant les rats. Ce qui signifie paraît-il sans discussion possible que mon mort aurait mis un certain temps à mourir tout à fait.

Ce sont les fourmis blanches qui l'ont attaqué en

premier, il n'était donc pas tout à fait mort quand je l'ai laissé. Ces pauvres bêtes de fourmis ne connaissent ni la vie ni la mort... Il faut leur pardonner... Elles ne connaissent que la faim. Comme les pauvres hommes de l'Inde. La vie, la mort, qu'est-ce que c'est... Pas même une délivrance, mais un changement, donc un espoir. La faim, elle est là tous les jours, toutes les heures, toutes les minutes, c'est un désespoir.

Sushila et Frédéric, ayant par décence enfermé dans la Buick le chien, mon chien, qui reniflait d'un peu près en se léchant les babines, tirèrent le mort par les pieds sur la route, arrêtant la première tonga à passer, disant au cocher que leur chien venait de trouver un cadavre dans le fossé.

— Ah, dit l'autre, vous le connaissez? Non? Bon. Alors laissez-le. Cela vous coûtera cinq roupies si vous l'amenez aux ghats pour qu'on le brûle... Laissez-le donc aux chacals et aux oiseaux du ciel. Ce ne serait pas le premier trouvé sur la voirie à Delhi, surtout dans ce quartier et dans les temps que nous vivons... C'est peut-être vous qui l'avez tué... écrasé?

— Non, il est en assez bon état.

— Alors vous l'avez heurté avec votre voiture?

— On vous dit que non.

Il reluquait la Buick :

— Vous avez une belle voiture... Combien ça coûte une machine comme ça?

— Cher, très cher...

C'était Sushila qui faisait la conversation, avec l'immense mépris des Indiens riches pour les misérables ilotes du bas de l'échelle, mais sans morgue.

— Combien de roupies? disait l'homme.

— De quoi acheter plus de cent tongas comme la tienne, avec leurs chevaux, aussi beaux que le tien.

— Alors ce sera dix roupies pour conduire le mort

jusqu'aux bûchers. Donnez-moi dix roupies, dix roupies seulement, et je vous le fais brûler. Ce serait
dommage de salir les coussins d'une belle voiture qui
coûte la moitié d'un *lakh.* Le *lakh,* c'est cent mille roupies, comme le *crore* c'est dix millions de roupies. A
l'époque un travailleur indien se faisait quatre annas
par journée ouvrable. Quatre annas, un quart de roupie... Pas d'amertume de la part du cocher. Sushila
avait le ton du commandement et l'autorité des femmes indiennes quand elles sont bien nées. Il était tout
simple pour lui qu'elle fût riche et que lui fût pauvre.

Il a chargé le cadavre dans la tonga, non sans avoir
étalé deux doubles pages du journal *Amrita Bazaar
Patrika* sur le siège arrière houssé de blanc frais. Puis
il a fouetté son cheval qui était grand, propre et
gai, harnaché ciré, avec un panache de plumes de
paon en cimier sur le frontal. Joyeusement il a fait
sonner son timbre et il est parti au grand trot vers le
brûloir sans vouloir prendre l'argent d'avance.

Sushila — c'est elle qui conduisait — et Frédéric
l'ont suivi, phares à demi, jusqu'aux ghats où
quelques bancs de pierre rougeoyaient dans le noir
sous un peu d'humanité calcinée à moitié. Sushila
régla le cocher comme convenu, plus une roupie de
bakshish, et le cocher salua très bas, mit le mort à
terre et replia son journal... Il pouvait encore servir à
envelopper des légumes, de la viande, même des
fleurs que les Indiens aiment tant.

Grosse voiture, sari en soie de Bénarès, gueule
d'Européen de Frédéric, firent bondir vers « l'homme
que j'ai tué » la douzaine de brûle-morts des ghats
de Delhi, et ce fut à qui dégagerait le plus vite, en
balayant les restes et les cendres, les espèces de pierres tombales surélevées en brique et ciment sur lesquelles ils construisent les bûchers autour des cadavres en présence de la famille. Pendant qu'un parent

ou un ami, souvent le pandit, l'homme sage du voisi-
nage, récite les *mantrams* et accomplit les gestes sym-
boliques et les sacrifices qui accompagnent la mort.
Aux ghats de Delhi, au bord de la Jumna, ce sont les
pauvres qu'on brûle, et les cérémonies sont escamo-
tées... On se débarrasse du mort aux moindres frais.
Rien à voir avec les cérémonies compliquées qui en-
tourent les funérailles des brahmines riches... Les
ghats de Delhi au bord de la Jumna, c'est l'équiva-
lent des nécropoles genre Thiais aux abords des grandes villes, où les pauvres à peine enterrés dans une
rangée sont déterrés et jetés à la fosse commune pour
faire de la place aux suivants. L'avantage du crématoire en pays de surpopulation, c'est surtout de ne pas
prendre de terre à l'agriculture...
   A l'heure tardive où Sushila et Frédéric apportaient
mon mort à brûler, les familles des autres étaient
parties depuis longtemps... Le bois est cher en Inde
du Nord et si le bois manque avant que le cadavre
soit en cendres, il faut payer pour que le valet de
bûcher apporte un fagot ou quelques rondins... Payer,
toujours payer, quand on est pauvre... Alors, quand
on est pauvre, au bûcher, même si c'est sa mère qu'on
brûle ou son enfant, on feint n'importe quoi, on se
sauve les yeux pleins de larmes et le cœur gros, et
les brûle-morts balayent les socles funéraires et jet-
tent à la rivière, ou aux bêtes sur la berge, les débris.
Seul le riche a le privilège d'être vraiment mis en
cendres... A condition que quelqu'un des siens reste
à son chevet à payer le bois au fur à mesure. Cruauté
des pays pauvres.
   Frédéric m'a raconté le sprint des brûle-morts et la
bagarre, l'empoignade des misérables pour s'emparer
du pauvre type expédié par ma colère dans une réin-
carnation que je souhaite meilleure, de tout cœur...
Sans quelques coups de pieds et de poings de sa part,

sans l'autorité cinglante de Sushila, ils auraient dé-
pecé le cadavre en se l'arrachant, afin d'avoir le
bakshish, le pourboire d'usage, une fois payée la taxe
municipale. Finalement, le tongawallah fut décemm-
ment étendu sur la pierre, vaguement lavé, sur un
bon lit de broussailles et de bûches, bientôt enfermé
dans un entrelacs savant de bois sec... Un peu d'huile,
du *ghee* ou beurre clarifié et des prières dites par un
pandit dépenaillé sorti au vacarme d'une hutte voi-
sine, dans l'espoir d'une roupie. Le feu mis aux quatre
coins et mon chien qui hurle dans la voiture où il
se demande pourquoi il est enfermé, quand ça sent
le barbecue. Marchandage pour payer, avant le
moment crucial auquel personne n'avait songé, le moment de l'intervention rituelle du plus proche parent,
le fils pour son père, le père pour son fils, le mari
pour sa femme, quand il faut tuer une seconde fois
le mort en l'assommant d'un bon coup de bûche sur
le crâne parce que, sous l'effet de la chaleur, il se
redresse dans une détente de la colonne vertébrale,
comme s'il voulait fuir le bûcher et avec lui Rudra,
le dieu de la mort.

Frédéric m'a raconté en rentrant cette scène macabre pendant que Sushila prenait un bain pour se purifier, en bonne Hindoue de bonne caste... « C'est moi
qui ai retué ton bonhomme... » Et il n'était pas
content, parce qu'il y avait eu assaut de politesses
entre les assistants, le cocher de la tonga-corbillard,
le pandit dépenaillé et lui, personne ne voulait prendre la bûche tendue par le crémateur en chef... « Finalement je te l'ai assommé ce mort qui m'agaçait, assis
dans les flammes à se demander pourquoi trois co-
nards qu'il ne connaissait pas se faisaient des politesses avant de l'expédier pour de bon... C'est dégueulasse, dit Frédéric. Fais-moi fumer beaucoup. » Et
puis, quand Sushila fut revenue : « Maintenant nous

sommes quittes, dit Frédéric. Je te comprends. C'est
pire de retuer que de tuer. »

Nous avons fumé énormément cette fin de nuit-là.
Sans parler, mais en pensant à la même chose qu'on
avait oubliée, plutôt écrasée, enfouie, qui ressortait
aujourd'hui entre nous et qui n'était qu'une perdrix
tirée par Frédéric, aile cassée, il y a si longtemps, du
temps des milieux latino-américains de Paris.

C'est moi qui l'avais achevée, cette perdrix de Sologne, en lui cassant la tête contre une pierre, alors que
le joyeux cocker noir aux yeux tristes qui l'avait rap-
portée à mes pieds pantelante n'avait pas osé la serrer pour faire partir son petit souffle de vie... Comme
une brute d'homme j'avais agi... Je n'avais pas
l'excuse, si c'en est une, d'avoir été *berserkt* ce jour-
là.

Je n'ai jamais oublié. Frédéric m'en a voulu d'avoir
retué la vie infime qu'il avait abattue. Nous avons été
gênés ensemble quelque temps, après ce drame minuscule.

— Mort d'homme ou de perdrix, dit Sushila, quelle
est la différence?

Plus tard, bien plus tard, quand j'étais seul avec
Vivian dans notre retraite au pays des charmeurs
de serpents, j'ai raconté l'histoire de mon mort des
bords de la Jumna et celle de la perdrix et Vivian
m'a agacé en s'enfonçant dans une explication de
textes à la manière des Sociétés Adyar, de Miss Spade
et de la vieille Annie Besant, sur la métempsychose,
d'où il ressortait que la perdrix était revenue après
tant et tant d'*avatara* se faire tuer et retuer sous la
forme d'un cocher de tonga par les mêmes qui
l'avaient tuée et retuée en Sologne dix ans plus tôt
à dix ou quinze mille kilomètres des ghats de la
vieille Delhi.

Sushila, elle, avait dit exactement ce qu'il fallait

dire... Mort d'homme ou de perdrix, quelle est la différence?

Je ne chasserai plus jamais... Je ne tuerai plus jamais. Sauf le jour où, devant ceux que j'aime, je dirai en langue serpente : « Tue », au cobra noir que mes amis dressent pour moi, qui m'obéit déjà mieux qu'un chien de concours.

FRÉDÉRIC PARLE...

Albert m'inquiète : il ne tourne plus rond du tout et je m'en aperçois. S'enfonce-t-il vraiment dans l'opium, avec des troubles graves, ou bien est-ce moi qui le vois malade depuis mon divorce avec la fumée noire?

A la réflexion, il y a les deux. Moi d'abord : j'ai beau tout savoir, j'ai beau croire avoir tout compris de l'opium, tant que je ne suis pas plein de fumée je suis *en dehors* quand je m'assois au bord de son bat-flanc. Je ne suis plus dans le coup, comme on dit, même quand je m'étends à clignoter des yeux devant la petite lampe et à toussoter, mal au cœur, vague nausée de regret quand un peu de vape me passe sous le nez... Il n'y a plus communion, et pour tout dire, c'est en cent fois, mille fois plus fort, la répulsion envers l'ivrogne de l'abstème militant alcoolique repenti... Il comprend mais il déteste et il a peur. Il sait trop bien qu'entrer dans le jeu lui fera accepter le verre et que le verre accepté, tout est possible et re-possible.

Avant mon départ, il y a des mois, quand Albert avait l'opium triomphant, quand il était de sa magie le dieu et le hiérophante, il débordait de force et d'enthousiasme, sauf quand il était nième. Il suffisait de l'accompagner avec quelques pipes pour se trouver disciple à son diapason, le suivre dans le lyrisme, et ses folies paraissaient géniales. Depuis mon retour près de lui, je trouve qu'il radote, surtout quand il fait effort à remuer mondainement des sujets familiers destinés à me faire plaisir, mais qui l'ennuient. Cela se voit à qui le connaît. Le reste du temps, il est prostré, ou délirant. Délirant quand il se lance en verve sur les cobras, ses nouveaux amis, pour lesquels il aurait tendance à reléguer au second plan son chacal doré... Pitoyable quand il raconte la nouvelle forme que prennent ses kiefs... « Je n'ai plus jamais de kiefs légers aux rêves dirigeables... Pourtant j'ai changé d'opium... J'ai éprouvé toutes les cuissons... J'ai fait venir de nouveaux fourneaux... de nouveaux bambous... J'ai même essayé des pipes écœurantes en roseau de canne à sucre, pour trouver la douceur... C'est de moi que le mal vient et c'est horrible... J'ai fumé moins, pour voir, et c'était pire. J'ai fumé plus et c'était la même chose... »

Vivian est là, cette femme dont il aime la présence auprès de lui et qu'il fascine. Elle le voit en pécheur absolu à sauver, en Antéchrist à redresser, en Esprit du Mal à réhabiliter, en démon déchu douloureux à panser... Elle le calme mais elle l'agace sans aucun doute... Pourtant, dès qu'il est en mal d'angoisse il la réclame et elle lui donne la main et il est moins mal...

« *Je pars dans un kief normal,* — c'est Albert qui parle — *légère somnolence, état de repos et de bien-être... Puis tout dans mon esprit devient noir. Des voiles de deuil. Des linceuls noirs. Tout est sombre, brun sombre, comme l'opium... Je m'enfonce dans le noir et une angoisse m'étreint... Comment la décrire?*

C'est celle que Pouvourville, ou un autre, pardon de perdre la mémoire, appelle la locomotive... Oui. C'est la locomotive qui vous arrive dessus quand on dort. Pas comme en rêve, en rêve on sait toujours plus ou moins que l'on rêve, que c'est un rêve... On appelle aussi cela l'hallucination, mais c'est plus fort et plus atroce que l'hallucination... Comment expliquer? Peut-être ceux qui sont parvenus à mon point d'opium, ou bien ceux qui ont essayé les champignons de la Birmanie et des Philippines, ou de l'Amérique du Sud?... Ou l'ergot de seigle qui faisait jadis les sorciers et les sorcières, chez nous, voyager au sabbat, si vraiment convaincus qu'ils juraient devant potence et bûcher avoir vu Belzébuth... Enfin quoi, c'est un rêve, on le sait, c'est une hallucination, on le sait, mais en même temps on sait que ce n'est pas un rêve, que ce n'est pas une hallucination. A la fois que c'est vrai et que ce n'est pas vrai. Banal le rêve conscient. Mais abominable le cauchemar conscient. Et dormir d'un kief juste et détendu pour se sentir agressé par une locomotive qui vous écrase de toutes ses tonnes, qui vous assourdit de tout son vacarme, qui vous brûle de toute sa vapeur, qui vous noircit de tout son charbon... Elle revient, cette locomotive, comme Satan au moyen âge aux mangeurs de jusquiame et de lichens ensorcelés, noire, lourde, rouge des flammes de l'enfer, dans un bruit de tonnerre, comme un train sur les tôles d'un pont de fer... Et je me réveille en nage, le cœur battant à me casser les côtes, et je n'ose plus fermer les yeux... Si je les ferme la locomotive revient. Quand ce n'est pas la locomotive qui me tue, c'est l'angoisse de la balle de polo qui vient me bouleverser et me détruire.

Vivian voulait trouver un guérisseur pour changer les idées d'Albert, faire de la contre-drogue, mais

Albert refusait, remettait. Il se persuadait, il s'enfer-
mait dans une idée fixe : celle que tous ses maux
finiraient le jour où Shirley serait vengée. Il se montait la tête au niveau qui m'aurait paru normal naguère
mais qui maintenant me le montrait comme aliéné.

Pour lui cette vengeance, qui ne concernait que
moi, était son affaire. Il la prenait en main théâtra-
lement. Dans un demi-délire, il décrivait une sorte
de Sainte-Vehme, ou de Ku-Klux-Klan avec des
cagoules et des chapeaux pointus. Tous les membres
du groupe éparpillé réunis pour la circonstance...
Sushila revenue de la côte de Malabar, Janine et
Jerry rentrés exprès de Birmanie ou de Dieu sait où
auraient fait les jurés, avec Philippe et Vivian. Moi,
Frédéric, j'aurais joué l'accusateur. Pas de défen-
seur. Et lui Albert aurait présidé, dirigé les débats.
Après que chacun sauf lui et moi aurait, d'une voix
sépulcrale, prononcé la mort, il aurait fait venir le
serpent, lui aurait donné le signe et le mot, pour que
d'un coup de son fouet il bondisse frapper en pleine
poitrine la coupable et mordre de ses crocs bourrés
de poison la criminelle épouvantée...

J'avais beau lui répéter fermement que je refusais
la vengeance et que mon amour était trop pur, trop
grand, trop beau pour un tel mélodrame... Que
la vie et les aléas de l'espionnage et de la guerre
secrète, avec la justice de Dieu, finiraient par atteindre la fille Leopardi et la faire souffrir plus cruellement que la mort, même si cette mort était celle de
Cléopâtre, il ne voulait rien savoir et m'obligeait à
l'écouter raconter des histoires de cobras... De
Najas, les cobras par excellence, dont il existe dix
espèces toutes plus dangereuses les unes que les
autres... Afrique, surtout l'Egypte... Philippines et le
cobra, royal en Birmanie, comme le tigre... Quatre
mètres de long... Hamadryade comme le singe du

même nom ou comme la nymphe qui vivait et mou-
rait avec le chêne... Mais le vrai, le sacré ici, c'est le
Naja Naja, celui de l'Inde du Nord... Celui des temples et celui des sanctuaires... Jamais plus d'un mètre
cinquante, un mètre soixante... Jaunâtre, brun clair,
noir, quand il est vieux... Lunettes noires ou lunettes
blanches sur le capuchon... Sais-tu que l'érection du
capuchon ne se produit que lorsque le cobra est dérangé ou contrarié?

Puis il s'effondrait, partait en kief et se réveillait
hagard en appelant Vivian... Encore la locomotive...
Cette garce... Comme je devais rentrer à Delhi, je lui
suggérais de m'y rejoindre dès que possible, de rester
quelques semaines au bungalow avant que nous
allions ensemble passer le gros de l'été au Cachemire
où, la guerre finie, il était désormais possible de
séjourner au frais et au calme, en louant un house-
boat à Srinagar sur la Sutlej, ou encore de monter à
Gulmarg, où l'on trouverait des places au petit hôtel
chalet rouvert après les destructions.

Il promit, et se lança dans de nouvelles divagations
douloureuses... L'idée de Gulmarg lui plaisait, cette
clairière bordée des déodars et des cèdres de la forêt
primitive au pied de la montagne sylvestre d'Aparwat,
surmontée de l'énorme massif sacré de granit, de
gneiss brillant et de neige étincelante qui s'appelle
Nanga Parbat, à bien plus de huit mille mètres dans le
ciel bleu... Pourtant, il aurait préféré aller estiver
dans le Tehri Garwal, pour être plus près du mont
Nanda Devi, qui est nommé après le roi des serpents...

Je lui racontais la capitale, après les drames et les
bouleversements du départ des Anglais un nouvel
ordre régnait qui n'était pas si mal, même quand tout
n'était pas parfait. — Le Polo Club avait repris ses
activités, mais le Hunt Club était mort avec la chasse
à courre, et les chiens à renard, la vieille Linda en

tête, étaient partis s'embarquer à Bombay avec les Shandy-Lamotte, dont l'intention était d'organiser, pour vivre, un club de chasse au renard pour classes laborieuses, dans l'Angleterre socialiste. Leurs vertes propriétés là-bas ne rapportaient plus que des impôts... Je lui parlais de la place prise à New Delhi par le corps diplomatique et de l'urgence qu'il y avait à venir défendre le bungalow de Prithviraj Road contre les convoitises de tous les conseillers de toutes les missions étrangères... C'était une chance que le gouvernement l'ait trouvé trop petit pour l'attribuer à une ambassade ou comme résidence à un ambassadeur... Mais Albert se moquait du tiers comme du quart, poursuivi par son idée fixe. Je lui parlais (sans avoir le cœur à tout cela) des réceptions de plus en plus brillantes, des jolies femmes venues de partout, des hommes d'affaires de tous les pays du monde qui défilaient pour tenter de prendre la place des anciens seigneurs britanniques, qu'ils critiquaient, en les singeant!

Lui ne pensait qu'aux serpents, qu'à la vengeance vue comme un psychodrame.

La veille de mon retour à Delhi, il insista pour m'emmener au camp des ophiophantes. Dans une vraie jungle pleine de murettes, abandonnées depuis des dizaines d'années ou des siècles (en Inde, on ne sait pas), éclatées parfois, aplaties, arrondies, effondrées. Elles avaient dû servir à partager des lopins au temps où cette terre était cultivée, ou bien à empêcher la pluie de ruisseler. Partout les plantes avaient poussé, herbes épineuses, manguiers sauvages, acacias tordus, banyans maladifs ou superbes, suivant l'eau trouvée par les multipliants de leurs racines... Le chef du camp était venu à notre rencontre, peut-être averti par les cobras qui grouillaient sous les herbes et les feuilles, d'après Albert qui recommandait le silence et m'assurait de la protection du Roi des Charmeurs, dont le nom était Hari Singh, visage très sombre, dents très blanches avec un large sourire sous une moustache drue de radjpoute et un turban géranium noué à la mode de Jaipur...

Au centre du camp était une ruine, comme on en trouve partout dans cette Inde du Nord conquise et reconquise depuis quatre ou cinq mille ans... châteaux abandonnés, villes délaissées pour cause de mauvais sort, d'épidémie, d'assassinat... La terre végétale avait à moitié enfoui une sorte de coupole triple, peut-être ancien temple ou petit palais, on ne sait, en brique et pierre, avec un grand pan de mur resté par miracle de plâtre blanc non écaillé sur lequel galopaient en peinture un roi à cheval, un singe aussi à cheval; deux éléphants caparaçonnés trottaient l'amble dont un portait l'étendard triangulaire d'un seigneur radjpoute de l'ancien temps... Une infinité de fantassins prognathes avec des queues de singes chargeaient entre les chevaux et les éléphants... Manifestement un épisode en assez bon état de la Ramayana, aux couleurs encore vives... Albert et Hari Singh montèrent sur un talus près des trois coupoles dont une avait éclaté sous l'effort d'un figuier. Je les suivis, m'étonnant naïvement que cette partie de la jungle soit vide d'oiseaux, sans perruches jacassantes, sans meenahs glapissants, sans « sept sœurs » grinçant comme les cigales, et surtout sans singes gambadants, rhésus ou langoors...

« Regarde », dit Albert... Sous nos pieds, dans la coupole crevée, béante, vingt ou quarante, peut-être cent serpents — comment compter — grouillaient, comme les vipères du puits où Gunnar chante son chant de mort, dans le vieux poème des Skaldes scandinaves... Ce que je fis remarquer à Albert qui sourit :

— J'aime l'idée... Mais permets-moi de te faire remarquer que le venin des vipères, comme celui des crotales et autres serpents vulgaires, agit lentement en s'attaquant au sang, alors que le poison des cobras protéroglyphes agit directement sur le système nerveux, d'où l'instantanéité de son effet et la quasi-impossibilité de sa palliation...

Et puis :

— Hari Singh prétend qu'il existe un vieux trésor sous l'enchevêtrement de reptiles, que tous les cobras sont des descendants d'un couple auquel un très ancien maharajah de Bharatpur avait laissé la garde de ses richesses du temps des grandes guerres entre les Jats et les Mahrattes... Chez nous, c'étaient plutôt les dragons qui gardaient les trésors avant les coffres des banques... Le malheur quand le petit-fils du maharajah rentra d'exil, les serpents s'étant reproduits, étaient devenus légion; plusieurs étaient noués entre eux et le trésor gardé à jamais... Il est toujours là... De quoi vivent ces horribles bêtes... Elles ne mangent ni l'or ni les diamants! Celles qui le peuvent sortent le soir pour chasser, d'autres serpents sont apprivoisés... Ils apportent à manger des rats, des rongeurs, et des insectes à ceux qui sont noués. Ils se dévorent aussi un peu entre eux!

Hari Singh nous amena vers un fossé où dans des paniers alignés sur une rangée se trouvaient lovés une quinzaine de cobras. Sur un sifflement prolongé, l'une après l'autre, comme pour un ballet, les quinze têtes pointues à langue double dardée se dressèrent, et les quinze capuchons à lunettes se dilatèrent... C'était effrayant et magnifique... J'ai compris qu'un homme comme Albert pût être fasciné. Ce n'était rien.

Un gamin tout nu, sauf pour un morceau de chiffon rouge entre les cuisses et un turban sale autour des cheveux, présenta un serpent noir à Albert qui le prit derrière la tête par les vertèbres cervicales... Hari Singh tira de sous son pagne une planchette pleine d'encoches et de morsures pour la donner à mordre au cobra dont le venin jailli des crochets ruisselait sur le bois.

— Cela le soulage, dit Albert sans plus lâcher prise que le serpent, comme une vache qu'on trait. Après ils sont sans danger. Non seulement parce que leur morsure est inoffensive une fois les glandes vidées, mais encore parce qu'ils n'ont même plus envie de mordre... Comme un mâle en rut devient subitement calme dès qu'il a foutré. Maintenant regarde...

Je regardais, mal à l'aise. Albert, exalté dans le vent qui s'était levé, tenait toujours le serpent par la nuque. Ce n'était pas un très long serpent, un mètre dix, un mètre vingt peut-être, ni un très gros, noir et le capuchon dilaté, sans lunettes, n'était pas très large. On entendit craquer les vertèbres entre les doigts d'Albert, le serpent cessa ses contorsions pour devenir raide, comme un bâton d'ébène poli... Et Albert triomphant le brandissait et faisait virevolter cette chose comme une canne de tambour-major, sans toutefois desserrer l'étreinte des doigts sur la nuque... Après deux ou trois minutes de tournoiements et de moulinets, il lança au loin la canne d'ébène, laquelle redevint serpent en tombant au milieu du sentier pour regagner en trois ou quatre vigoureuses sinusoïdes la corbeille avec un sac au fond et un peu de lait à côté.

— Hein, dit Albert, heureux comme un enfant... Cela ne te rappelle rien? Moïse, Aaron... Ancien Testament... Exode... La verge jetée devant Pharaon pour le convaincre, et transformée en serpent... Tu vois je suis aussi fort que Moïse et Aaron réunis... Mon ancêtre le banquier de Francfort devrait être fier!

Je marchais un peu en retrait, avec Rama, qui faisait l'interprète, pas plus rassuré que moi, malgré son enfance passée dans les environs.

— Tu imagines, disait Albert, le cobra noir — je l'appelle Ofnir — à Delhi au bungalow, ou à Gulmarg, ou sur le House Boat du lac Dal à Srinagar. Tu as vu comme il m'obéissait. Encore quelques semaines et j'en fais ce que je veux. J'avais d'abord songé à attirer la Leopardi jusqu'ici et à la précipiter, après sa condamnation, dans la coupole aux cobras. Mais à la réflexion cela serait beaucoup moins noble comme justice. C'est une tueuse, cette fille, mais elle est courageuse après tout. Elle combat pour ses idées...

Vivian me conduisit à Agra où j'avais rendez-vous à l'hôtel Cecil avec un couple français de l'ambassade qui m'offrait une place pour Delhi. Pendant le trajet, elle ne cessa de parler d'Albert et des soucis qu'il lui inspirait. Je fus heureux de la connaître un peu mieux, surtout de parler seul à seule avec elle. Comme moi, elle trouvait démente l'idée fixe de la vengeance.

— Malgré les apparences, dit-elle, je n'ai aucune influence sur lui. Je le calme, je l'apaise mais c'est à peu près tout. Nous nous entendions à merveille sur la philosophie indienne, sur la pensée hindoue, dont il connaît réellement quelque chose. Il a saisi en finesse la profondeur de quelques textes avec une humilité rare pour un être aussi orgueilleux que lui. Maintenant, il rejette tout ce qui n'est pas son idée fixe.

« Comment était-il quand vous l'avez quitté, au début de la dernière mousson? Je vous ai, en somme, presque succédé auprès de lui. Il était très sombre après votre départ, avec des idées noires... Il s'est mis à fumer de plus en plus, et le départ de Sushila l'a encore enfoncé dans la morosité et dans la soli-

tude. Je pense qu'il aime cette Sushila... Je parle sans
jalousie, je sais bien qu'il ne me voit pas plus femme
qu'une espèce de nurse, de garde-malade. Même
quand il veut que je vienne dans ses bras, quand il
dit avoir besoin de ma peau pour reprendre confiance
et pour atténuer ses angoisses. Je pense qu'on devrait
demander à Sushila de revenir... Peut-être aurait-elle
une bonne influence. Quant à vous — je parle franchement de ce qu'il m'a confié — il est déçu... Il trouve
que vous l'avez trahi en aimant quelqu'un d'autre
et il s'est senti excommunié par votre refus du bat-
flanc et de la lampe quand vous êtes revenu... En
même temps, bien qu'il dise le contraire, il vous envie,
assez vilainement, d'avoir réussi à sortir de l'opium.

Puis, après un assez long silence : Comment vous
et Shirley avez-vous réussi à couper avec la drogue?
Elle était prise, Shirley, comme vous, si j'ai compris.

J'avais du mal à répondre, à expliquer cette exal-
tation qui nous avait saisis, Shirley et moi, en découvrant que notre amour ne se pouvait partager avec
rien d'autre... Même si cet autre était celui dont
l'amour était né! Rien n'avait été plus facile, notre
vie étant changée, que de changer de vie. Quelques
boulettes de plus en plus petites, pour les débuts douloureux, beaucoup d'amour remplaçant les kiefs par
le simple bonheur d'être ensemble.

Vivian secouait la tête :

— Avec Albert c'est autre chose. Vous, Shirley et
vous, vous n'étiez pris qu'en surface, plutôt en esprit
qu'en matière. Albert est imprégné jusqu'à la moelle,
jusqu'au fond du système nerveux. C'est ce qu'il dit
lui-même. Il parle avec délices des lésions de son
cervelet. Pourtant il rêve encore de s'en sortir. Quand
il est en pleine vape, hélas! Quand il est niène, c'est
autre chose. Il est si malade qu'il se tuerait si la
drogue venait à manquer. J'ai essayé de réduire les

doses avec son accord. Plein de bonnes intentions. Cela marche un jour, deux jours. Une fois, une longue semaine, il s'est privé un peu. Puis comme ceux qui font un régime pour maigrir et qui, dès qu'ils ont perdu un kilo, se laissent aller à manger, un soir il a dit : « Cette nuit je m'envoie en l'air... Juste cette nuit. » Et il n'a pas dessoulé de tout le mois qui a suivi... C'est bien le mot pour lui, dessoulé. Il ne fume plus comme un hédoniste mais comme un ivrogne !

Vivian me laissa avec mon sac de voyage sous le porche de l'hôtel Cecil d'Agra, sans vouloir entrer boire un *nimbu pani* après un plongeon rapide dans la piscine... L'hiver était fini, et sans printemps, comme d'habitude, la grosse chaleur commençait d'accabler les journées, si les soirées restaient assez fraîches. Le temps idéal du nord de l'Inde, qui dure quelques jours, qui fait dire aux visiteurs en mission éclair : « Comme vous avez de la chance de vivre toute l'année ici, avec des fleurs partout... »

En me quittant avant de remonter en voiture, Vivian serra très fort mes deux mains, ses yeux larges pleins de larmes : « Faites quelque chose pour lui. Allez voir Sushila. Expliquez-lui qu'elle seule peut l'aider. Ramenez-la... »

Je trouvai le couple français sur la véranda, devant la pelouse que deux *malis* aux mollets sombres et noueux comme du bois sec — je pensai au cobra noir — arrosaient pour la première fois de la saison. La terre était déjà très sèche et l'herbe fumait en recevant l'eau...

Presque toutes les tables étaient occupées par les successeurs internationaux des anciens colonisateurs... Des hommes et des femmes américains et européens en tissus clairs, le teint frais des nouveaux arrivés, sentant l'eau de Cologne d'après-douche, parlant diverses langues et essayant leur anglais d'Oxford sur des serviteurs enturbannés à plastron rouge qui n'y comprenaient rien.

— Pourquoi, dit la jeune femme du secrétaire de l'ambassade de France, pourquoi ces Indiens font-ils les sourds quand on leur demande quelque chose? Est-ce mauvaise volonté envers les Blancs? Nous assimilent-ils, ces pauvres gens, à leurs anciens exploiteurs, à leurs oppresseurs détestés?

— C'est bien plus simple. Ils font les sourds parce qu'ils ne vous comprennent pas. Parlez-leur ce qu'il est convenu d'appeler petit-nègre, quelques-uns recevront votre message, mais jargonnez leur *lingo* comme les Anglais naguère, leurs visages s'éclaireront. On peut tout reprocher au colonialisme britannique, sauf de n'avoir pas appris les langues des pays où il sévissait. En Inde particulièrement.

Et je brillai sans peine, en ordonnant en hindustani deux grands whiskies et un petit, deux à l'eau plate, un au soda, en expliquant au bearer que le sahib étranger et sa memsahib venaient juste de traverser « l'eau noire » et qu'ils parleraient comme tout le monde la prochaine fois qu'ils reviendraient à Agra.

Le couple français venait en effet d'arriver en Inde, et si tous deux visitaient déjà le Taj Mahal quelques jours après avoir débarqué, c'était pour commencer à roder, sur les quatre cents kilomètres aller et retour Delhi-Agra d'assez bonne route, la voiture à plaque CD livrée de l'avant-veille. Ils étaient comme des enfants devant cette américaine énorme et somptueuse et ne parlaient que de leur automobile. Tous deux étaient très jeunes, ils s'étaient mariés dans le Paris à bicyclettes de l'Occupation et leur premier poste à Londres après la victoire à l'Ouest leur avait appris la vraie austérité. Aussi tout était beau pour eux, tout était nouveau et le pays le plus pauvre du monde dont ils voyaient l'extérieur pour étrangers privilégiés leur paraissait riche...

J'essayai de leur expliquer un peu l'Inde au dîner que nous prîmes ensemble au grill... Le cérémonial était resté le même qu'au temps des Anglais à travers l'Inde entière, la chère aussi triste. Tout devint sombre pour moi quand à minuit l'orchestre goanais attaqua pour une tablée d'Américains un *Happy birthay* comme celui du soir de Peshawar, au Dean's... Shirley et moi... Une éternité.

Sur le chemin du retour à Delhi, après Muttra où je montrais aux « nouveaux » le musée lapidaire et les singes de boutique au-dessus de la Jumma, la conversation en vint aux mondanités et aux ressources intellectuelles de la capitale. Ils habitaient à l'hôtel, au Maiden's, en attendant de trouver une maison.

— Connaissez-vous, dit la jeune femme, un certain Albert Berghaus dont m'ont parlé à Paris des amis communs... J'ai son adresse mais je n'ai pas trouvé le temps de l'appeler au téléphone... C'est un personnage extraordinaire, paraît-il, un peu aventurier, un peu drogué, d'une grande culture, connaissant tout de l'Inde...

Que répondre?

— Il est très malade et vous ne risquez pas de le rencontrer à Delhi. Plus tard je vous amènerai chez lui... S'il veut bien, parce qu'il vit comme un ours depuis déjà longtemps.

Nous parlâmes d'autre chose. Des gurus et des swamis, des fakirs et des saddhous, des maharajahs et des nababs, des vautours et des najas, des Gandhi et des Nehru, enfin de tous les mots derrière lesquels il faut chercher les vocations indiennes.

A Delhi, au bureau, je trouvai Philippe atterré : il venait de recevoir une sommation pour Albert d'avoir

à évacuer le bungalow de Prithviraj dans les huit
jours. Propriété du gouvernement, il était attribué
à un haut fonctionnaire des finances, un nommé Ram
Prasad Mukherjee. Je dus courir les ministères, l'ambassade de France à laquelle je demandai de faire
mettre les scellés ou d'envoyer quelqu'un, n'importe
qui, occuper les locaux, gagner du temps. L'ambassade tergiversa, pondit douloureusement une lettre
en style « diplomatique », autant dire ne fit rien du
tout... Si bien qu'avec Philippe nous dûmes déména-
ger le 19, Prithviraj Road au fur et à mesure de son
occupation par la famille Mukherjee, qui était nombreuse et venait du Bengale... Un peu comme des
voleurs, parce que ce bougre d'Albert n'avait jamais
payé les quelques centaines de roupies qu'il avait dues
aux Travaux publics au temps de sa grande dèche.
Quand la fortune était venue après la partie de
poker, l'époque était si trouble qu'on pouvait espérer
l'oubli pur et simple ou la perte des documents. Mais
l'administration est l'administration, et l'ordre
revenu, la machine avait repris sa marche. Le papier
timbré, les huissiers, les recours de justice, la police
elle-même étaient remués avec délices par le fonctionnaire des finances promu par l'Indépendance...
Il fallut caser quelque part Meenah, le cheval noir
installé dans le garage par la charité de Vivian, congé-
dier les domestiques, planquer les quelques meubles
avant qu'ils soient saisis, enfin mettre dans une cantine l'outillage sacré de l'opium, les deux pipes de
prix qu'Albert n'avait pas emportées dans sa retraite,
avec tout un attirail de casseroles pour la distilla-
tion, de lampes à huile, de mèches préparées, de
flacons contenant différents crus, plusieurs sortes de
dross, etc. tout un bataclan auquel, avec un petit
bouddha laotien rouge et or, il tenait plus qu'à n'importe quoi. Tout s'entassa dans la douchière de mon

bureau de Connaught Circus, en attendant. Au week-end suivant, Philippe se chargea d'emprunter une voiture pour aller porter la mauvaise nouvelle à Albert qu'il trouva avec Vivian campé dans une hutte de terre battue près du camp des serpents, car le service des Eaux et Forêts, réorganisé après la débâcle comme les Travaux publics, s'était aperçu qu'un étranger occupait indûment depuis des mois une maison dont ses inspecteurs pouvaient avoir besoin. Albert prenait tous ces contretemps avec indifférence : il ne pensait plus qu'aux serpents...

Entre-temps, j'avais cherché à joindre Sushila, non sans grandes difficultés. Le courrier dans l'Inde d'alors mettait des semaines, de grande ville à grande ville, et des mois quand il s'agissait d'atteindre un village, deux lettres sur trois perdues à jamais. Le télégraphe était pire... Il fallait suivre l'imprimé, une fois rempli, dans les profondeurs du bureau de poste, et ne pas quitter des yeux l'opérateur pendant la transmission, pour être sûr et certain de l'expédition. Quand une dépêche partait, elle était distribuée deux ou trois jours après à Bombay, Calcutta ou Madras, mais pratiquement jamais quand il se trouvait un transit sur le parcours.

Inutile de parler du téléphone à grande distance qui n'existait pratiquement pas, sauf vers Londres. En revanche, l'automatique ne marchait pas trop mal sur les réseaux urbains.

A force de lancer des télégrammes dans toutes les directions, de mettre en branle les services spéciaux (quoique avec prudence pour ne pas piquer de puces à l'oreille tous les espionnages et contre-espionnages qui grenouillaient, plus actifs que jamais) je reçus un matin le coup de téléphone d'un inconnu volubile, probablement malayalam ou kanarese de langue maternelle, à l'accent de son anglais, qui m'appelait d'un

ministère pour m'informer de ce que *Miss* Sushila
avait bien reçu le message de ma part et qu'elle
attendait ma visite chez la sœur de sa mère, au bourg
de Mudol, dans les Etats du Dekkan, sur la rivière
Kistna, pas très loin de Jamkhandi au sud de Bijapur... Je me précipitai sur les cartes routières et ferro-
viaires et je partis pour le long voyage. Avion jusqu'à Bombay, puis le train à travers les Ghats occidentales, par Poona, Sholapur, Bijapur où je m'arrê-
tai vingt-quatre heures, harassé, sale, chaud, malade
de poussière. Bijapur, l'ancienne Vijayapura, ville
de ruines de toutes les cultures et de toutes les religions entassées les unes sur les autres depuis quatre
mille ans. Encore un peu de train avant de trouver
et de fréter une vieille Morris déglinguée, avec un
chauffeur à peu près incapable de conduire, soulagé
quand je prenais le volant. Passage à gué de la Kistna,
pas trop loin de sa source, heureusement, Jamkhandi
avec une demi-journée passée chez le forgeron à redresser les jantes des deux roues gauches sur une
enclume contemporaine de la découverte du fer, enfin
Mudol, petite ville endormie où les enfants regardaient de gros yeux ronds l'Européen dont ils
n'avaient peut-être jamais vu de spécimen. Je
n'étais pas encore arrivé... Le chauffeur trouva un
guide pour l'étape finale, un assez jeune garçon qui
nous perdit plusieurs fois, plein de bonne volonté,
et nous dûmes dégager au moins deux fois la voiture
collée dans des gués pas balisés. La population de
cette région des Ghats au climat assez bon en raison
de la moyenne altitude, relativement fertile, est sou-
riante, complaisante, accueillante. C'est une espèce
d'Inde du sourire et de belle campagne. A chaque
incident, les enfants, les femmes, puis les hommes
venaient autour de nous, curieux, pleins d'entrain
pour aider, avec la meilleure humeur du monde, pas

mendiants pour un sou. A la troisième panne au milieu d'un gué assez large, le soir venait et comme, d'après le guide, nous étions presque arrivés, j'abandonnai voiture et chauffeur pour aller à pied et je choisis au hasard un des trois chemins pleins d'ornières qui prolongeaient, de l'autre côté de la rivière où ma voiture était embourbée, le *kacha track*, chemin de terre rugueux sur lequel nous roulions depuis quelques heures à grands coups de raquettes de ressorts à lames molles et sans amortisseurs... J'avais les reins brisés et les muscles douloureux, sans opium pour isoler mon corps des chocs... Je dois désormais, comme tout le monde, subir le froid, le chaud, le sommeil et les coups. Mais je ne regrette rien.

Voilà à quoi je songeais en marchant deux kilomètres environ avec le jeune guide, sans rien rencontrer d'humain. En revanche, les oiseaux étaient nombreux, jacassaient, en cette fin de journée douce, sous les arbres espacés de la jungle-parc poussée sur un sol sablonneux étonnamment élastique.

Nous atteignîmes un point où le chemin se fendait en deux. Comme j'hésitais entre les sentiers, que le jeune guide penchait pour celui de droite (peut-être parce qu'il montait moins fort), j'aperçus, piqué à la basse branche d'un assez bel arbre, imitation tropicale d'orme ou de tilleul, un morceau de carton avec, en français : « *Bonjour Frédéric! Ici est le chemin. Sushi.* »

Encore un quart d'heure ou vingt minutes pour arriver, au moment où la nuit tombait d'un coup, en vue d'un groupe de maisons basses en briques crues aux murs sommairement enduits de chaux bleue... Les toitures étaient de roseaux minces entre lesquels poussaient de longues herbes sauvages, sortes de graminées. Un arbre sacré, un *peepal* isolé, quelques dalles entre des racines et une sorte d'autel en pierre graissée de beurre fondu, avec des fleurs coupées du dernier *puja* et de petites coupelles de terre à demi cuite. Un vieux monsieur torse nu, ceint du double cordon de coton des brahmines, était accroupi jambes croisées dans une posture de méditation.

— C'est vous Frédéric, dit-il. Soyez le bienvenu. Sushila vous attend depuis plusieurs jours.

Et il se leva pour m'accompagner à la demeure principale où je trouvai Sushila qui se jeta dans mes bras sans effaroucher l'oncle, la tante et les petites cousines qui tous et toutes parlaient parfaitement anglais.

La maison avait pris le repas du soir... Plus exactement, chacun avait mangé seul sa part dans son coin sur une feuille de bananier, à la manière du Sud. Mais Sushila n'avait pas oublié que l'homme blanc est triste à jeun, surtout après une longue route. Elle fit frire pour moi quelques œufs sur des galettes fraîches et je bus un peu de whisky de la flasque en métal argenté que Budweiser nous avait offerte à Kaboul, à Shirley et à moi, quand nous avions décidé d'abandonner l'opium pour toujours.

Sur l'aire de terre battue, près du temple familial où quelques lampes à huile avaient été allumées auprès des fleurs coupées, nous nous assîmes sur une natte, Sushila et moi, à parler toute la nuit devant le paysage. ouvert. La lune était à la veille d'être pleine et nous la vîmes voguer dans un ciel immense, tantôt seule et sereine, tantôt galopant à chevaucher des nuées pressées, tantôt perdue dans le noir de vapeurs qu'elle finissait par dévorer... Jusqu'au jour, vaillamment elle lutta contre les obstacles du ciel, comme pour donner la main au soleil quelque part au nord, derrière une montagne haute et large, où l'ouest et l'est se rejoignaient... Que la nature est belle et douce dans ce coin béni de l'Inde où les hommes sont souriants, où les femmes sont gracieuses, où il ne fait jamais plus chaud qu'il ne faut pour être bien tout nu... La campagne sous la lune était pleine de senteurs tendres rayées d'effluves insolites portés par des courants frais dont l'arrière-vague faisait frémir les feuilles dures des manguiers et mollement s'étendre les hautes herbes poussées sur le chaume des toits. Le petit jour éteignit les bruits de la nuit, celui des bêtes en chasse et des oiseaux de proie. Une lumière frissonnante d'entre lune et jour, dans une pénombre silencieuse qui cesse d'être douce comme de l'argent pour devenir acide comme de l'or vert. Puis le rose glissa sur les feuilles pendant que l'orange débordait la montagne et que les oiseaux tous ensemble entonnaient l'hymne au soleil...

— Pourquoi quitter cela? murmura Sushila. Sa main n'avait pas quitté la mienne quand je lui racontais Shirley, mais elle se raidissait chaque fois que je revenais sur Albert... Pourquoi quitter cela? Et puis : J'ai peur qu'Albert ne me dévore avant d'achever sa propre destruction...

Elle avait repris ma main et nous étions debout, face au soleil quand il fut tout à fait levé. Soudain un voile passa, nuée attardée, négligée par la lune, et la nature cessa de briller. A moins de cent mètres de nous, dans le bois traversé hier avant de gagner l'aire, un chœur de chacals triomphants éclata comme une fanfare... Le *pheal*... Le chant d'une meute en plein jour. Aussi exceptionnel dans la jungle qu'une panthère noire ou qu'un tigre blanc...

— C'est Albert qui m'appelle, dit Sushila. Il a vraiment besoin de moi. Je pars avec toi. Je rentre à Delhi.

Nous partîmes le lendemain de bonne heure faire à l'envers le long voyage.

Alors tout se précipita. L'horrible chose.

Philippe nous guettait à Palam, à l'avion de Bombay, avec Jerry et Janine arrivés de l'avant-veille en permission de l'Extrême-Orient. Janine rayonnante en soie de Shantoung attendait un enfant. Jerry et elle s'étaient mariés à Hongkong quelques semaines avant, c'était presque un voyage de noces, et Jerry avait décidé de quitter l'aventure, d'entrer à la Banque de l'Indochine qui lui offrait une situation intéressante en Chine ou au Japon.

Les nouvelles d'Albert étaient plutôt bonnes; Rama, envoyé à Delhi pour acheter un kilo d'un Bénarès particulièrement fin qu'on ne trouvait que chez tel marchand d'opium de Faiz Bazaar, avait porté une longue lettre de Vivian à Philippe. Albert, selon cette lettre, fumait moins, avait moins d'hallucinations et attribuait cela au fait qu'il vivait davantage dans la nature depuis qu'il était installé dans une hutte de paysans. Elle, Vivian, n'appréciait pas tellement la terre battue et les rats et les insectes qui l'infestaient même en saison chaude et sèche comme maintenant. Elle appréhendait la venue de la mousson. A Delhi, Philippe avait retenu un appartement au rez-de-chaussée d'un immeuble entre Connaught Circus et le Parlement, où Albert pourrait vivre à peu près tranquille en attendant autre chose. C'était en pleine ville nouvelle, il n'y avait pas de jardin, rien qu'une cour commune, mais l'appartement était isolé au bout d'une longue véranda et les quatre pièces n'étaient pas trop chaudes. Le loyer, exorbitant comparé à l'ancien, n'était pas, pour le moment, un problème.

Nous passâmes tous ensemble quelques jours de retrouvailles et il fut décidé, Rama de retour portant là-bas la nouvelle, avec le Bénarès, que les amis d'Albert présents à Delhi, les fidèles, les disciples, fréteraient des voitures et trouveraient le temps d'une semaine à passer près du Maître dans la jungle de Bharatpur, et à le ramener s'il était d'accord. Jerry, mis au courant du projet de tribunal secret et d'exécution par cobra de la condamnée, avait trouvé l'idée romanesque, séduisante et à son goût, quoique difficile à réaliser dans l'immédiat. D'abord parce que la Leopardi opérait depuis quelque temps en Malaisie, s'employant à monter une rébellion contre la Grande-Bretagne. Ensuite parce qu'elle était extrêmement méfiante depuis que lui Jerry, entre Rangoon et Mandalay, lui avait abîmé la figure (quatorze points de suture) en manquant de la tuer dans un accident de voiture organisé à son intention. Elle n'ignorait pas, la Connie, de qui le coup était parti...·

— J'expliquerai à Albert, dit Jerry, pour lui faire prendre patience. Pourtant je serais curieux de voir un jour la tête de Dinah Leopardi *alias* Connie MacGregor, devant la gueule ouverte d'un cobra noir capuchon déployé... Comme je serais enchanté de voir en Maître des serpents notre cher Albert rendre la justice et exécuter la sentence...

La veille de l'expédition, nous nous retrouvâmes pour dîner dans un restaurant nouvellement ouvert du Connaught Circus, *La Volga*, fausse cuisine russe, grasse et médiocre, destinée aux nouveaux arrivants désireux de sortir du dilemme gravy à l'anglaise-curry à l'indienne proposé par les marchands de soupe toutes catégories de l'ancienne capitale impériale.

Quelqu'un vient nous saluer et faire des courbettes autour de la table. C'est Puri Nayer, frais, frétillant, aimable, comme quitté de la veille, un mot affectueux pour chacun, même pour Philippe rencontré pour la première fois...

— Je suis ruiné, confie-t-il avec un bon sourire, voilà pourquoi j'ai accepté la direction de ce nouvel établissement destiné à la clientèle étrangère... Je compte sur vous pour m'envoyer vos amis diplomates. Où est Albert?

— Albert t'emmerde, dit Janine.

— Ecrase, dit Jerry. Puri travaille maintenant pour l'Intelligence Service, donc c'est un ami! Regardez tous...

D'un coup sec, il arrache avec un bout de fil un petit micro vissé sous la table et le met dans sa poche, sous les yeux de Puri Nayer qui garde le sourire, imperturbable, et propose du champagne pour fêter la rencontre...

Nous partîmes à deux autos pour Bharatpur, directement, sans passer par Agra. Jerry avec une land-rover plus ou moins officieuse et, sur la route défoncée après Muttra, il prit avec Janine une heure d'avance sur nous, Philippe, Sushila et moi, dont la voiture classique était si peu à l'aise qu'elle nous versa à demi dans un fossé sec. Il fallut pousser et la chaleur était affreuse, la pire, celle d'avant mousson.

A la sortie de Bharatpur, comme convenu, sur la route de Jaipur, attendait un guide grâce auquel ce fut un jeu d'arriver au village. Vivian avait dirigé elle-même la première voiture, si bien qu'en atteignant la chaumine, propre, assez plaisante, presque fraîche pour l'abominable saison, nous trouvâmes un Albert rassuré du plaisir de ne pas fumer seul : Jerry lui tenait compagnie sur le bat-flanc et, malgré les objurgations de Janine, faisait honneur au Bénarès frais préparé. Albert fut heureux de la surprise de Sushila en sari bleu et or... Il

sourit en l'embrassant, sans trop pourtant montrer
de joie, à cause de Vivian qui ne le quittait pas des
yeux, comme une infirmière regarde un malade
auquel elle s'est attachée, sur le point de quitter
la clinique après des mois. Un peu humble, inquiète,
triste.

Quelques pipes pour Albert et pour Jerry, puis
une heure avant la chute du jour, Albert debout
demanda sa canne et dit :

— Venez donc voir mes serpents, du ton d'un
propriétaire de chevaux de course emmenant aux
écuries ses invités du week-end... Appelez Hari
Singh.

Albert, debout au grand jour, était effrayant à
voir... Maigre, il paraissait même voûté, plus grand
que jamais en saharienne très longue sur des shorts
très larges à l'anglaise d'où sortaient des jambes
étirées comme des mollets de coq. Visage osseux,
orbites creuses, nez immense par manque de joues,
lèvres pâles. Les yeux étaient fixes, en métal bleu-
vert avec une mince fente noire, et la peau était
terne et grise, avec des points bruns, comme si
l'opium ressortait par les pores. J'avais hâte, sans
doute aussi les autres, de le voir derechef étendu
dans la lumière douce de la petite lampe pour oublier cette image de ruine et de tristesse.

Et le groupe, d'abord en file indienne, fit la
tournée des serpents, la même que la mienne avec
Albert le mois précédent. Avec une différence : Hari
Singh, hier seigneur, paraissait désormais l'inten-
dant du nouveau Roi des cobras...

La triple coupole avec son puits grouillant, l'histoire du trésor et des nœuds de serpents... Attention
à ne pas marcher à côté du sentier... Faites attention... Ils sont dressés, mais on ne sait jamais. Albert
fait les honneurs du haras... Cette jument est en

chaleur, elle peut botter... Cet étalon est ardent, il pourrait mordre, etc... Amenez-moi Ofnir...

Ofnir, c'est le cobra noir. Celui de la verge d'Aaron. Hari Singh présente Ofnir par les vertèbres cervicales entre deux doigts en fourche, agité comme une anguille furieuse. « Tout beau, dit Albert comme à un cheval. Tout beau... Ho là, Ho là... du calme », et il le saisit juste sous le capuchon dilaté de fureur... Un coup sec, les vertèbres craquent et le cobra devient verge d'ébène, raide comme un bâton de tambour-major... Albert, à l'aise comme un écuyer de Saumur sur un cheval de manège, fait virevolter Ofnir dont les yeux sont fixes, la langue fourchue figée en avant et les crocs à venin bien en évidence dans la gueule ouverte immobile...

Soudain, je pense à la dernière fois... Pourquoi n'a-t-il pas fait mordre au serpent la planchette, pour le rendre inoffensif ? Mais j'ai compris : Albert et son orgueil, Albert et le jeu, Albert et le risque... Jouer les Aaron et les Moïse avec un serpent châtré, c'est bon pour les montreurs de foire, pour les Hari Singh... Pour Albert, Mesdames et Messieurs, pas de bouchon de tir à blanc, l'acrobate travaille sans filet...

Nous sommes en demi-cercle et j'ai peur... A l'extrême droite, un peu à l'écart, Vivian, blasée depuis des semaines, a pris par le bras Sushila qui connaît le tour depuis son enfance et toutes deux parlent à mi-voix, sans trop regarder...

Aussi fort qu'Aaron, plus fort que Moïse, crie Albert triomphant, avec un rire de victoire, et il lance devant lui le plus loin possible la verge noire qui redevient serpent en touchant terre, donne un coup de rein et rebrousse chemin, chargeant l'homme qui bafouait tout à l'heure sa dignité de Serpent

sacré... Nous sommes tous comme fascinés, sauf
Vivian et Sushila qui n'ont pas vu, ou pas compris...
Albert siffle, Hari Singh siffle, le serpent se dé-
tourne, esquisse un repli, se ravise et en trois bonds
qui soulèvent un peu de terre, il frappe Sushila
en pleine poitrine, disparaît dans les herbes... Personne n'a fait un mouvement, sauf Vivian qui a
tenté de se jeter devant le sari bleu et or... Deux
marques blêmes sur la peau brune, un peu au-
dessous de la clavicule gauche. Sushila est tombée.

Quinze minutes plus tard elle était morte, malgré le geste éperdu d'Albert pour tenter avec ses
lèvres d'aspirer le venin.

TABLE DES MATIÈRES

Première partie

Histoire d'Albert......................... 11

Deuxième partie

Histoire de Frédéric...................... 101

Troisième partie

Vautours et serpents..................... 165
Albert raconte.......................... 219
Frédéric parle.......................... 245

Imprimé en France
FROC030957100719
21603FR00025B/275/P